林漢仕著

易經傳傳

文史哲學集成

文史哲出版社印行

國立中央圖書館出版品預行編目資料

易經傳傳 / 林漢仕著. -- 初版. -- 臺北市：文史哲，民83
面；　公分. -- (文史哲學集成；335)
ISBN 957-547-920-3(平裝)

1. 易經 - 評論

121.17　　83011664

㉟ 文史哲學集成

易經傳傳

著者：林漢仕
出版者：文史哲出版社
登記證字號：行政院新聞局局版臺業字五三三七號
發行人：彭正雄
發行所：文史哲出版社
印刷者：文史哲出版社
台北市羅斯福路一段七十二巷四號
郵撥〇五一二八八一二彭正雄帳戶
電話：三五一一〇二八
實價新台幣六五〇元
中華民國八十三年十二月初版

ISBN 957-547-920-3

自序

易經傳傳能繼易傳評詁，乾坤傳識，否泰輯眞，易傳綜理之后賡續見世，蓋或輯者一念之隨乎？九三年秋提前退出杏壇濫竽之席，友朋諗予値茲交而矍鑠、宜多植資生之本。長官亦笑疑箸作無目標、無資助猶奮行猛進乃蠢動。益之妻孥皆游學上庠，生財中心驟停運作，勢必有所慌亂。兒女質老父可耐閑寂？勸以工作爲寄。獨妻吳氏秀柑知老頑無所用世之心，願即刻入世代余兼顧家計，許我癡愚作無報償之繼續「閉門造車」——專業易傳整理。內子娘家前貧，幸得乃長兄吳氏德謙洎長嫂劉氏炳妹之資助，歸林時學業已及初中。撫育兒女之餘，亦鍛勵自身黽勉進業，故今夏修畢國立空大人文系全部課程，獲人文系學士學位。子女亦將於後年同時獲理、文、工學士學階。彼輩各有所成，於是吾得開顏日遊古今易學之林，謝酬酢埋首案頭自勞其形役矣！

作者有父而慈不及身，有母而他適，乃舊式婚姻之犧牲者，三人同受其害。生小不相識，由祖父上學下鳳，人稱國術大家林學鳳師者隔代提攜，和諸叔父兄弟同蒙庇翼。余少年行多不羈，又値杌隉沸騰洶洶之世，遂遭放逐。十數年後，幸得上遊太學，師程發軔、魯實先諸國學大師，有所啓發。自茲卅年遁跡講堂，作一冬烘先生矣！生於異邦，長於窮壤，少年逢大是大非之變，今垂老矣，心頭仍長无明草，依舊背覺合塵，不離習氣，如之何能於耳順之年，聲聲所聞皆耳順，詖淫邪遁鴃舌之音皆廣長舌？目睹胎生、濕生、有情、無情並爲清淨身？亟盼個人動作威儀有所精進。

往日易傳之輯者如李鼎祚之集解、李衡撮要，其輯其撮外，多未另置一辭。本書之輯，輯評各半，抒其異同。蓋說象、忘象、義理、考據、史實、臆度之析卦爻辭，有如狄青南征之卜，意在筆先，故雖文彩光燦，足以發明大義，而不能行遠。猶先賢斷案逕謂：獅子乳以金銀寶器盛之皆漏；象膽隨四時在足；鐵不可爲舟；山有葱必有銀；有薤必有金之類是也。今客觀取材於斯，供女比較，容女肯（否）定，此一原屬中土區域文化，經由時空傳播，擴大接納層面，其突兀、迷貿在所難免。文化之傳承本無免疫性，所謂反彈是也。主客時空思考模式與個人經驗，在在容我「敝帚自珍」，各從所善，執著自我境界，去審判我見、我聞，於是易經卦爻辭之傳注判例遽成公案。易傳卦爻辭之間，其說似近世氣象學，近程有其權威性，遠程則因大氣回旋未能確切掌握不變之常態而出入誤差加大。卦爻間之傳注文字亦若是而已矣！至每卦爻位另有其共通性，謂初士、民，二大夫，三公卿、大夫，四諸侯，五君王，六師保、宗廟。若卦爻辭之配合初三五陽，二四上陰，所謂當位，則理直氣壯，認爲該當如此。不合則輾轉婉然引申。先賢之處分方式有象數、卦氣、十二消息、世應、遊魂、歸魂、飛伏、升降、反卦、正對、反對、半象、爻體、爻辰、納甲、旁通、錯綜、互體及爻變等名目，學者必先諳熟，蓋皆六爻排列組合遊戲也。二五居上下卦之中，故謂之有中德，三四居大卦之中亦可稱中。比有承乘。比以陽上陰下爲宜，應則一、四，二、五，三、六爻相感應。多喜陰上陽下。初始末終可對觀。五上天位，三四人位，初二地位。卦變爻變者，前者追溯本卦由來變遷；後者爲陽不善變陰，陰不善變陽。知如此則易傳可爲吾詮釋，而易學可以一讀矣。雖然有不按牌理出牌者如鄭衍通等是。

本書計輯有小畜、大畜、履、同人、謙、隨、臨、觀、頤等九卦，臚列歷代名家所傳之卦爻辭供人我共賞。苟合理耶，吾將與之共鳴，苟未盡如吾意，亦當賦予相當程度之尊重與謝忱。蓋人生際遇不同，即一人亦有今昔之分，蘧伯玉行年六十而六十化；陶淵明、梁啓超皆謂今是昨非；吾師魯公上實下先亦曾公開聲稱可全盤否定由彼所建立之理論系統。吾人苟足發心客觀，亦將見前日之我慢、我疑匪善之一面。漢仕五十學易，然無聖人之勤與慧，秉之爲生存競爭者卌年，今得放下，是當盡力投入之時也。惟願貪瞋癡毒不生心，漏盡慧來，常樂我淨，則易傳匯眞剝復等十餘卦，將於九五年冬問世，斯一無任何財團支助，然得文史哲出版社老闆彭先生正雄之信賴與出版保證之鼓勵，以夫述者愚惷念力之不退，易傳廣玩亦將隨之脫稿。此一涵蓋面最廣之周易傳注疏箋彙集，將爲學者帶來駿惠研究之門也。惟願大德先進智者您之繩責愆謬，俾隨時琢瑕修蔓，謝謝。

廣東蕉嶺**林漢仕**南生　寫于台北市溫州街七十九號三F之一

九四・七・送印

易經傳傳　目次

☴☰ 小畜卦（風天）

小畜，亨。密雲不雨，自我西郊。

初九，復自道，何其咎！吉。

九二，牽復，吉。

九三，輿説輻，夫妻反目。

六四，有孚，血去惕出，无咎。

九五，有孚，攣如，富以其鄰。

上九，既雨既處，尚德載，婦貞厲，月幾望，君子征凶。

☴☰ 小畜，亨。密雲不雨，自我西郊。

彖曰：小畜，柔得位，而上下應之，曰小畜。健而巽，剛中而志行乃亨，密雲不雨，尙往也。自我西郊，施未行也。

象曰：風行天上，小畜，君子以懿文德。

虞翻：需上變爲巽，與豫旁通，豫四之坤初爲復。復小陽潛，所畜者少，故曰小畜。二失位，五剛中正，二變應之，故志行乃亨也。密小也，兌爲密，需坎升天爲雲，墜地稱雨，上變爲陽，坎象半見，故密雲不雨，上往也。豫坤爲自我，兌爲西，乾爲郊，雨生於西，故自我西郊。

侯果曰：四爲畜主體，又稱小，唯九三被畜下剛皆通，是以小畜亨也。

崔憬曰：雲如不雨積我西邑之郊，施澤未通以明小畜之義。又案：雲雨者，陰之氣也，今小畜五陽而一陰，既微少纔作密雲，故未能爲雨，四互居兌，西郊之象也。

荀爽傳象曰：體兌位秋，故曰西郊也。時當收斂，臣不專賞，故施未行，喻文王也。

九家易傳象：風者天之命令也，今行天上則是令未下行，畜而未下，小畜之義也。

王弼：不能畜大，止健剛志故行，是以亨。

正義：大畜乾下，艮上，艮是陽卦又能止物，能止乾剛，所畜者大，此卦巽上乾下，巽柔性和，不能止在下之乾，唯能畜止九三，所畜狹小，故名小畜。

又云：若陽上升，陰能畜止，兩氣相薄則爲雨也。今唯能畜止九三，其氣被畜，但爲密雲，初九、九二猶自上通，所以不能爲雨也。所聚密雲由在我之西郊，去我既遠，潤澤不能行也，但聚西郊而已。

程頤：雲，陰陽之氣，二氣交和則相畜固而成雨，陽唱而陰和順也。不和則不能成雨。畜聚雖密而不能成雨者，自西郊故也。東北陽方，西南陰方。自陰唱故不和，不能成雨。雲氣興自四遠，故云郊。

蘇軾：六四謂之小，五陽皆六四所畜，是以大而畜於小也。傳彖：巽所以畜乾，順之而已！乾知巽不足興雨猶往從之，故曰密雲不雨，尙往也。

張載：自我西郊，剛陽之氣進而不已也。

朱熹：巽，一陰伏於二陽之下，其德爲巽、爲入，其象爲風、爲木。小，陰也。畜，止之之義。六四一陰畜上下五陽，故爲小畜。又以陰畜陽，能繫而不能固，亦爲所畜者小之象。內健外巽，二五皆陽而用事，剛而能中，其志得行之象。然畜未極而施未行，故有密雲不雨象。蓋密雲，陰物。西郊，陰方。我，文王。文王演易於羑里，視岐周爲西方，正小畜之時也。

朱震：一柔畜五剛，大臣畜君也。柔得位，上下應之，此以六四言小畜之義。下健上巽，二五剛中健而濟之，陽爲陰所畜矣。畜君者好君也。密雲者，兌澤之氣上行。雨者陽爲陰所得，相持不下也。六四不得於君，其能畜乎！陰畜陽，小畜大，終不可成大事。卦氣爲四月。

項安世：以六爻言之，一柔得位，五陽應之，能係其情，未能全制之也，故爲小畜。以二卦言之，健而巽，不激不亢，其勢必通，二五皆剛中，同心同德，其志必行，故有亨理。凡陰閉極，則陽氣蒸而成雨。密雲不雨者，陰未至極，所畜小。又四本象風，互兌在天下，故謂雲，兌正西，故爲西郊，至四遇巽風，故爲不雨。

李衡引胡：乾下巽上，巽柔不能拒物，乾進不能止，故初復自道，九二牽復至，畜極乃能止，獨止九三一爻而已！陽志得上行，故亨。引石：小畜所聚者寡，故密雲不雨，乾體本上，憂巽止未能通，其如巽順，是以亨也。凡雲上則雨澤天下，今所聚寡，不能博施，不雨不能澤遍天下。西郊取遠之義，恩澤不能及民物也。引陳文佐：臣不可僭，僭則亂天下。密雲不雨戒臣不得專上施也。引王逢：四以陰盛，有密雲之象，以柔止健，不能固陽，是以不雨。西郊陰地，臣之類也。

梁　寅：以巽陰畜乾陽，四之一陰畜上下五陽，故謂之小畜。亨，陽之亨也。二五皆陽剛中正，固可亨也。以人事言，小人畜君子，人臣畜其君。四一陰，密雲也，以陰居陰之盛，自西郊興，陽不能應和故不雨。世之興功立事，出於小人，人心不和，未有能成功者，觀小畜象，亦可以自省矣。

吳　澄：小謂陰畜藏也。一陰藏畜於五陽之間。坎水其氣上升爲雲，液下爲雨。二三四互兌，坎上半體，有雲而无雨，坎下畫窒塞不通，象雲密不雨，我，四，西四象郊，陰方，陰倡陽和則不雨。其象如此。

來知德：畜音初。中爻離錯坎，雲象，中爻兌，西象，下卦乾，郊象。凡雲自西來東者，水生木洩其氣，故无雨。又所以亨者畜未極，施未行也。

錢大昕：大畜釋文本又作蓄，敕六反，積也。鄭許六反。大畜象傳多識前言往行以畜其德。彖傳有能止健之語。宣尼未訓畜爲止，漢儒訓積，訓養。獨孔正義畜止三陽，疏家因大畜有止健之文，遂類及小畜。不知巽不主止，大畜艮在乾上能畜止，小畜巽在乾上能畜不能止，故密雲不雨之象。後儒沿正義之誤，幷孟子畜君何尤句，亦訓止矣。

王船山：小謂陰。以法象言之天包地外，地在天中，體之大小也；以數言之陽卅六、陰廿四，用之大小；以時化言之陽舒萬物盈，陰斂群動縮，功效之大小也。故陽大陰小。畜止也。養也。乾健巽一陰止其健，五上二陽皆爲陰用，成巽德，故爲小畜。亨謂陰亨。未足以開物成務化成天下，故又爲密雲不雨自我西郊象。陰上隮乾，陽氣盛於下不得降，密雲而已。乾西北巽東南，自西而東，晴雨之徵。不雨以乾陽驅陰也。乾內，稱我，正陽爲主也。蓋醞釀輕微，方在畜積，非德化大行之徵。

李光地：畜止也，聚也。在下者止之不得升，在內者聚之不得發。一陰畜陽謂小畜，二陰幷力畜陽謂之大畜。又風行天上，雲氣未能厚聚，亦小畜之義。聚必通，所畜小，其象如密雲不雨，自我西郊起，能聚而不散，終有亨通之理。

毛奇齡：以大畜小謂之小畜，畜者藏也。又止也。大小者陰陽也。一陰居衆陽之中，爲其所包藏巢止，小爲卦主。傳象，獨居離中，離中者文明之象也。

李塨：小畜爲小寡，小爲陰，即四也，偶爻居偶位，得位也。兼互離互兌之陰，三陰至見，五陽環包，九五得中乃亨。雲畜不往則雨，巽一陰爲卦主，風散不雨象，中爻兌爲西方。

李富孫：說文畜，田畜也。蓄，積也。蓄古通作畜。鄭玄養也。

吳汝綸：畜有歛訓，太玄擬以為歛。云陽氣大滿于外，微陰小歛于內。最得卦義。密雲不雨即喩微陰，小歛之象。自我西郊，未遍及于四境，故彖施未行也。

伊籐長胤：畜止，制止，如畜君何尤之畜。一陰得位，五陽為所畜，陽大陰小，故名曰小畜。卦德內健外巽，卦體二五剛中得志，君子得志象。據四言兌正秋也，西郊象。陽盛陰方行故密雲不雨。

薛嘉穎：本又作蓄，積也聚也。養也，止也，可相通。坎為雲雨象。何氏楷互體有坎之上半體，變坎之下半體，上有雲下無雨也。四互兌西方，西郊也。

丁壽昌：蘇蒿坪中爻互兌，一陰在上，密雲之象，坎為雨，兌下畫陽，故不雨。小過六五亦互兌亦云密雲不雨。虞氏坎上變陽坎象半月說與卦象不合。

曹為霖：公孫弘能止武帝西南夷之役而不能止匈奴之師，此小畜之臣也。

馬通伯：胡一桂不雨，巽風散之。張浚不雨，德澤不施也。君德未孚。胡炳文，下畜上，小畜大，正文王與紂事。刁包蓋引咎責躬不能和二氣，布德澤於天下。案一陰非孚五不能及天下，乃者難詞也

劉次源：陰小陽大，陽為陰畜。風吹雨散，不雨之徵。互兌西郊。我，文王自稱。五陽畜一陰，未極其盛，故不雨。

李　郁：小畜為積德之卦。小指六四為眾陽所宗，小而能畜，故曰小畜。坤交乾故亨。坎雲，我五，西郊上。陽來益坎，巽風而雲益密，未變兌故不雨。

胡樸安：會田獵得禽而畜之也。亨者嘉之會，密雲者仰而射鳥見密雲不雨之狀。西郊會田獵之地也。

高　亨：古人舉行享祀曾筮遇此卦，故記曰亨。密雲者事在醞釀之象。大雨前雲多起西方故言西郊。

徐世大：歎歲。烏黑的雲不下雨，從城的西郊外。亨，通常普遍。不雨，惟有歎息而已，不綴語語。

于省吾：西谿易說引歸藏大畜作大毒畜；小畜作小毒畜。黃宗炎曰毒畜，毒畜。亨毒之義。合文，小毒戍，毒，厚也。毒懸也。篤古通。篤，厚也。畜，積也，即小厚積。

屈萬里：黃式三謂易凡言大者指陽爻，小者陰爻。（焦里堂先有此說）仲氏易：「以大畜小者謂之小畜……大小者陰陽也。」按戰國策「陰燕陽魏」高誘注「陰小陽大。」卜辭「其自東來雨。」「自南來雨。」小畜「密雲不雨」義蓋相同。

金景芳：畜當聚，止，也有積蓄的意思。密雲不雨。過去很少有講對的。我有一個看法，有一回月曆牌記天氣諺語：「雲行東，車馬通；雲行西，披雨衣。」據科學可信，古人這種經驗，可能就是這樣的。

李鏡池：畜，重文作蓄，从茲，茲，益也，又草木多益也。意為田里谷物滋生。解畜積，畜養，畜止均誤。專業專卦。我，貴族自稱，是土地所有者，故稱我西郊。「密雲不雨」，這是一種旱象。

傅隸樸：畜義為止，孟子：「畜君者好君也。」止君惡，是親愛其君。止君小惡亦亨。所畜小，不能致君於堯舜，我指城邑，城西興雲，城東風起，雲無法到城邑上空，人民對雨露盼望落空了。君澤下及無望。

黃慶萱：風行天上不及地，積德尚小，修養不夠，从西北郊吹來密雲一樣，不能春風化雨，移風易俗呢！

林漢仕案：巽上乾下，小畜，亨字後著「密雲不雨，自我西郊。」則其亨爲大前提，小畜，亨。而不雨乃亨後產物，不能影響聚止小畜之亨也。茲輯易傳大家之卓識以觀其大概：

彖謂柔得位，剛中志行，密雲尙往，西郊施未行也。

象云：風行天上，君子以懿文德。

虞翻：所畜者少，二變應五亨。上變，坎象半見，故密雲不雨。兌西乾郊，雨生於西，故自我西郊。

侯果：四爲主體，又稱小。九三被畜，下皆通故亨。

崔憬：雲如不雨，施澤未通。又雲雨陰氣，五陽一陰，既微少，故未能爲雨，四互兌爲西郊之象。

荀爽：體兌，秋，時當收斂，臣不專賞，故施未行。

九家易：風者天命，行天上是令未下行，畜未下也。

王弼：不能畜大，剛志故行，是以亨。

正義：畜止九三，但爲密雲，潤澤不能行，聚西郊而已。

程頤：陰陽不和則不能成雨，雲氣興自四遠故云郊。

蘇軾：六四小，五陽皆六四所畜。乾知巽不足興雨猶往從之，故密雲不雨。

朱熹：一陰畜五陽，故爲小畜。能繫不能固。二五用事，剛能中，故志行。畜未極施未行，文王演易於羑里，視岐爲西方，正小畜之時也。

朱震：四畜五剛，畜君，好君也。小畜大不可成大事。

項安世：一柔未能全制，故爲小畜。二五剛中故亨。陰未至極，至四巽風，故不雨。

李衡：引胡陽志得上行故亨。引石巽順是以亨。所聚寡，故密雲不雨。不能澤遍天下。引陳文佐云戒臣不得專上施。引王逢云四陰盛，密雲象，不能固陽，是以不雨。西郊陰地，臣之類。

梁寅：四一陰畜上下五陽故小畜。亨，陽之亨，二五陽剛中正，固可亨也。人事言小人畜君子，臣畜君。西郊陽不能應和，故不雨。

吳澄：坎上半體有雲无雨，坎下畫窒塞不通，象雲密不雨，我，四，西四象郊，陰方，陰倡陽和則不雨。

來知德：離錯坎，雲象。兌，西象。乾，郊象。凡雲氣西來，水生木洩，故无雨。亨者畜未極，施未行也。

錢大昕：畜本作蓄，積也。大畜能畜止，小畜不能故不雨，後儒沿正義之誤，並孟子畜君何尤句，訓止。

王夫之：以體之大小，用之大小，功效之大小言陽大陰小。畜，止也，養也。亨謂陰亨。巽德故爲小畜。

李光地：畜，止也，聚也。下止，內聚，不得升發。一陰蓄陽謂之小畜。聚不散故有亨通之理。

毛奇齡：畜，藏也，止也。大畜小謂之小畜，一陰爲眾陽包藏巢止，爲卦主。

李塨：小畜爲小寡，風散不雨象。兌西方。

李富孫：說文畜，田畜，與蓄積通，鄭玄養也。

吳汝綸：畜訓斂。陽氣滿外，陰斂內，自我西郊，未遍及四境。

伊籐長胤：畜止，一陰五陽爲所畜，陽大陰小故小畜。

馬通伯引：不雨，君德未孚。

李郁：小畜爲積德之卦。

胡樸安：田獵得禽而畜之也。

高　亨：密雲不雨者事在醞釀之象。

于省吾：小厚積。

金景芳：諺語雲行東，車馬通；雲行西，披雨衣。據科學可信，古人有這經驗。

李鏡池：畜重文从茲，益也。意爲田里谷物滋生。解畜積，養，止均誤。密雲不雨是旱象。

傅隸樸：畜小不能致君堯舜。君澤下及無望。

黃慶萱：風行天下不及地，不能春風化雨移風易俗。

小畜之義：

所畜者少。（虞氏）

四爲畜主體，又稱小。（侯氏）五陽一陰，陰微少。（崔氏）

畜止九三，所畜狹小。（孔正義）

六四小，五陽大而畜於小。（蘇東坡）

陰小，一陽畜上下五陽，故爲小畜。（朱熹）

一柔繫情五陽，未能全制之也，故爲小畜。（項安世）

小畜大，終不可成大事。（朱震）

小畜聚寡，不能固陽。（李衡引）

小人畜君子，人臣畜其君。（梁寅）

小謂陰，一陰畜藏五陽之間。（吳澄）

畜，本作蓄，積也。訓止，誤。（錢大昕）

王夫之：畜止也，養也。巽德故爲小畜。

畜重文茲，益也，田里谷物茲生。

畜爲所畜者少；只畜止九三狹小；勢單爲小，陽五，陰一，陰微少；陰小；大畜於小；聚寡；小人畜君子；一陰畜藏五陽之間；積；止也，養也；茲生。一畜有十一說，當本字畜解者有

畜少；祇畜九三；聚寡；積也。

以畜爲畜君好君訓止者。訓養者，小人畜君子，大畜於小。

以畜爲藏者，一陰藏五陽間。

以畜爲茲益，茲生者。

查先賢雜卦中敍小畜曰「寡也。」韓注「不足以兼濟。」又序卦「物畜然後有禮。」韓注「非大通之道則各有所畜以相濟也。不能大也。」則畜宜以畜養，畜積之義爲長。只畜九三狹小，勢單爲小，似不能通小畜之義。毛奇齡「以大畜小謂之小畜。」說雖與東坡「五陽大畜於小。」項安世「一柔繫五陽以情。」相反，屈萬里是仲氏易大畜小之謂小畜。觀各爻繫辭似皆有情，初自道，二牽復，三反目，四有孚，五有孚，攣如，上九既雨。毛說似得卦意，各陽爻共養六四也乎？上九故言婦貞厲，婦爲五陽所共有也，貞則一屬而爭兵起矣！六四之謂「大眾情人」矣乎！

密雲不雨，似在醞釀歸屬。六爻宜以歷程解。若以「矛盾」生大業，則各自以六四有情，六四玩五陽於股掌之間。一雌與五雄翩翩起舞，爻爲同時個別間之案例，卦辭則總其事言其大概，夫如是，則小畜各階段皆身帶桃花，人緣絕佳，至上九始稍受限制，蓋不雨者雨矣，不處者處矣，「尙德載」與「婦貞厲」乃限制之辭，「君子征凶」也者，呼天呼帝之人，不服老命奮力征伐，果眞可能「馬革裹屍」而還！青少年時之多情種子，宜乎自斂自重也，易果爲君子謀矣！

初九，復，自道，何其咎！吉。

象曰：復，自道，其義吉也。

虞翻：謂從豫四之初成復卦，故復，自道出入无疾，朋友來无咎，何其咎，吉，乾稱道也。

王弼：處乾之始，以升巽初，四爲己應，不距己者也。以陽升陰，復自其道，順而无違，何所犯咎！得義之吉。

正義：處乾始，升巽初，反復於上，自用己道，四則順而无違，於己无咎，故云復自道何其咎，吉。

程傳：初九陽爻乾體，陽在上之物，又剛健之才，足以上進，與上同志，其進復於上，乃其道也。初九乃由其道而行，无有過咎，故云何其咎！

蘇軾：陽之畜乾，將盈其氣而作之；陰之畜乾，將即其安而縻之。大畜用乾，故大畜乾之艮爲吉；小畜將以制之，小畜之乾以之巽爲凶。乾之欲去於巽，必自其交之未深也，初九進而嘗之，知其不可，反循故道而復其所則无咎。

張載：以理而升進之於應也。

朱熹：下卦乾體，本皆在上之物，志欲上進而爲陰所畜。然初九體乾居下，得正，前遠於陰，雖與四爲正應而能自守以正，不爲所畜，故有進復自道之象。

朱震：聖人明陽不受畜於陰之義，故以履小畜二卦反復明之。小畜，履之反。初二皆以復言之。三受畜不得復，初九之位正也，不受畜而復四，未得所宜，有咎，四柔道下之，何其咎哉！於義吉也。

項安世：下三陽皆爲巽所畜。初九正之於初，不施畜止而自復於道，无過可補，此畜之最美者。

李衡引牧：凡陽升而上曰復。引陳：三陽同上，己爲類首。

梁　寅：陽在下乃居下，上進復其故處，復由道也。三陽在下並進，初應四，二陽間之，不畜於四而能上進，初四應，宜有咎，變文曰何其咎，吉，言何至於咎乎，斯爲吉矣。曉占者絕私繫，隨同類則吉也。

吳　澄：初九獨與陰應宜有咎。若外不繫於陰，內自守其陽，是爲能復。道，正路。不正應四而比同二而由正道，故曰復自道。舍柔應从同德，何咎哉！

來知德：自下升上曰復。歸還之意。陽本在上欲上進。自由也，道正道也，言進上乃陽正道也。又不爲陰所畜而復上者理也，理之自吉者。

王夫之：何，从人从可，本負何之何，經傳或从艸，作荷華之荷，傳寫之譌。乾受畜而施不行，非乾志。初與四應，受其畜，咎將歸之。初位在潛藏，惟守道以自安，故吉。

李光地：處下居初，有剛正之德，上應六四爲其所畜，能順時義而止，退後自道之象，不惟无咎，吉矣。復謂返也。

毛奇齡：藏止非强制力沮，初自姤來，今四即向來夫初者，自往自來則自道也。還所自來即復所自道，道在是義亦在是，吉矣，何咎之有！

李塨：復初與四正應，則其畜陰乃報答之由其道者也。道在是義即在是。（自注報答即應也。）

吳汝綸：凡陽自上而下爲復。復自道者，當歛退之始，陽還歸于初九，是復而從道，自者從也。

伊籐長胤：復，還歸也。自道者以道而復也。蓋事有是非，時有窮通，善雖或屈一時，未必不伸于萬世，君子固不違時强進，亦不倦行善。卦主陰畜陽之道，爻主陽爲陰所畜之道，固不相妨。

薛嘉穎：陽既爲陰所畜，便不宜過剛躁動。李光地少寬假其省察綦嚴。

丁壽昌：小畜以陰畜陽，本義云不爲所畜。與卦義相違。復返也。自從也。返而從道也。天道轉運，乾初得位，即復初乾爻故曰復自道。

曹爲霖：雖陰得位，聖人扶陽之意自在。以初得剛體不曲，狗應六四爲无咎也。章惇欲見陳無己，無己曰公卿不下士久矣……不如俟東歸角巾私第見也。

馬通伯：董仲舒曰魯忘憂禍逮其身，齊桓憂憂立功，凡有憂而憂者吉，易復自道何其咎，此之謂也。所謂能任咎斯能從道矣。

劉次源：卦陽被畜，爻不受畜爲美。受畜爲人豢，故子求諸己。初應四遠四，正道復己，咎從何來！

李　郁：乾四往坤初成復，坤初來乾四成小畜。陰來陽往故謂之道，各得其正奚咎，初四應故吉。

胡樸安：道，道路，自西郊而歸之道，會田獵而歸也。事得其宜，无咎而吉也。故象曰其義吉，義宜也。

高　亨：往而重來爲復，出而能返，尙何咎哉！吉也。

楊樹達：荀子大略篇易曰復自道何其咎？春秋賢穆公，以爲能變也。呂氏春秋易曰復自道，以言本無異則動卒有喜。春秋繁露凡人有憂而深憂之者吉，易曰復自道何其咎？此之謂也。

徐世大：譯文，回到自己的路，怨那個？好傢伙！初爻又逢旱災的初期。農業時代知有週期性災害也。

屈萬里：道，路也。易凡言「出自穴」，「告自邑」，下一字皆實指其地，復自道亦然。王引之說。

道是正路，謂未迷。

金景芳：初乾剛要進，小畜要止，初四相應，不能進，還到本位來，叫復自道。

李鏡池：復自道，从田里回來。復返，道，田間路。何其咎：即何咎，无咎。農民勞動辛苦，經常出事故，能平安回家就吉利了。

傅隸樸：乾居巽下失德，復其善性，六四上應，猶人君有悔過之心。復自道即自復於道。何來災咎？无咎便吉了。

黃慶萱：一陽復生了，那會有什麼過錯呢！當然有收穫的。

林漢仕案：「復自道」三字應是小畜卦焦點論題，虞翻復謂復卦之後，本卦爲小畜風天䷈，與復地雷䷗亙然不同，虞氏卦變从雷地豫䷏，四之初成復卦牽入，故謂之復，成爲全變正對卦，與小畜搭上關係，豫之來則成無的空降部隊也。王弼之升巽初，四順无違則成䷫姤卦、正對䷗復卦矣，較虞氏之變似較入理而順，然「復自道」果謂復卦矣？小畜自是小畜，復自是復，各有其義，各箸其功，吾以是知虞氏，王氏之不可通也。

反復字釋文本亦作反覆，（如詩公劉、抑、緜箋），覆，其義孚也，如劉熙釋名，釋言語：「覆，孚也。如孚甲之在物外也。」「道，導也，所以通導萬物也。」「復自道」似可釋爲孚自導矣。雜卦「小畜，寡也。」注「不足以兼濟。」序卦「比必有所畜，故受之以小畜。」注謂「此非大通之道，則各有所畜以相濟也。由比而畜故曰小畜而不能大也。」卦辭爲「亨，密雲不雨。」其氣象已可隱約見之矣，初九剛健有其正德，應四，四亦正，柔位，兩相應又得其正，於理何來咎？然而亦有其咎者，各樂愛其小爻，梏之反覆，躭擱進取矣，故其氣象小，初四本正，其應必吉，著文「何其咎」！雖曰无可咎之理實寓咎焉。以无可咎之位，反詰之咎，是疑其志小而易飲滿腹也，孚由自導，何由咎？是作易者之嘆小畜初九自取之也，非關乎運數？天命？苟讀易者知所處則不受羈於「小畜」，雜卦謂「寡」，序卦注「小畜不能大也。」試讀傳統解釋初九「復自道」之義：

虞翻：从豫四之初成復卦，故復。

王弼：乾始升巽初，陽升陰，復自其道。

正義：四順己无違故无咎。自用己道。

程傳：陽進又剛健，復於上乃其道，由其道行，何咎？

蘇軾：初九乾之巽爲凶，反循故道而復其所則无咎。

朱熹：初九雖與四正應，能自守不爲所畜，故有進復道之象。

朱震：聖人明陽不受畜於陰之義。

項安世：初九正，不施畜止而自復於道，此畜之最美者。

李衡引牧：凡陽升曰復。

梁寅：陽上進復其故處，復由道也。

吳澄：初九外不繫於陰，內自守其陽，是爲能復，道，正路。

來知德：下升上曰復，歸還之意。進上乃陽正道。

王夫之：初位潛藏，惟守道以自安，故吉。

李光地：初剛正應四，能退復自道之象。

毛奇齡：初自姤來，今四向來夬初者。自往自來則自道也。還所自來即復所自道。道在義亦在。

李塨：初四應，畜陰乃報答之由其道者也。

吳汝綸：凡陽自上而下爲復。陽還歸初九，復而從道也。

伊籐長胤：自道者以道而復也。復，還歸也。

薛嘉穎：陽爲陰畜，不宜過剛躁動。

丁壽昌：陰畜陽，本義云不爲所畜。與卦義相違。復，返也；自，從也。即復初九乾爻。

曹爲霖：雖陰得位，聖人扶陽之意自在。

劉次源：陽不受陰畜爲美，應四遠四，正道復已。

李郁：乾四往坤初成復，坤初來乾四成小畜，陰來陽往故謂之道。

胡樸安：道，道路。

高亨：往而重來爲復，出而能返，尙何咎哉！

楊樹達：能變，動卒有喜，有憂而深憂之者，復自道，何其咎！

屈萬里：道，路也。王引之說：道是正路。謂未迷。

李鏡池：農民勞動辛苦，經常出事，平安回家就吉利了。

傅隸樸：乾居巽下失德，復其善性，猶有人君悔過之心。

黃慶萱：一陽復生了，那會有什麼過錯呢！

「復」字之義有：

1.復卦。（一陽復生）

2.復於上，反循故道，復其所。一往復，一爲返復。

3.陽升曰復。（下升上曰復）

4.陽自上而下爲復。

5.往而重來爲復。（李鏡池以復爲回家）

6.復其善性。

謂復卦者又各有其卦變法，虞翻之「从豫四之初」、王弼之「乾升巽初。」毛奇齡之「初自姤來。」李郁之「乾四往坤初成復。坤初來乾四成小畜。」而朱震則謂「小畜反爲天澤履，二卦反復明之。」則復卦外，又有履卦介入說初九爻辭矣！

初四本應，爲正理，然說者謂陰畜陽，聖人扶陽抑陰，似皆穿鑿。豈眞易爲變易，不可爲典範？至往爲復？來爲復，抑一往一來爲復？各有立場。

復爲本來善性說，初九本正，正正反成負矣。

初九之正，孚由自導易足而自滿，了了之少時，大眞未必佳也！雖由自取，孰咎？吉者，其時吉也，往后時不我與，能无老大悲傷之嘆！

「道」字之義用「乾稱道。」「自用己道。」「由其道而行。」「反循故道。」「四柔道。」「正路。」「上進乃陽正道。」「道在義亦在」之道。「陰畜陽之道。」「陰陽往來謂之道。」「道路。」「回到自己的路。」「回到本位來。」「田間路。」「道爲善性。」道从虛路變作實路，柔道變作本位、善性。當今之道，確該立舍我其誰之志，然其道雜，一統則有壟斷之虞，並存又有放棄責任，姑名之「以俟後之賢者」！難，吾意如上，孚由自導，無可咎之理，今時吉也。（寓改之爲貴焉）

九二，牽，復，吉。

象曰：牽，復，在中，亦不自失也。

崔憬曰：四柔得位，群剛所應，二以中和牽復，自守不失于行也。

虞翻傳象曰：變應五，故不自失，與比二同義也。

王弼：處乾之中以升巽五，五非畜極，非固己者也，雖不能若陰之不違可牽以獲復，是以吉也。

正義：牽謂牽連，復謂反復，二欲往五，五非止畜之極，不閉固於己，可自牽連反復於上而得吉也。

程傳：二、五以陽剛居下，上體之中，爲陰所畜，俱欲上復，二五同志相牽連而復，陰不能勝，則遂其復矣。本卦舉二體而言，則巽畜乎乾，全卦而言，則一陰畜五陽也。

蘇軾：九二交深於初九矣，故其復也必自引而後脫，蓋已難矣，然猶可以不自失也。

張載：初反自道，三爲說輻，二以彙征，在中，故未爲失。

朱熹：三陽志同，而九二漸近於陰，以其剛中，故能與初九牽連而復，亦吉道也。占者如是則吉矣。

朱震：五本二之位，五動二應，同志者也。二乾體剛健，五巽體柔巽。二進五牽挽而復之。巽爲繩爲股。艮爲手，牽復也。不若初九自道而復爲易。易傳曰：同患相憂，二五志同，二陽並進，陰不能勝，得遂其復矣。

項安世：九二不正之念動於中，牽而後復，畜而後止，已用力矣，以其在中未遠，不至於失道。

李衡引牧：與初同志而進，猶拔茅之義，不失中道，故吉。引石：九二欲復於上，九五剛陽盛位，力可以制，九二之行，須牽攣於物，然後可復。引陳：二陽之中，同一卦之體，上下牽引，亦能獲復。引介：无應於上，不能自復。

梁　寅：二五同德，五剛健中正，在尊位，非四所能畜止，二居下卦之中，與上下二陽並進，五爲之牽引，故五言攣如，二言牽復。君子居下位能勝小人者，獲乎上也，必中正同德，然後爲不失。

吳　澄：九二剛而得中，初舍四正應而牽連九二復初，初復二有力焉，故曰牽復。

來知德：九二近陰，然剛中，守已相時，與初並復，有牽連而復之象。又三陽同體故曰牽。

王夫之：九二不與回應，以初九受畜，牽引而退，使安於中而不進。蓋君從臣諫，弟聽師裁，抑志養德之象。

李光地：牽，制。二可進之位，然當畜時能自牽制而返復，吉道也。傳象：有中德，不至躁進自失。

毛奇齡：二與四非應非對，以剛畜四，有所牽也。二初地道，同畜復，二在姤居巽中，巽爲繩，因而牽之。九五无應，不失爲中，亦吉。初不失，二亦不失，所爲牽也。三則失矣！

李塨：二畜四非應則非復，復者有牽之者。二與初地道，陽剛同體，則牽而復之。初不失二亦不失。

吳汝綸：二與初比，故牽連而復，亦吉道也。

伊籐長胤：與初相牽連而復也。當時之不造，非衆力相持豈能得成，善類之不可不相輔如此。

薛嘉穎：二具剛中之德與初同體牽連而復。

丁壽昌：九二以剛變柔，上牽于五則吉。虞氏曰變應五故不自失，與比二同義是也。

曹爲霖：陳氏曰剛以柔牽，疑於失，進得中道，亦未爲自失。于謙執政中官興安等之力，蓋此類也。

馬通伯：陽性發越喜上進，遇陰輒止，畜而養之，使陽益壯。牽連復不自失，不化陰失其剛也。

劉次源：居下中，漸近四，將被畜，有三隔，牽初以復，是以吉也。

李　郁：復，反也。巽爲繩，故能牽，二中正故吉。

胡樸安：牽所獲之禽歸而畜之，其事至吉，象在中，在歸途之中，不自失，禽無有走失也。

高　亨：被人挽引而返，與自動以復，其復一耳。

徐世大：二爻言旱之連續回復。蓄積未罄，但斷之以吉，其他已不勝怨恨矣。

屈萬里：牽復，言被牽而復也。疑牽輹二字之訛。牽，漢石經作𤙊，形近牽、𤙊，車軸頭鐵。輹，說文「車軸縛也。」二者皆所以固軸，軸固故吉。又疑牽如字，復作輹，牽輹謂縛輹於軸，牽輹吉，脫輹凶。

金景芳：九二與初九牽連而復，也吉。

李鏡池：牽復，拉回。農民把農產品拉回去，當牛當馬。

傅隸樸：牽義爲牽强，勉强，二以剛居中，九五亦中，不致過分排斥，止復善出於牽强，是勉强吉。

黃慶萱：被初九相牽而回到乾下的中爻，會有收穫的。

林漢仕案：「牽，復」有人勤於覓象；巽爲繩，繩索可以牽物；三陽同體，故又可曰牽；小畜正對卦豫，豫則有艮，手象矣，手可以牽。有人就爻文附會：二牽四；二變應五；二陽，五亦陽非固己者，可牽連反復於上；二五剛中，爲陰所畜，故同志相牽連而復；九二、初九交深，必自引而後脫；九二與初九牽連而復；二進五牽挽而復之；二不正之念動於中，牽而後復；九二上行，九五力可以制，九二須牽攀於物，然后可復；九二、初九牽引而退；牽復，拉回，被人挽引而返，旱之連續回復。第三勢力則謂牽復疑即牽輹，牽，車軸鐵，復爲輹，皆所以固軸，故吉。古書或羡其文，或手民誤，在所難免，然變易文字解經，雖亦條條通長安大道之一，讀者諸君想亦難免有所遲疑困惑也。前者以象言九二之時位以論其處境者，牽初，自牽，三陽牽，牽四，牽五皆有至當之論，所謂象有百十而眞理一而已矣，惜乎夠水平之「國際裁判」未之誕生也。從牽字義者牽制、牽連、牽引、牽復、牽攣、牽攣、相牽、自牽、牽强，甚而疑牽復爲牽輹，謂縛輹於軸者，九二奚適而安？九二角色，誠難取悅大衆矣！初九之孚由自導，九二亦孚（復）由自牽也，牽之爲言在前也。（周禮司刑凡封國若家，牛助爲牽徬。注在前曰牽，在旁曰徬。）字又作掔，注云古牽字，引前也。然則九二不正，以剛猶正者，所謂動而正者，乃自甘爲驅馳，常在前而任勞也，故得「孚甲之在物外」之孚覆，常在前如牛馬之任勞，又得孚信之也。九二之吉，由自導而來，牽復其繼，非攙來之吉也！

九三，輿說輻，夫妻反目。

象曰：夫妻反目，不能正室也。

虞翻：豫，坤爲車爲輹，至三成乾，坤象不見，故車說輹，馬君及俗儒皆以乾爲車，非也。豫，震爲夫，爲反巽爲妻，離爲目，今夫妻共在四，離火動上，目象不正，巽多白眼，夫妻反目，妻當在內，夫當在外，今妻乘夫而出在外，象曰「不能正室。」三體離，需飲食之道，飲食有訟故爭而反目。

九家易傳象：四互體離，離爲目，離既不正，五引而上，三引而下，故反目也。輿以輪成車，夫以妻成室，今以妻乘夫，其道逆，故不能正室。

鄭玄：謂輿下縛木，與軸相連鉤心之木是也。

王弼：上爲畜盛不可牽征，以斯而進，故必說輻也。已爲陽極，上爲陰長，畜於陰長，不能自復，方之夫妻，反目之義也。

正義：九三欲復而進，上九固而止之，不可以行，故車輿說其輻，上九體巽，爲長女之陰，今九三之陽被長女閉固，不能自復，夫妻乖戾，故反目相視。

程頤：三居不得中，密比於四，陰陽之情相求，暱比而不中，爲陰畜制者也，故不能前進，猶車輿說去輪輻，言不能行也。反目謂怒目相視，不順其夫而反制之也。未有夫不失道而妻能制之者也，三自爲也。

蘇軾：其交益深而不可復，則脫輻與之處，與之處可也，然乾終不能自革其健，而與巽久處无尤也。故終於反目。

張載：近而相比，故說輻而不能進，反爲柔制，故曰反目，非其偶也，故不能正其室。

朱熹：九三亦欲上進，然剛而不中，迫近於陰，又非正應，但以陰陽相說，而爲所繫，畜不能自進，故有輿說輻說之象。然以志剛，故不能平。而與之爭，故爲夫妻反目之象。戒占者如是則不得進而有所爭也。

朱震：子夏傳，虞翻本，輻作輹。上九，九三本相應，若動成震，坤其輿也。陽晝輿下橫木，爲輹。九三見畜不可動，兌爲毀折，輿說輹矣。震夫，離妻，爲目，巽多白眼，九三剛不中，見畜而怒，故反目相視。九三畜於六四而不復，三失道，陽无失道，陰豈能畜之！易傳：未有夫不失道而妻能制之也。春秋傳晉獻公筮嫁伯姬於秦，遇歸妹之睽，史蘇占之曰，車脫其輹，歸妹外卦震，上六變離，震毀車脫其輹。與此爻同象。

項安世：九三剛已過中而後畜之，四當其上親與之角，其勢必至於相拂，如人之已升輿，輹說係而止之，夫不行正，妻反目而爭之。象恐人以妻之悍，明不正在夫。

李衡引陸：三爲輿，二爲輻，三往趣上，二下牽，初說輻之象，三與四異體相比，夫妻之象，三既趣上，四亦畜初，反目之象。引石：六四、九五未盛不能畜止乾陽，九二既能畜定九三，故輿脫輻不能行也。

梁寅：輿所以行者，陽方上行遇陰而爲所制，不能行矣！此輿說輻之象。陰說陽，陽係陰，故爲夫婦，然本非正應，內外異體，此夫妻反目之象也。

吳澄：輹，伏兔也。在軸上承輿者。車不行則說之。二耦則互坎爲輿，二奇坎下畫不存，輿下說去其輹之象。九二輿輹，九三輿中人，輿說則不能行也。輹作輻，音近而誤。三夫四妻，互離爲目，離目視上不視下，反目之象。四爲初妻，正應，初自復遠絕之。三欲妻四，四不夫三也。

來知德：輿說去輻則不能行。乾錯坤，輿象。變兌爲毀折，脫輻不肯行也。乾夫長女妻，中爻離目，巽多白眼，反目之象。又三四初比悅苟合，爲四畜止不行，有脫輻之象。變兌口舌，巽進退不果，妻乘夫，妻外夫內，三制于四，不能正室而反目矣。三之自取也。

王夫之：輻，轂中植木。反目，惡怒而不相視也。九三重剛不中，爲進爻躁進，爲六四所畜，不能馳驅以逞，爲輿說輻之象。怒四畜己，志終不逞，徒以自喪也。

李光地：過剛不中，居下上，不能自止，前有六四畜主，不得遂其進，故有輿說輻，夫妻反目之象。

毛奇齡：夬時六柔應九三，今四柔凌剛，互兌之脫，而毀折不能行，四向之正應夫妻也，今降爲四仍相比同人道，猶是正室，實則乖錯如反目，離爲目，三四互離之半目，況四巽陰多白眼。在輿爲脫輻，在夫妻爲反目。

李塨：三陽四陰相比，夫妻也。乾爲圜，輿輪象，互兌則輪毀折脫輻不能行矣！故視其夫妻，夫進下妻乘上，離目，巽多白眼，反目狀也。雖有室不能正之，焉能畜之哉！

吳汝綸：三已進，非歛所宜，處陰下尤爲失所。說輹則不能進，反目，陰陵陽也。輹，伏兔也，上承車箱，下扼車軸，駕則縛，不駕則說，若輻則非可說之物，且失韻矣。

李富孫：釋文輻本作輹。鄭云伏菟。項安氏曰輻以利輪轉，輹以利軸轉。軸無說理。轐輹實一字。

伊籐長胤：說與脫同。輻又作輹，又曰伏兔。反目含怒之狀。有車脫輹不可行之象。孟子曰身不行道不行於妻子。故君子嚴內治自正其身始焉。

薛嘉穎：九三過剛不中，四畜主，不得遂其進。乾陽爲夫，巽陰妻。陽不交陰夫妻不和不能正室也。

丁壽昌：說，釋文吐活反。解也。輻本作輹，伏菟，車軸轉，車轑，車軸縛。車下縛。蘇蒿坪曰三變互震，爲車，在下體說輹象。乾互震皆有夫象，巽互離皆有妻象。目象，以在上故反目，反眅，多白眼也。

曹爲霖：誠齋傳過剛則不和，不正，昵六四愈不正，昵於彼必制於彼，愈不和，故有輿脫輻之象。成帝嬖趙后而制於趙后，始於腐柱之僭。唐高宗制於武后，始於聚麀之汙。

馬通伯：三四互火澤睽，故有夫妻反目之象。三之畜爲陰所制，不能正室者，凡易例兩爻切比，柔乘剛上皆不利。

劉次源：四非正應，近而苟說，繫戀不行，輿說其輻，體本陽剛，不甘束縛。奮而與爭，夫妻反目。傳象非正應，夫妻之名不正室，又烏乎正！

李　郁：輿以輪爲轉動，輹，車軸縛。三四易位，內卦成兌說，輹說則輪弗轉輿不行。三夫四妻，三反爲柔，四反爲剛，夫妻反目，蓋皆失正也。

胡樸安：輿，會田獵所乘車，說脫同，言輿輪之輻說。夫妻同往，歸途因說輻之故相爭，至於反目。

高　亨：說挩脫同聲系，古通用，輻當作輹。車挩其輹則輿輪離，反目者相背而視亦乖離象。將有乖離之事。

徐世大：譯文，轎車的輪輻鬆脫了，夫妻倆在瞪眼。久旱乾燥，致車輪鬆脫，此時六親不認，夫妻反唇，此貧戶景況，富家猶未十分狼狽。

于省吾：自來解輿說輹者，皆以之變或對象爲言，皆求諸本象而不得其解者也。凡易言悅，說，脫皆兌之滋乳字。㸬象昔人知而不常用，小畜九三、六四㸬震，互兌，故云車說輹。震爲輿爲輹，無可疑也。

屈萬里：輿，虞作車，輻，子夏虞並作輹。說文：「眅，多白眼。」案反目即眅目。段注引戴震曰：「按輹輹實一字，小畜作輻，傳寫誤，輻在轂牙之間，非可脫者。」

金景芳：輻作輹，項安世：「輻利輪轉，輹利軸轉，輻无說理，輹則有說時。」輿說輻應是輿說輹。

車停下來不前進的意思。九三夫，九四妻，他要前進，她不讓前進，這叫夫妻反目。九三不能正其室家！

李鏡池：輿，車。說同脫。輻，車輪上連結車輞和車轂的直條。運農產品路上，壞了一個輪子，夫妻相互埋怨。

傅隸樸：九三積非痼成，六四拆其車輻，三不止也得止，故曰輿說輻。妻指上九。九三偏剛，上九處陰極盛，爲强烈之婦，各不相下致失和。剛愎之君豈小畜所能爲功？

黃慶萱：剛烈急躁，像車軸上綁繩子脫落一樣，在社會上走不通，又導致夫妻瞪眼爭吵，在家庭也行不通啊！

林漢仕案：說，脫也，挩也，幾無異辭，而輿，車也，亦如是焉，唯輻則異名同物，說之者頗多！輻，車下縛也；湊於轂也；輹也；輪轑也；車劇也；檀輻也。詩「坎坎伐檀」，伐檀何爲？做車輪之輻湊也。說之爲脫，輿之爲車，輻之爲輪輻湊，是車之輪輻鬆脫也，喻其何以行之哉！喻危險也，故下文「夫妻反目」，是喻家將不成家也，成家之路行之不久長也！九三處多懼之地，位正而易家多以不中，過中，不正責之者，以爻文「夫妻反目」也。不能齊家，不能「刑于寡妻。」視正位猶不正也夫？輿說輻，車仍在，夫妻反目，亦當以家仍在視之，二變成風火家人，二不變，是仍小畜也！說讀爲悅，則車悅有輻，夫妻亦悅返目相顧，四眼含情，似初戀之相看兩不厭也。然而車脫其輻，妻反其夫，是輻不勝車之重壓？妻不勝夫之猷正，一板一眼？蓋冰凍三尺矣，必有所從來也。輪之不勝，主人之疏忽照料，妻之不勝，夫之未盡照料，咎之難辭也。茲彙前賢之說以饗讀者：

象謂不能正室。

虞翻云夫妻共在四，妻當內，夫當外，飲食有訟故爭而反目也。

九家易：四互離爲目不正故反目，妻乘夫道逆，故不能正室。

王弼：畜以陰長，不能自復，方之夫妻，反目之義也。

正義：上九體巽爲長女之陰，九三陽被固，故反目。

程頤：三不中，密比四，爲陰畜。未有夫不失道而妻能制之者也。

東坡先生：乾不能自革其健，與巽久處无尤，終反目也。

張載：近比爲柔制，非其偶，故不能正其室。

朱熹：九三剛不中，與陰相說，與之爭，反目之象。

朱震：九三剛不中，見畜而怒，故反目相視。三失道也。

項安世：九三剛過中，明不正在夫。

李衡引三四異體相比，夫妻之象。三趣上，四畜初，反目之象。又引九二畜定九三，故輿脫軸不行。

梁寅：陽上行爲陰所制，非正應，內外異體，反目象。

吳澄：三夫四離妻，離上視不下視，反目之象。三欲妻四，四不夫三。

來知德：兌毀折，乾夫長女妻，巽白眼，反目象。變兌口舌，妻乘夫，三自取也。

王夫之：反目，惡怒不相視也。九三重剛不中，躁進，怒四畜己，終不逞，徒以自喪也。

李光地：過剛不中，六四畜主，不得遂其進。

毛奇齡：四柔凌剛，乖錯反目。巽陰多白眼。

李塨：乾爲圜，輿輪象，互兌則輪毀，妻上夫下，雖有室不能正，焉能畜之哉！

吳汝綸：處陰下，失所。反目，陰陵陽。

伊籐長胤：孟子曰身不行道，不行於妻子。

曹爲霖：引謂昵於彼，必制於彼，過剛則愈不和，成帝嬖趙后，唐高宗制於武后，各始於或僭或汙。

馬通伯：三四互火澤睽，故有夫妻反目象。

劉次源：四非正應，近而苟說，繫戀不行。體本陽剛，不甘束縛，奮爭反目。

李郁：三夫四妻，三反柔，四反剛，皆失正。

胡樸安：田獵輪脫，夫妻同往故相爭，至於反目。

高亨：捝脫同聲系。將有乖離之事。

徐世大：轎車輪鬆脫，夫妻在瞪眼。此貧戶景況，富家猶未十分狼狽。

金景芳：輹利軸轉，車停不進，九四不讓進，九三不能正其室家。

李鏡池：運農產品路上，壞了一個輪子，夫妻相互埋怨。

傅隸樸：妻指上九。九三偏剛，上九處陰極盛，爲强烈之婦，各不相下致失和。剛愎之君豈小畜所能爲功？

黃慶萱：像車軸綁繩子，走不通；夫妻吵，在家也行不通。

以九三剛過中責三者，以內卦第二爻爲中，過中者升三也，然以大卦視三四爻，人位，又是大中矣，況三爲九，位正耶！諸大家不能以大卦目其卦也，又九三陽，六四陰，責四畜三，不夫三，妻乘夫；責三之剛密比四，與陰相說，責三之悅色自取，責三身不行道，不行於妻子，責漢成帝，唐高宗之變制於趙，武二后；謂四離，目上視，不下視，又謂四畜初，三趣上。易家之玩辭弄象，確然眼花潦亂，目不暇給，然九三、六四之造卦，尚有明夷、家人、泰、既濟等數十卦，其何如泰之九三與泰之六四哉！泰之九三謂三陽開泰，居泰中，居不失正。朱熹謂將過乎中者，若正午時之陰生，正子時之陽生也，視滿爲略減而已。家人九三，前賢亦謂以陽居剛，位過乎中，蓋以配爻辭家人嗃嗃乎？十數卦中有九三、六四相乘承之爻，而明言得位者有蹇九三爲得位，艮九三兩象之中，鼎九三虛中納物。何爲九三不中？試讀杭辛齋筆記引孔子曰「陽三陰四，位之正也」之說。李光地「三五宜剛，四宜柔」之論，李又謂「三危位，柔居固不當，剛居亦未必當。」斯九三因爻辭多未許爲當位之例也。九三「夫妻反目。」提升婦人不少地位，古代有七出之妻，有煮竿未熟遭休之女，男子可有七出？輿之輻（或輹）其主體爲輿，輿不能換，猶夫不可換，輿、夫之易換，乃另組成一輿，另組成一家也。故可易替者輻（或輹）與妻耳。蓋亦大事也，家變也。然細味各爻組合，九二之牽，六四九五之孚，上九之婦貞，則見小畜之牽孿孚信非比尋常也。上九之「既雨既處。」「反目」也者其愛愈眞，行動愈烈，佔有欲愈强，要求愈高也乎？故吾謂之輿之說輻，車主人未盡照料、保養檢查之責，知用物而不知愛物，知有己而不知物之不堪；妻之反目，由二之牽復，冰凍所從來久矣，補過則无咎也。如何補過？膠，釘，組合，使輿輻不得說，夫妻間之補過，運用之妙，想各有巧妙不同，要之努力向上，窮達不易之操守爲根本，絕非軟弱克濟其事也。前賢衆述「不能正室。」「妻乘夫。」「失所，反目」之論，不再綜述比較，讀者諸君從分述條列中亦可窺見大概，爲九三者亦當知角色扮演，其影響深遠也。

六四，有孚，血，去，惕出，无咎。

象曰：有孚惕出，上合志也。

虞翻：孚謂五，豫坎爲血爲惕，惕，憂也。震爲出，變成小畜，坎象不見，故血，去，惕出，得位，承五，故无咎也。

荀爽傳象曰：血以喻陰，四陰臣象，有信順五，惕疾也。四當去初，疾出從五，故曰上合志也。

王弼：夫言血者，陽犯陰也。四乘於三，近不相得，三務於進而己隔之，將懼侵克者也。上亦惡三而能制焉，志與上合，三雖迫己而不能犯，故得血去懼除，保无咎也。

正義：六四居九三之上，乘陵於三，三既務進而己固之，懼三害己，故有血也，畏三侵陵，故惕懼也，但上九亦憎惡九三，六四與上九同志，共惡於三，三不害己，己故得其血去除，其惕出散，能血去懼除，乃得无咎。又凡稱血者陰陽相傷也。

程傳：四處近君之位，畜君者也。卦獨一陰畜衆陽者也。諸陽志係于四，四苟力畜之，一柔敵衆剛，必見傷害，盡其孚誠以應之，則可感之矣。故其傷害遠，危懼免，如此則可以无咎。

蘇軾：六四所孚者，初九也。初九欲去之，六四欲畜而留之，陰陽不相能，故傷而去，懼而出也。以其傷且懼，是以知陰之畜乾，其欲害乾之意見於外也。如此，害淺而乾去速。故无咎。

張載：以陰居陰，其體不躁，故曰有孚。能上比於五，與之合志，雖爲群下所侵，被傷而去，懍懼而出，於義无咎。

朱熹以一陰畜衆陽，本有傷害憂懼，以其柔順得正，虛中巽體，二陽助之，是有孚而血去，惕出之象。无咎宜矣。故戒占者亦有其德則无咎也。

朱震：五君位體巽，四近而相得，以正相比，臣畜君者也。四不繫初，誠信孚于上，有孚也。三陽務進，上四以一陰乘之，若畜之以力，陰陽相傷，可不惕懼乎！伏坎爲血，巽多白眼，血去惕出者，四五相易合志之象。惟其有孚，志合，守正而見信以處上下之際而无咎。人臣得位，上畜乎君，下畜乎衆，不如六四之有孚。

項安世：上三爻畜乾也。六四爲主，當畜之初，以陰畜陽，能无憂乎！六四互體離，下有伏坎爲血，爲惕，獨恃與五孚，故能離其血，惕去而出之，變爲乾之九四以免咎也。

李衡引干：四與上同誠，三不能害。共惡於三。誠信相與，何害惕懼之之患哉！引胡：三陽上進，而己獨當其路，必爲所傷。以中信至誠，附上二陽，共止畜之，則害可去，惕可出。引陳：陰爲小人，忌君子進，然君子積德不已，不可抑拒，與上九，九五合志，進賢援能，傷害去，憂懼出而无咎矣。引逢：體巽不敢拒，與五同志而弭君之惡，故无咎。

梁　寅：六四一陰畜五陽，小人畜君子。爻近君位，爲臣畜君，孟子曰畜君何尤，畜君者，好君也。然近君多懼，欲止君惡，无其孚誠，能免疑乎！未信而諫，人以爲謗己也。孚誠則血去惕出，又何咎乎！

吳　澄：有五之孚。坎爲血卦，三四坎半體，血，陰傷，四三不和，故有傷。去，如微子去之。惕懼以出，上合九五，不近比强昏之夫而歸宗依君，其補過亦可喜。

來知德：五陽皆實，一陰中虛，孚信虛中之象。離錯坎，爲血，血去者去其體之見傷也。又加憂惕象，惕出其心之見懼也。未變錯坎有血，既變成乾，血去惕出也。四畜主近五，畜止其君之欲，豈不傷害憂懼！畜有二義，畜不善，小人羈縻君子；畜善，此爻是也。又四柔正，能孚信五志，故有血去惕出之象。

王夫之：有孚者，爲九五所信也。陰陽異而孚者，合巽陽從陰化，故謂之小畜。六四專任畜陽之事任由己畜，與三相違，終不與競則血去矣。惕出，惕以出也。上承九五剛中之德，兢惕婉慎出此畜道，孟子曰畜君何尤，无咎之謂也。

毛奇齡：離有孚象，坎反爲疑，四居離中有信：坎血，此則血去；坎憂，惕，此則惕出。衆陽不害，互兌正巽，倍加悅順，上合志，畜之成也。

李塨：血，陰類；憂惕，陰象。六四孚陽，則血去惕出，承九五之有孚，與上合志，剛中而志行。

吳汝綸：四孚五，以孚五而解憂懼，血依馬讀爲恤。

李富孫：釋文血，馬云當作恤，憂也。惠氏曰古文恤作血。

伊籐長胤：血去傷害遠，惕出危懼免，以陰制陽爲畜主，五受其畜，不見猜忌。事君之道，言止而訐直不納，詐僞則不信，四巽順之德，其得畜君之道乎！

薛嘉穎：四爲卦主而近五，以臣畜君者也。必有壅閼未能通達者。惟積誠後可通，有孚之象也。

丁壽昌：程傳四與五合志。本義四與上二合志。程傳爲長。吳卓廬曰坎爲血卦，三四坎半體，四三不和故傷，六四變乾，半坎不見，乾知險，故血去惕出。

曹爲霖：容菴盧氏曰六四以和氣爲衆所容，不遽有爲，積誠以孚于君，信于衆而後爲之者也。東坡論賈生正失小畜之道者矣。

馬通伯：郭雍曰以人畜天，以柔畜剛，非天下之至誠，其孰能與於此。案陽氣陰血，陽喜陰憂，六四陰，兌秋言愀愀憂傷之象也。巽風散血氣行不凝聚，陰承陽，志行而後血去惕出。

劉次源：四畜主，與五有孚，同體相助，勢自不孤，雖與三戰，血去傷无，兢惕以出，咎自无也。

李　郁：坎爲血，一陽來上，坎遂不見，故血去。三本上敵故惕若，六四反爲上六應三，憂釋惕出无咎。

胡樸安：九三反目夫妻至是有孚也。因反目傷害之血已去，畏懼心悠然而生。血去惕出則无咎也。

高　亨：孚，罰也。筮遇此爻將有撻笞之罰而流血，然可避免，去（句）而遠走，則無咎。故曰有孚血，去，惕出，无咎。今卜者告人去家避禍，即此類也。

徐世大：俘奴血乾了傷口出現，莫怪。四爻更進一步旱久，甚至畜奴之家有如受俘，顯其窮相，無可歸咎也。

屈萬里：釋文馬融曰：「血當作恤，憂也。」

金景芳：六四卦主，與九五有孚，相比得九五信任，可以血去惕出，一些憂慮恐懼都沒有了，可以得到无咎。

李鏡池：血借爲恤，憂患。恩格斯說掠奪比勞動更容易。爲掠奪，戰爭成爲職業。所以當敵人來搶糧，俘虜了他們，憂患雖去，還要警惕。

傅隸樸：以一陰止三陽，又乘九三，拒九三親，幸上九惡九三，使輿說輻。上九與六四同惡九三，故曰有孚。陰陽相傷謂之血，血去是傷害免去了，惕出是憂懼沒有了，何來災咎？

黃慶萱：對團體群陽事業充滿信心，一切憂懼掃除一空，不會有過錯。

林漢仕案：孚義，孚非應，王船山云陰陽自類相合曰孚。杭辛齋云孚，合也。先儒多以孚信釋字，孚信又必誠意也。黃教授「以孚借爲孵，母鳥孵蛋要有信心和耐心。引申爲信。」與王船山謂陰陽自類相合爲孚。李光地謂作樂崇德爲孚。杭辛齋謂孚，合也。似乎另闢一孚信之蹊徑，塑出字根孳乳字之義，再反映本字引申，又以禽獸本能爲信，何不直云一切經音義二引「卵化曰孚。音方付反。」蓋孚即解爲孵化之孵也。經書孚字之義有：信也，誠信也，生也，卵化曰孚，坎爲孚，玉貌，美色，猶務躁也讀爲浮，或作孵，扶，甹，付。說文「卵即孚也，从爪子；一曰信也。[古字]古文孚，从禾，禾，古文保。」孚又解作覆。六四之「有孚。」孰說爲當？

九三夫妻反目，易傳家暗助婦人提陞可與夫分庭抗禮之位，夫妻儼然齊等矣。反目也者返目也，四目相對，兩情昇華矣，六四之有孚，喻其誠信也，美如玉也，浮躁佔有也，似均可言西施眼中有情人，情人眼中見西施也。血，陰物，愛佔有後之信物，小畜至六四，如咸之九三，「咸其股。」兩情感矣！六四爻文云有孚，九五爻文又云有孚，攣如。豈平常也哉！雖然，仍得參酌古今大家之說：

象云上合志。虞云孚謂五。荀云四去初从五。王弼云四上合，三不能犯。程傳四畜君。蘇軾云四孚初九欲畜之。張載云以陰居陰故有孚，上比五合志。朱熹云柔得正，虛中，二陽助之，是以有孚。朱震云四五相易合志，上畜君，下畜衆。項安世：變爲乾之九四，上三爻畜乾也。李衡引云：四上同誠。又引上九、九五合志。又引四與九五同志而弭君之惡。梁寅云：一陰畜五陽，四畜君，好君也。吳澄云：四三不和，上合九五。來知德：四畜主近五，畜止其君之欲。畜有二義：畜不善，小人羈縻君子；畜善，此爻是也。四柔正，能孚信五志。王夫之：陰陽異而孚者，陽从陰化，任由六四畜，與三相違，承五剛中之德。毛奇齡：離孚，坎疑，四居離中有信。李塨：六四孚陽，承九五與上合志。伊籐長胤：四巽順之德，得畜君之道。薛嘉穎：四卦主近五，臣畜君者，積誠可通。曹爲霖：六四以和氣爲眾所容，不遽有爲，積誠孚君信眾而後爲之者也。馬通伯：以人畜天，以柔畜剛，非天下之至誠，孰能於此。劉次源：四畜五，同體相助，勢不孤。李郁：三本上敵，六四反爲上六應三。胡樸安：九三反目夫妻，至是有孚也。高亨：孚，罰也。徐世大：俘奴之家窮相，旱久也。李鏡池：血借爲恤，孚，俘虜。傅隸樸：一陰止三陽，乘九三，幸上九與之同惡九三，故有孚。

黃慶萱：團體群陽事業充滿信心。

孚之義共得十二說：

象云上合志，王弼四上合，李衡引四上同誠。

虞翻云孚五，荀云从五，張載云以陰居陰故有孚，上比五合志。朱震四五相易合志，李衡引四與九五同志弭君之惡。吳澄上合九五。來知德云：畜善也，畜止其君之欲。四柔正孚信五志。

朱熹謂柔得正，虛中，二陽助之。梁寅一陰畜五陽。李塨：六四孚陽，承九五與上合志。

王弼三不能犯，吳澄四三不和。

張載以陰居陰故有孚。王夫之陰陽異而孚者，陽以陰化。毛奇齡謂離孚，四居離中有信。

朱震體巽，曹爲霖六四以和氣爲眾所容，馬通伯人畜天，柔畜剛，六四反爲上六應三。

蘇軾四孚初九欲畜之。

項安世：六四變爲乾之九四，免咎。

高亨：孚，罰。

徐世大：俘奴（窮相）。李鏡池孚，俘虜。

傅隸樸一陰止三陽乘九三。

黃慶萱謂團體群陽事業充滿信心。

一孚字，牽出四上合，四五合，四孚陽，三四不和，離孚，巽順，人畜天，四與初九孚，孚奴相，俘虜，罰，一陰止三陽，群陽事業。

胡樸安云：九三反目夫妻，至是有孚。則爻之進至六四，六四之孚於應，孚於比，孚於上，面面俱到也，孚不一方，六四於夫妻繾綣之餘，領略人生另一場合，「有孚」，似言已進至成熟狀態，兼顧周遭環境也。

血，虞謂坎血，惕憂，荀謂喻陰，王弼云陽犯陰，正義謂三犯四固，故有血，陰陽相傷。蘇軾：陰畜初害乾。朱熹一陰畜眾陽，本有傷害憂懼。吳汝綸血讀爲恤，憂也。惠氏古文恤作血。高亨謂撻笞流血。徐世大云血乾傷口現。

血去，或云坎半象，或云四變乾，或云四本柔順，或云恤憂已去。之所以「血」者，陽犯陰，其交媾乎？三四失和則械鬥傷害矣。

竊意與咸卦同者，夫妻相向含情，血見而二位一體，自毋須再設心防，陰佔有陽，陽佔有陰，彼此有孚，且面面俱到，領略人生另一境界，言其成熟狀態，惕出矣，憂懼化爲無限柔情矣，此時此位，爻再告以无咎也。有孚者，陰陽皆滿志之謂。

九五，有孚，攣如，富以其鄰。

象曰：有孚攣如，不獨富也。

虞翻：孚五謂二也。攣引也。巽爲繩，豫艮爲手，二失位，五欲其變，故曰攣如。以，及也，五貴稱富，鄰謂三。兌西震東稱鄰。二變承三故富，以其鄰象曰，不獨富，二變爲既濟，與東西鄰同義。

九家易傳象：有信下三爻也。體巽故攣如，如謂連接其鄰，鄰謂四也。五以四陰作財與下三陽共之，故曰不獨畜也。

王弼：處得尊位，不疑於二，來而不距，二牽已攣，不爲專固，有孚攣如之謂也。以陽居陽，處實者也，居盛處實而不專固，富以其鄰者也。

孔疏：二既牽挽而來，已又攀攣而迎接，志意合同，不有專固相逼，是有信而相牽攣也。如，語辭。五是陽爻，即必富實，心不專固，故能用富以與其鄰，鄰謂二也。

程傳：衆陽爲陰所畜之時，五以中正居尊位而有孚信，則其類應之矣，故牽攣相從也。五必援挽與之相濟，是富其鄰也。五居尊之勢，如富者推其財力與鄰比共之。君子爲小人所困，正人爲群邪所厄，下必攀上期同進，上必援下與之戮力，非獨推己及人，固資在下之助以成其力耳。

蘇軾：九五之畜乾，孚者已去我，我挽援而留之，與四皆欲畜乾而制之，力不能，六四與上志合，九五以富附上九，幷力以畜之。鄰，上九也。

張載：六四爲衆陽之主，已能接之以信，攣如不疑，則亦爲衆所歸，故曰富以其鄰。

朱熹：巽體三爻同力畜乾，鄰之象也。九五居中處尊，勢能有爲，以兼乎上下，故爲有孚攣固，用富厚之力而以其鄰之象。以猶春秋以某師之以，言能左右之也。占者有孚則能如是也。

朱震：五近四相得无應以分其志，有孚也。易言交如者異體交也。言攣如者，同體合也。四五同巽體，君臣合志，攣如也。陽實爲富，陰虛爲貧，四虛五實，五與之共位食祿，四得盡心富用其鄰，不獨富謂富善人也。

項安世：九五、六四以正相孚，攣結而不可解，此所謂合天志也。

李衡引胡：有信下三爻也。體巽故攣如，如謂連接。其鄰謂四，五以四陰作財，與下三陽共之，故曰不獨富也。九五親四，猶富以其鄰，不獨富也。九五雖剛明體，又巽順以由中之義，攀連於物，故九二得以牽復而上，不專己之富盛，而公用於二，故曰不獨富也。

梁　寅：小畜陽爲陰所畜，故陽牽類拒陰。同志相求如縻係，言其結之固也。富以其鄰，言其力之富盛，故能用其鄰以自助，君子當小人將盛，同心協力，防微杜漸，蓋如此云。

吳　澄：有四孚。四孚五，五亦攣四，其交固結，陽實爲富，鄰謂四。言五富實能提挈帶挾其鄰也。

來知德：大象中虛，九五中正，故有孚。攣者綴緝續皆相連之意。巽爲繩，攣象，又近市利三倍，富象。五有財與鄰共，以者左右之也。以其鄰者援挽同德相濟也。故二牽五攣。小人不得畜上也。

王夫之：攣如，相結不舍也。以，猶與也。九五剛中，陽德方富，與巽爲體，下與四孚，四藉之以富，上象合志者，陰爲卦主，故五降尊而稱鄰。

毛奇齡：五在離中與四同其有孚，合志。且巽繩爲攣，四眞爲所畜矣！畜，養也，聚也。五巽中，巽，近利市三倍，此是富者，不以鄰而誰以乎！

李塨：富能畜四，四五相比，比者鄰也。君子非財无以轉移小人！

吳汝綸：五之孚，上也。攣如，與上連也。不獨富，與上皆富也。

李富孫：釋文：攣，子夏傳作戀，云思也。說文攣，係也。心部無戀字，女部變訓慕，即今戀字。攣戀形聲相近，義亦通。漢隸同音字往往任意通用。洪适漢人簡質，字相近輒用之。

伊籐長胤：攣如，牽連相從也。鄰指四陽爻。上下四陽合力以求復陽。無勢人不從，無與事不成，九五崇矣，與亦衆矣，賴匡濟之力以收功，不亦信乎！

薛嘉穎：五曰以其鄰者指四也。蓋五以陽實交四，鄰無不相感應。何氏楷曰陽實爲富，巽近市利三倍。釋名鄰，連也。四近五故鄰謂四。

丁壽昌：攣爲古文戀，戀子夏傳思也。後儒讀爲攣攣，引也。蘇蒿坪曰五互大有富象，又陽實富，古者比鄰相受，豐歉同之，故言富不富皆曰以其鄰。

曹爲霖：陳氏曰四一陰畜衆陽，九五中實尤相得，蓋君心誠與左右相係屬，福祿及之，是有孚攣如。

馬通伯：下三陽上進遇四而畜，五居四上氣不下交不富以其鄰即削地而歸之閒田，周禮所謂奪也。賞罰當而後能用其衆，故富不富皆以其鄰。

劉次源：五四孚，攣結固，陽剛中正，勢力厚富，左右鄰助，四能畜，以五故。

李　郁：九五自縮，外卦成艮，艮手故攣，五化柔應二，故有孚，此無我之象也，五化成大畜，衆人之富也。五上爲鄰，上能止，故富以其鄰。

胡樸安：九四反目夫妻孚，九五田獵上下皆孚。九五攣（係）如，即九二牽復。二言個人，五言團體。富鄰者人人有所獲，不獲者分與之也，故象不獨富也。

高　亨：孚罰，攣係，拘係而囚之，亦罰之一種。富以其鄰者盜鄰之財以富其家也，當受拘囚之罰。

于省吾：荀爽鄰謂四與上。虞翻孚五謂二。鄰謂三。釋文侵作寖。富服古音同隸之部。言與其鄰不相悅服，以與也。不富即不服。

徐世大：俘奴們拳手曲腳的，靠鄰舍致富。五旱災達頂點，有奴富家也食糧不繼，偷偷摸摸度日。攣如，手足受縶。

屈萬里：攣，釋文子夏作戀云：「思也。」馬融曰：「連也。」說文：「攣，係也。」虞注：「以，及也。」詩大雅「何神不富。」毛傳：「富，福。」富及其鄰，故不獨富。

金景芳：我認爲此「有孚」與六四「有孚」。陽實富，能左右叫「以」，九五陽爻，所以「富以其鄰。」與四合作成小畜。

李鏡池：攣如：捆得緊緊的。富借爲福。以同與。敵人又來，抓到後捆緊，和聯防的鄰村同樂。

傅隸樸：下三爻被畜止，上三爻畜止者。九五陽富，九二失位，等於失去財富。二五應故爲鄰。分二財富。攣是握手，如語助，五握手歡迎二，以德畜止人君之惡。

黃慶萱：孚信卓著，眷戀提攜六四，那豐富的誠信影響著他的鄰居。

林漢仕案：卦有六爻，代表卜者六時段，四近君多懼之時獲有孚，九五大明富盛之世又著有孚，且攣如，有此卜即有此人生際遇，夫復何憾！蓋其得意之時近一世紀之長也。且輯前賢衆說以見一般：

象云不獨富。虞翻謂五二孚，攣，引也。以，及也。五富，鄰謂三，二變承三故富。九家易：有信下三爻，體巽故攣如，鄰謂四。王弼云尊不疑二，來不距，二牽己攣，不爲專固。孔穎達：二牽挽來，五攀攣接，是有信。如，語辭。五陽實，鄰謂二。程傳：五中正居尊，有孚其類應，援挽相濟。蘇軾：六四與上合志，九五以富附上九。鄰，上九也。張載：六四爲衆陽主，信且攣如不疑，衆所歸，故富以其鄰。朱熹：巽同力畜乾，九五居中處尊，用富厚之力左右其鄰。朱震云：易言交如者，巽體交也；攣如者，同體合也。四五同巽，攣如也。陽富陰貧，五與之共祿。項安世：五四攣結不可解，此所謂合天志。李衡引體巽故攣如，如謂連接。鄰謂四，五以四陰作財與下三陽共之。梁寅：陽牽類拒陰，言其結固，力盛，君子同心，防微杜漸。吳澄：四孚五，五攣四，陽富鄰四，五提挈帶挾其鄰也。來知德：攣者綴緝續皆相連之意。五有財與鄰共，以者左右之也。王夫之：攣如，相結不舍。以猶與也。五陽富，與四孚，四藉之以富，陰卦主，五降尊而稱鄰。毛奇齡：五四合志，巽繩爲攣，四貞爲所畜，畜，養，聚也。李塨：四五相比，比者鄰也。吳汝綸：五孚上，攣如，與上連，與上皆富也。李富孫：攣，子夏傳作戀，云思也。說文攣，係也。孌，慕也，即今戀字，攣戀字相近輒用之。伊籐長胤：鄰指四陽爻，九五賴匡濟收功。薛嘉穎：四近五故鄰謂四。丁壽昌引：五互大有，富象。又陽實。古者比鄰相受，豐歉同之，故富不富皆曰以其鄰。曹爲霖：一陰畜眾陽，九五中實，與左右相係屬，福祿及之，是有孚攣如。馬通伯：下三陽遇四而畜，五氣不下交。劉次源：五四孚，攣結固，左右鄰助，四能畜，以五故。李郁：五化柔應二，無我之象，五化成大畜，眾人之富，五上爲鄰。胡樸安：九五田獵，言團體上下皆孚，人人有所獲。高亨：孚，罰，攣，係，拘而囚之，盜鄰財以富其家，當受罰。于省吾：富服古音同隸之部，言與其鄰不相悅服，以與也。不富即不服。徐世大：五旱災達頂點，有奴富家也食糧不繼，偷偷摸摸，攣如，手足受繫。屈萬里：攣，戀，思也，連也，係也。以，及也。富，福。富及其鄰，故不獨富。金景芳：九五與四合作成小畜。傳隸樸：下三爻被畜止，上三爻畜止者，九二失位即失富，二五應故爲鄰。分二則富。攣是握手，如語助。五握手歡迎二，以德畜止君惡。黃慶萱：眷戀提攜六四，那豐富的誠信影響著他的鄰居。

孰與九五有孚？

攣如之義有無別解？

富與鄰之字義與專指。

孚義有信、誠、生、卵化，坎爲孚，玉、美色、浮躁、罰、覆。九五之有孚，一如六四，六四之孚於應，孚於比，孚於上，孚不一方，九五有孚，更著「攣如」，言其情：富以其鄰，言其勢位。人生一圓滿狀態也。五之孚，應是面面俱到，得意中人也，花月風水，俱稱「朕」意之時乎？雖然，易家亦各有專注：

虞翻謂五二孚。

九家易謂下三爻有信。

蘇軾謂六四與上合志，九五附上九。

張載謂六四爲衆陽主，信且攣如不疑。

朱震：交如，異體交；攣如，同體合。四五攣如也。（上三說不同處在九五附上九與六四合；六四合九五，亦合其他諸陽；四五之攣如，同屬上卦巽，故謂同體合。）

項安世謂攣結不可解，李衡引如連接，梁寅謂結固，來知德云綴輯續皆相連，王夫之云相結不舍，皆五四之合志，四爲所畜養聚矣。

吳汝綸謂五孚上，攣如與上連。

攣字作戀。說文攣，係也。孿，慕也，戀，思也，李富孫言。

胡樸安云團體上下皆孚，人人有所獲。

傅隸樸謂下三爻被畜止，上三爻畜止者，攣，是握手。

高亨之孚，罰。「有孚，攣如。」謂拘囚而罰。徐世大以孚爲俘奴，攣如亦謂手足受縶。

攣字之義實有：連，急，係，引也。易家多以牽攣係戀著眼，高亨，徐世大以係爲拘繫，蓋孚義不从衆也。

五之孚二，五孚下三爻，五與上同孚四，五與衆陽同孚四，五四同體合，五孚上，上三爻爲一體畜止下三爻。

漢仕期期以爲孚之情不一至，男女可孚，男與男曷嘗不可孚，合志也，交則如獮子之不可長矣！九五如漢武帝之孚，既孚於應，又孚比，孚於上，亦孚於下，是則五而已矣！皆與五爲有孚也，孚之程度各視所親，中心自各有分寸，孰與九五有孚？風、水、花、月，五均稱心，何況同類乎？攣如，有攣結不可解，連接，綴輯，相結不舍，急，係，引之義，亦有別作戀、孿、變者，某以爲當謂九五之情施與，故以牽攣，戀戀之義爲長。

至經文稱「富以其鄰」之富與鄰，亦當有所指，富：虞謂五富，孔穎達謂五陽實。（陽富陰貧）謂五富者，九五居中處尊也。然又有謂五互大有富家者。（丁壽昌）謂五化柔成大畜，衆人之富者。（李郁）九五與四合成小畜者。（金景芳）泛言財富，富家，或富服，（悅服）富，福。（屈萬里）皆五之時位勢力所可及。而鄰有謂「九三，二變承三故富。」之虞翻。有謂四爲鄰者。（九家易）二爲鄰者。（王、孔）上九爲鄰者。（東坡先生）五本身爲鄰者。（王夫之稱五降尊而稱鄰）鄰指四陽爻。（伊籐長胤）有人以相比爲鄰，左右爲鄰，或泛指鄰居，則鄰不能以下三陽，以應爲鄰矣，捨四上不能爲鄰矣，以五自言爲鄰，又經文富以其鄰，則五之富以其鄰有不肖之解矣，五之富以其鄰，蓋五本正而居有位，有勢有位，又有心中有所孚愛足信之人，加思於彼，恩及於所愛，有何不可？然一「以」字，各家如虞之「及」，吳澄之「左右之」，夫之先生之以「猶與。」雖大同，不無小別之也。

九五之又孚及上下左右，且牽攣繫戀，其情也深，其義則與之共享富厚之實，不羨神仙羨鴛鴦，九五時乎，位乎，情乎，勢足圓滿一切也。

上九，既雨既處，尙德載，婦貞，厲。月幾望，君子征凶。

象曰：既雨既處，德積載也。君子征凶，有所疑也。

虞翻：既，已也，應在三，坎水零爲雨，巽爲處，謂二已變，三體坎雨，故既雨既處。坎雲復天，坎爲車，積載在炊上，故上得積載。巽爲婦，坎成巽壞，故婦貞厲。幾，近也。坎月離日，上已正需時成坎，與離相望，兌西震東，日月象對，故月幾望。上變，陽消之，坎爲疑，故君子征有所疑矣。與歸妹中孚月幾望義同也。

荀爽：卦以一陰畜四陽，故密雲不雨，上處畜之極，故陽德上通，猶畜德不已，澤乃行也。澤行則物安，故既雨既處也。既，盡也。盡雨澤盡安處之，此乃上畜德能積載，與三陽同志而无私應也。

王弼：處小畜之極，能畜者也。陽不獲亨，故既雨也，剛不能侵，故既處也。體巽處上，剛不敢犯，尙德者也。爲陰之長，能畜剛健德，積載者也。婦制其夫，臣制其君，雖貞近危。陰雖盈盛，莫盛於此。滿而又進，必失其道，陰疑於陽必見戰伐，雖復君子，以征必剛，故曰君子征凶。

孔正義：九三欲進，己能固之，陰陽不通，故己得其雨也。既處者三不能侵，不憂危害。體巽處上，剛不敢犯，爲陰之長，能畜正剛健，慕尙此德之積聚而運載也。上九制九三，是婦制其夫，臣制其君，雖復貞正而近危厲也。婦制夫猶月在望，時盛德以敵日也。陰疑於陽必見戰伐，雖復君子之行亦凶矣。

程頤：巽順之極，居卦上，畜終，从畜而止者也，爲四所止。既雨，和也，既和而止，畜道成。小畜，畜之小，故極而成。尙德載：四用柔巽之德畜剛，非一朝一夕能成，由積累而至，可不戒乎！載，積滿也。婦貞厲，謂陰畜陽，柔制剛。婦若貞固，守此危厲之道也。安有婦制其夫，臣制其君而能安者乎！

蘇軾：乾尙德，非眞有德之謂也。九五上九知乾之難畜，故積德而共載之，此陽而謂之婦，明實陰也。以上畜下故貞，乾不心服故厲，以陰勝陽，故月幾望，君子之征，自其交之未合則无咎。既已與之雨矣而去之，則彼疑我矣，疑則害之，故凶。

朱熹：畜極而成，陰陽和矣。故爲既雨既止之象。蓋尊尙陰德，至於積滿而然也。陰加於陽，故雖正亦厲。然陰既盛而□陽，則君子亦不可以有行矣！甚占如此，爲戒深矣。

朱震：大畜畜之以止，畜極則散。小畜畜之以巽，極則畜道成矣。坎見兌澤流，既雨也，陰陽和矣。九三不往而還其所，既處也。不進也。陽剛健，既雨既處，豈一日之畜之哉！巽爲婦，當以柔而在上，乾陽德而在下，陽反載之，陰畜陽，柔畜剛，非德之正，守而不變，危厲之道。譬如月望陰道滿即復虧。六四未中，幾望也。陰盛陽消，君子有害。

項安世：上九居畜極，畜道已成，昔之不雨者雨矣，處矣，載矣，爲婦矣！然以小畜，大非可常之事，婦道貞此不變則危，君子過此復行爲凶，蓋月望則昃，陰極則消，自然之理。臣畜君於正，進不止則有所疑，能无凶乎！又六四至上爲夬，將有見決之凶，不可不戒也。又既雨既處二句言畜道成。婦貞厲三句戒畜道已過，故有所疑。

李衡引陸：志盈滿臣道虧矣！雖君子亦不可復有爲也。引牧：以卦言之，陽老而陰長不已，極則反陽，密雲不已，終爲雨也。上九居女之長，長而不已至坤儀也，坤德積不已至龍戰。引胡：上九能固畜九三之進，又陰陽相應成雨澤，安然而居，不有惕懼，此由君子貴尚其德而行之。

梁　寅：陰既極盛，終能畜陽，昔之不雨，今既雨矣！昔尙往，今既處矣。然陰盛非一日，故云尙德載。敵陽，正亦危，故云婦貞厲。戒小人也。月幾望，陰方盛之時，君子有行，不免凶，戒君子也。蓋君子小人俱不利之象。

吳　澄：陰畜藏於陽內，陽旋繞不已則爲風巽，上變則爲坎爲雨，雨作風息，處者外陽不動。尙猶配也。六四主爻，九三以之爲妻，四在三上，故曰尙得。載，車中所載物，坎爲輿，上九坎上畫而實其中，象車載。婦亦六四，六三不自止，六四貞則危。幾既蓋通，幾望者，陰之盛謂六四爲卦主也。征行也，行軍正其罪。受制於妻，失爲夫之道，能行乎！故征則凶也。

來知德：上變坎爲雨，處止也。巽性既進而退，巽風吹散其雨，既雨既止之象。尙德載者，下三陽爲德，坎輿成需即上六不速客三人來，積三陽而載之也。巽婦順畜乾夫，變坎失順，危厲之道。坎爲月，中爻離日，巽錯震，中爻兌，震東兌西，日月相望象。變坎陷必疑君子之進，畜陷之故征凶。

顧炎武：陰陽之義莫著于夫婦，故爻辭以此言之。小畜之時求如任姒之賢，二南之化，不可得矣！陰畜陽，婦制夫，其畜而不和猶可言也。三之反目，隋文帝之于獨孤后也。既和而唯其所爲，不可言也。上之既雨，唐高宗之于武后也。

王夫之：既雨者重剛覆陰於下，且降而爲雨，陰道行也。既處者，巽道成，陽不能不止也。尙，物所尊而有專意。載，舟車所積之實。重剛之積，六四有德可恃，已志行物望塞矣！上九雖陽而體巽，位又陰，故爲婦，爲月。柔而積剛，婦正而嚴厲者也。月全受日之明則望陽其明，陰其魄，二陽而僅露微陰，乃月幾望之象，亦言陰盛也。君子謂丈夫也。欲有所往而受其制，則必凶矣！母后稱制，非賢士大夫有爲之日，陳蕃、司馬溫公、蘇子瞻皆不明此義，終罹於患。許衡欲行道於積陰剛騺之日，得免於凶，固無丈夫之氣也。

李光地：婦守常不變則有危，陰極盈時，知進不知退如月幾望，君子有行則凶。陰陽無所取也。

毛奇齡：上本兌六，合四六成坎象，坎爲雨，坎爲隱伏既處。積乾德成巽富，巽長至上剛，女已婦矣，畜養一何摯也！夫根荄樽櫟，總成材名，宮闈婦寺，並洽大化。五陽畜一陰，不太勞乎！小人難制，何言易也。君子始患不結連，故常復合吉。患太分別，故君子征凶，惡其別也。

李塨：上變爲坎，既雨矣，坎隱伏，又既處矣。婦得位久處以至上剛，貞亦厲矣！殆如月幾望，大離與坎對易，背月魄就日色，幾望象，倘陽躁進與爭，必凶，故上九戒征，上九不能畜，陽在陰上，少有疑而已！

吳汝綸：將變不斂。處止也。陰不斂則陽漸虧，故婦貞厲而君子征凶也。三說輹，上得載。得載，宜若可征，而凶者以月近望也。一陰微，不斂則近望，亦履霜堅冰之義也。德得同字。

李富孫：德得經傳多通用。德，說文升也。不爲道悳字。幾，子夏作近，荀作既。幾既聲轉。孟云十六日也。

伊藤長胤：雨者陰象。處不出也。遇陰而止也。尙德載，崇尙陰德至於滿也。月陰精，幾望將望，陰類寵過必危，故曰婦貞厲。君子所致戒也。

薛嘉穎：上九處卦終，畜道大成，何之不雨？向之尙往，今既處矣。德謂陰德，變坎爲輿載。陰止陽，婦抗夫，雖正亦厲。幾望言盛將敵，君子陽也，聖人扶陽抑陰之意可見。

丁壽昌：釋文幾音祈，音機，子夏作近。亦當作既。虞注已也。古上尙得德同義，載，昔說輻者今得載矣。上九變坎故既雨，月幾望陰盛，近望則非盛。

馬通伯：沈該曰爻變爲坎，既雨之象。歸有光曰既雨既處，快之也；月幾望，危之也。文王與紂之時邪。其祖案畜極而通，不雨者雨矣，尙，助也，陰助陽至滿，月幾望之象。婦貞爲四言。陰德滿，陽下下交，不以澤民爲意，未有不凶者。

劉次源：變坎爲雨，象就全卦之象言，上就一爻之動言，義各有取，陰陽雨和。變坎爲月，對照則望巽露微陰，幾望之象。陰盛陽亢，往必凶，君子所戒。

李　郁：變兌是既雨。上九變六得正，既處矣。上有德而民所載。婦六四，至上得正故貞厲。兌缺故幾望，君子上九，由上而四，失位无應故曰征凶。

胡樸安：雨矣，牽復攣如之人處矣。不僅牽復攣如之生禽，尙載有所得之死禽。德得同。婦反目之婦，雖有幹才而貞，反目之行而厲，有所養無所教。月幾望，田獵歸來之日。征行，君子行則凶也。

高　亨：處，止也。既雨既霽。德讀爲得，載，乘也，既雨既止，路難行，遇車求載而得，大吉之象，但婦女有被劫之虞，故曰婦貞厲。幾疑借爲既，在月望之後，君子有所征伐則凶。

于省吾：尙德載，載在才哉古通，應讀作尙德哉！上言既雨得其時，處得其所，故曰尙德哉！

楊樹達：漢書五行志下之下京房傳曰：婦貞厲，月幾望，君子征，凶。言君弱而婦彊，爲陰所乘，則月並出。

徐世大：譯文，下完了雨又得住，還可以養個老婆，久病，月兒將要圓了，先生們出門去，完了。旱災過去，好景即在目前，丈夫遠出無消息，景象加倍悽慘。幾近同義字。

屈萬里：德，得二字古通。處之本義爲止，毛傳處，止也。幾，熹平石經，子夏，京房，劉表並作近。按幾近雙聲音近。

金景芳：終爻發生變化，不雨，現在下雨了。尙往，現在既處。尙得載與輿說輻，車不進現在可進載了。項安世云婦道貞此不變則危，君子過此而復行則凶。蓋月望則昃，陰極則消，自然之理也。

李鏡池：尙德載：還可以栽種作物。載借爲栽。婦貞厲與君子征凶均屬附載。全卦說農民勞動生活和保衛莊稼等，可與大畜合看。

傅隸樸：上九剛處陰極，三陽無法過，密雲化爲雨。陽止陰下。載義爲滿，飽和，上九重尙道德，如悍婦制夫，故婦貞厲，月滿光敵日，威大震主，不可爲典常。征，常此以往，人臣每用權力迫君聽從，臣下就凶了。

黃慶萱：雨量聚集夠了，上九積德滿載，一女處於五男之間危險，必須守正而有威嚴。月亮由圓而缺，君子再事聚斂，就會有損失。

林漢仕案：「既雨既處」之義：

虞翻謂既，已也。二變，三體坎雨，故既雨既處。

荀爽謂澤行則物安，故既雨既處。既，盡也。盡雨澤，盡安處之。

王弼：陽不獲亨，故既雨，剛不能侵，故既處。

正義：陰陽不通，故已得其雨。三不能侵，既處不憂危害。

程傳：既雨，和也，既和而止，畜道成。

朱熹云：陰陽和，故爲既雨既止象。

朱震：坎見澤流，既雨也，陰陽和矣，九三不往而還其所，既處也，不進也，豈一日之畜哉！

項安世：昔之不雨者雨矣，處矣。載矣，爲婦矣。

李衡引：密雲不已，終爲雨也。陰陽相應成雨澤，安然而居，不有惕懼。

梁寅：昔之不雨，今既雨矣。昔尙往，今既處矣。

吳澄：上變則爲坎雨，雨作風息，處者外陽不動。

來知德：上變坎爲雨，處止也。巽進而退，巽風吹散其雨，既雨既止之象。

顧炎武：既和而唯其所爲，不可言也。上之既雨，唐高宗之于武后也。

王夫之：既雨者重剛覆陰於下，且降雨爲雨，陰道行也。既處者，巽道成，陽不能不止也。

毛奇齡：上本兌六，合成坎象，坎爲陰伏既處。

吳汝綸：將變不斂，處止也。

伊籐長胤：雨，陰象。處，不出也。遇陰而止也。

薛嘉穎：上九處卦終，畜道大成，何之不雨？向之尙往，今既處矣。

丁壽昌：上九變坎既雨，幾，當作既，處，已也。

馬通伯：歸有光曰既雨既處，快之也。不雨者雨矣。

劉次源：上就一爻之動言，陰陽兩和。

李郁：變兌是既雨，上變六得正，既處矣。

胡樸安：雨矣，牽復攣如之人處矣。

高亨：處，止也。既雨既霽，路難行。

于省吾：既雨得其時，處得其所。

徐世大：下完了雨又得住。

屈萬里：處之本義爲止。毛傳處，止也。

金景芳：終爻發生質的變化，不雨，現在下雨了。尙往，現在既處。

傅隸樸：上九剛處柔極，三陽無法過，密雲化爲雨，陽止陰下。

黃慶萱：雨量聚集夠了。

亨爲小畜大前提，不雨乃亨後產物。初六之自導而孚衆，疑其志小而易飲滿腹，則咎由自取也，了了少時，其時吉也。九二亦孚（復）自牽，牽在前而任勞，非攛來之吉也。九三提升伴偶與己齊等，故言夫妻、妻、齊也。反目正是牽攣乖隔，關愛之眼神乎？脫則宜努力組合，悅輻則兩不相離，輿悅輻，猶身悅手足，夫悅妻也。九四之血見有孚，似言已進至成熟狀態，兼及周遭環境，領略人生另一境界，陰陽皆滿志也。九五有其勢位，風花水月皆有情施與，不祇己福富，亦及其左右上下牽攣繫戀。時至上九，破卦辭「密雲不雨」之亨，蓋人事言，造勢已成而無實質可資佐信，勢之去也如風。自然界之空佈密雲而不雨，大旱則予衆充滿希望之失望，若夫雨露之均霑，今偶爾密雲而不雨，不足以人希望失望也。然從初之造勢言，「其雨」宜乎大旱之所見雲霓也，上九之既雨，則人努力，天命亦與配合矣，从總卦之斷至既雨既處，知天命之無常，斷言之不永，非爲人力勝天命，蓋天命亦有時而不永也，安可不盡人事乎！

「既雨既處」之義共得十四說：

既，已也。已雨也。（虞）

既，盡也。盡雨澤也。（荀）

陽不獲亨，已得其雨，三剛不能侵，故既處。（王）

既雨，和也。（程）

坎見澤流，既雨。九三還其所不進，既處也。（朱震）

處者，外陽不動。昔尚往，今既處。（梁、吳）

既止之象，巽風吹散其雨。（來知德）

既雨，陰道行；既處，陽不能不止。（王夫之）

將變不斂，處止也。（吳汝綸）處，不出也。（伊籐）

幾當作既，處，已也。（丁）

既雨既處，快之也。（歸有光）

上變六得正，既處矣。（李郁）

雨矣，牽復攣如之人處矣。（胡）

處，止也，霽也。（高）

人事言之，如顧炎武云：「上之既雨，唐高宗之于武后也。」李衡引牧云：「上九居女之長，長不已至龍戰。」其謂完成交媾乎！毛奇齡云「巽長至上剛，女已婦矣。」故雨者，敦倫也。吳汝綸云「陰不斂則陽漸虧。」顧炎武謂「陰陽之義莫著于夫婦。」本卦乃一有情而漸進，且蓄意創造之卦，卦辭「密雲不雨」至上九言「既雨」，从導，牽，悅，孚，血，攣，至雨，似清張文端公告老歸田後與婢妾戀愛故事，老年有時亦難免發乎情也，爲婢妾者一幸之后，冀望爲婦，貞正之行無補出身婢奴也，老年仍征不已，故加速其化也，安得不凶，文端公不久即坐化，婦貞，厲也。文端卒於康熙四十七年。妾不得因子貴，殯時不得處正廳，出正門。非婦貞厲乎！王弼云婦制其夫，雖貞近危。李衡引陽老陰長，密雲終爲雨。上九戒征，扶陽抑陰之意可見，楊樹達云君弱婦彊，爲陰所乘。蓋亦自然之理也。東坡先生謂陰勝陽，既已與之雨而去之，則彼疑而害之，故凶。是一別解凶也。上九既雨即認命而止處，上升（德，升也）至滿之位，然終非正配，故婦雖正亦危厲，月幾望，極言其時之暫，近望，數望皆言爲時之短，君子征者，君子滿心佈雲興雨必凶也，老年興之所至可，欲滿足所愛則凶也乎！戒之也君子！君子宜知所戒也！

☰☱履卦（天澤）

履虎尾，不咥人，亨。利貞。

初九，素履，往，无咎。

九二，履道坦坦，幽人貞吉。

六三，眇能視，跛能履，履虎尾，咥人，凶，武人爲于大君。

九四，履虎尾，愬愬，終吉。

九五，夬履，貞厲。

上九，視履考祥，其旋元吉。

☰☱ **履虎尾，不咥人，亨。利貞。**

彖傳：履，柔履剛也，說而應乎乾，是以履虎尾，不咥人，亨。剛中正，履帝位而不疚，光明也。

象曰：上天，下澤，履。君子以辯上下，定民志。

虞翻：變訟初爲兌也。與謙旁通。以坤履乾，以柔履剛。謙坤爲虎，艮爲尾，乾爲人，乾兌來謙，震足蹈艮，故履虎尾，兌悅而應，虎口與上絕，故不咥人。剛當位，故通。俗儒皆以兌爲虎，乾履兌，非也，兌剛鹵非柔。傳彖云：坤柔乾剛，謙坤籍乾，故柔履剛。說兌也，明兌不履乾，言應也。剛中正謂五，謙震爲帝，五帝位，坎爲疾病，乾爲大明，五履帝位，坎象不見，故履帝位而不疚，光明也。

荀爽傳彖：謂三履二也。二五无應，故无元。以乾履兌，故有通。六三履二，非和正，故云利貞。（李道平疏：王弼本脫利貞，荀氏本有之，李鼎祚）從荀本。）

九家易傳彖：動來爲兌而應上，故曰說而應乎乾，以喻一國之君，應天子命以臨下承上，以巽據下，以說其正，應天故虎爲之不咥人也。又虎尾謂三也。三以說道履五之應，上順于天，故不咥人亨也。能巽說之道順應于五，故雖踐虎不見咥噬也。太平之代，虎不食人，亨，謂于五也。

王弼傳彖：凡彖者言乎一卦之所以爲主也。成卦之體在六三，履虎尾者言其危也。三爲履主，以柔履剛，履危者也。履虎尾有不見咥者，以其說而應乎乾也。乾剛正之德者，不以說行夫佞耶，而以說應乎乾，宜其履虎尾不見咥而亨。

孔穎達：六三以陰柔履踐九二之剛，履危者也，猶如履虎尾爲危之甚。六三在兌體爲和說而應乾剛，雖履其危而不見害，故得亨通。猶若履虎尾不見咥齧于人，此假物象以喻人事。

程頤：履，人所履之道也。天在上而澤處下，以柔履藉於剛。上下各得其義，事之至順，理之至當也。人之履行如此，雖履至危之地亦无所害。故履虎尾而不見咥嚙，所以能亨也。

蘇軾：履之所以爲履者，以三能履二也。有以物者不能自用，而无者爲之用也。乾有九二，乾不能用，而使六三用之。九二者，虎也。虎何爲用於六三而莫之咥？以六三之應乎乾也。故曰說而應乎乾，是以履虎尾不咥人，亨。應乎乾者猶可以用二，而乾親用之不可何哉？曰乾剛也，九二亦剛也，兩剛不能相下則有爭，有爭則乾病矣！故乾不親用而授之六三，六三以不校之柔而居至寡之地，故九二樂爲之用。九二爲三用，三爲五用，是何異五之親用二哉！五未嘗病而有用二之功，故曰履帝位而不疚，光明也。夫三與五合，則三不見咥而五不病，五與三離則五至於危，而三見咥，卦統而論之，故言其合之吉。爻別而觀之，故見其離之凶，此所以不同也。

張載傳彖：无陰柔之累，故不疚，此所以正一卦之德也。

朱熹：一陰見於二陽之上，故其德爲說，其象爲澤，履有所躡而進之意也。以兌遇乾，和說以躡剛强之後，有履虎尾而不見傷之象，故其卦爲履，而占如是也。人能如是則處危而不傷矣。

朱震：履，踐也。三柔，履之主，三柔履初二剛也。以柔履剛，踐履之難，處之得其道，履之至善也。故曰柔履剛。卦後爲尾，兌虎口，虎口咥人者也。上九極乾，六三履其後，上三相易成兌，是履而見咥。三兌體，下說人情，上應乾，柔不犯，剛不忤，蹈呂梁之險可也。柔而能亨。此合兩體言履。在卦氣爲六月。

項安世：履訓行，畜止履行，二卦正反對也。序卦履爲有禮。履以一陰在內行眾剛之事。成卦後有二義：自下卦言之，六三兌說與乾應，下說上和，故能以柔行剛而无見咥之凶。自上卦言之，九五中正臨下，雖剛而和，故履帝位以聽三，无相疑之疾，亦履虎尾而不咥者也。兌乾皆有虎象。三自下通上，故謂之亨，五自上通下，故謂之光明。又禮爲人交通而設，禮行而分愈明，是以君子履之。

李衡引陸：一柔制五剛，說於內而爲主，健於外而得中，以順履尾，厥德用光，虎之威强，首不可逆，能履其尾，是勢之順。引石：六爻但見踐履之象，夫禮必在踐履而行之，本說樂之禮，因明人所踐履，履得其禮則吉，否則凶。

梁　寅：人踐行天理，故履爲禮。乾三陽虎象，上首四尾，兌履虎尾象。虎咥人者，和說履之則不見咥，反致亨。人踐履卑遜，何往而不亨！强暴服，蠻貊化，患難弭。然和非阿容，說非佞媚，恭順不失正。兌傳剛中而柔外，此其道也。

吳　澄：履，足踐地也。初二爲地，姤變初升三，履二之地。二三四互離爲虎，飛類象雉，外文明中陰質。二與初在後，虎之尾也。以三履二爲履虎尾。乾爲虎首趨前，上口不開，不咥人之象。

來知德：履足踐也。巽錯震爲足，履象。自上履下也。咥，齒也。兌錯艮爲虎。下卦錯虎，所履在下，故言尾也。兌口乃悅體，中爻又巽順，虎口和悅巽順不猛，故不咥人。

王夫之：履本義躡進。六三以孤陰失位躁進，上窺乎乾，欲躡九四憑陵而進，乾剛健，非可躡。不咥人者以全卦言之，兌德悅非敢與乾競，初二與乾合德，乾不待咥以立威，陰說應上通，有亨道也。

李光地：凡易爻同體柔乘剛者，多有危懼之象，六三柔乘剛，前躡三陽，進退皆危，履虎尾爲文者，取危懼之象也。人有履虎尾之危懼，則有不咥人之象而得亨矣。

毛檢討：乾兌主義，兼互巽，互離之禮，禮者履也，禮由義起。履以禮行。一柔居五剛之間，其在下者爲我所踐履。在上者爲我所躡，亦履也。一柔踐躡五剛，有似乎履虎尾者。虎屬西方，乾兌位金，故乾五爻兼言龍虎。履所及，不咥而亨。

李塨：上天下澤，高下不紊，禮之象也。禮者履也。用互巽之股上承乾，柔履剛也。乾西北卦，（自注古人以白虎兌右，西方獸也）有虎象。上首下尾，兌三正履虎尾。兌悅上應，是涉危地遜以行禮，萬全之道也，亨可知矣。九五陽剛中正，履天位，履之至也。

吳汝綸：履借爲禮。大玄亦擬之爲禮。通爻詞爲句乃變例。上三陽爲虎，下二陽爲尾。不咥人者，雖履其危不見害也。亨下利貞二字依荀本補。

李富孫：咥，文選西征賦引鄭本作噬，云齧也。噬咥聲相近義同。

伊籐長胤：虎者剛猛之獸，咥嚙也。六三爲主，一柔接三剛之後，懼將見害，有履虎尾之象。

薛嘉穎：一陰上承三陽而安，下乘二陽之危不爲傷矣。漢儒相傳兌爲虎，白虎西方宿，兌正西故爲虎。爻例近取諸身，初爲趾，上爲首。遠取諸物，初爲尾，上爲角。惠棟尾謂初。列子虎之與人異類而餡養己者，是虎有不咥人之時。

丁壽昌：釋文咥，齧人。馬云齕。解故文選李善注引鄭玄本爲噬。李集解亨下有利貞字。蘇蒿坪曰履、同人、艮三卦名與辭連。意傳易者誤爲羡文而遺之。莊子謂虎媚養己者，實象也。昌案非有脫文。又彖辭總一卦之體，不當舍本卦而取旁通。虞程朱說非確詁。

曹爲霖：（漏卦辭）釋彖引思菴葉氏曰漢祖唐宗剛明，張良魏徵弱質斌媚，輔帝業成賢相，所謂說而應乎乾，履虎尾不咥者與！

馬通伯：白虎西方宿，乾位西象虎，人躡虎後逐虎使去也。遠則不咥。六三親與虎接，故咥。楊時禮之用和爲貴。惠棟引荀子禮者人所履，失履則顚蹶，所失微而爲亂大。司馬光先王作禮使尊卑有等，各安其分。

劉次源：履，禮也，小畜富有後宜教之以禮讓。乾剛似虎，兌躡後行，履虎尾象。兌柔故虎降氣不噬人。持此道行，化險爲亨。艮止无馴虎術，宜止不履。

李　郁：履爲制禮之卦。有禮則文，无禮則野。履，躡。咥，噬。兌，虎。乾，人。是虎躡人。旋爲夬，虎口向外，雖履不咥人矣！六三之上故亨。

胡樸安：小畜會田獵後推一人爲共主，以履虎尾之咥不咥人決定，群奉爲君，勇能屈虎馴虎，亨可以履帝位矣！不疚，即履帝位而不病也，光廣，勢力廣大，聲名明顯也。

高　亨：履當重，全書通例。履本義在足，足所依，引申義踐。初九，九五用本義，餘引申義。咥，馬云齕，鄭云齧。履虎尾險而不凶之象。亨即享字，古享祀筮遇此卦，故記之曰亨。

于省吾：說文履足所依也，从尸从夂，舟象履形。一曰尸聲。顫，顫古文履不从足。

楊樹達：新序雜事四孔子謂魯哀公曰丘聞之，君舟也，庶人水也，水載舟覆舟，君以此思危，則將安，執國柄履民上懔乎如以腐索御奔馬。易履虎尾。詩如履薄冰。不亦危乎！

徐世大：履又有歷字，从履省歷聲。六十四卦中敍人事而總結之者，即此卦。卦文宜有一標題，亨，亨通。咥，說文訓大笑。今訓齧。與佛陀說苦空無常不淨同一義。人生前途，不得不履，六爻分析踐履方式而優劣自見。譯文履歷。踏著虎尾，不咬人，運氣。

屈萬里：咥，鄭玄作噬。按義同。集解荀爽注，亨下有利貞二字。釋文馬融曰：「咥齕也。」傳彖疚者蓋心有所未安也。釋文云：「陸作疚。」馬融：「疚，病也。」傳象履，禮也，禮之要在明尊卑，定上下。集解虞翻曰「辯，別也。」同辨，象天澤以辨上下，上下既明，民志乃定。

李鏡池：履虎尾：踩到老虎尾巴。咥（迭）：咬。亨：吉。夢見踩虎尾不咬人，占是吉。

金景芳：履卦主要講禮。乾爲天，也可以認爲是虎。易卦上面是首，下面是尾。乾上兌下，好像履虎尾一樣。說明禮很重要，惡人，你有禮，他也不致于咬你。

黃慶萱：柔弱的兌跟隨剛强的乾後面，就像走在老虎尾巴後面一樣。只要和悅恭順，合乎禮節，老虎不會咬養牠的人。這樣看來，作人有禮，是能到處亨通的，切記遵守行爲常規。

林漢仕案：高亨云「履當重，全書通例。」是謂卦辭脫落一「履」字也。當謂：履，履虎尾，不咥人，亨，利貞。若此，則易傳家以「履虎尾」，極言其履危有所是也。奈何經文衹一履字，依例則履句，虎尾句。履與虎尾不發生實質關係，履不冒犯虎尾，虎之不咥人，已是十分奇特，蓋飽虎，家飼之飽虎乎？履而不咥，豈在檻猛虎，搖尾乞憐乎？虎之咥人，乃虎性，虎之不咥人，非家虎，必文殊菩薩座騎，已具神性矣！今虎不侵人，人侵虎，知是籠中虎也。茲誌眾家傳「履虎尾，不咥人」之義如下：

彖傳：柔履剛，說而應乎乾，是以不咥人。

虞翻：坤履乾，柔履剛，兌悅而應，故不咥人。俗儒以兌為虎，非也。坤虎艮尾。

荀爽：三履二，乾履兌，故通。

九家易：兌應上，兌應乾，應天故虎不咥人。虎尾謂三。太平之代，虎不食人。

王弼：履虎尾，言其危，以兌應乾，宜履虎尾而不見咥而亨。

孔穎達：六三陰履九二剛，猶如履虎尾為危之甚。六三兌體和說而應乾，危而不見害，故亨。

程頤：天在上，澤處下，柔履藉於剛，事至順，理至當，所以能亨也。

蘇軾：九二虎也。乾不能用，六三用。六三應乾為五用，何異五用二，故履帝位而不疚。

朱熹：履有所躡而進之意。兌說躡剛強之後，有履虎尾而不見傷之象。人能如此則處危不傷。

朱震：三柔履踐初二剛，卦後為尾，兌虎口，咥人者也。下說人情，柔不犯，剛不忤而能亨。

項安世：履訓行，序卦履爲有禮。自下卦言，兌說乾應，下說上和；自上卦言，九五中正，雖剛而和，聽三无疑，亦不咥者也。三通上故亨。五通下故光明。禮行分愈明，君子履之。

李衡引陸：虎之威强，首不可逆，能履其尾，是勢之順。

梁寅：人踐行天理，故履爲禮。乾虎四尾，和說履之則不見咥，反致亨。

吳澄：履，足踐地也。互離爲虎，二與被虎尾，三履二爲履虎尾。乾虎首口不開，不咥人象。

來知德：巽錯震爲足，履象。兌錯艮爲虎，虎口和悅巽順不猛，故不咥人。

王夫之：本義履，躡而進，六三躁進，窺乾躡四，乾健非可躡。陰說應上，有亨道也。

李光地：凡易柔乘剛，多危懼之象。六三柔乘剛，前躡三陽，進退皆危，履虎尾取危懼之象。

毛奇齡：一柔踐躡五剛，有似乎履虎尾者，虎屬西，乾兌金，故乾五爻兼言龍虎，履及不咥。

李塨：天澤高下不紊，禮象。禮者履也。乾西北卦有虎象，上首下尾，兌三正履虎尾。兌悅上應，涉危地遜以行禮，萬全之道也。

吳汝綸：上三陽爲虎，下二陽爲尾，雖履其危不見害。

伊籐長胤：一柔接三剛之後，懼見害，有履虎尾之象。

薛嘉穎：兌虎，兌正西故爲虎。初趾上首。初尾上角。惠棟尾謂初，列子虎媚養己者，是不咥人。

丁壽昌：莊子謂虎媚養己者，實象也。

馬通伯：人躡虎後，逐虎使去也。六三親與虎接，故咥。

劉次源：兌柔，故虎降氣不嚙人。

李郁：是虎躡人。爲夬，虎口向外，雖履，不咥人矣！

胡樸安：以履虎尾，咥不咥人決定君主，勇能馴虎，可以履帝位矣！光廣，勢大名顯也。

高亨：履當重。險而不凶之象。亨即享字。

楊樹達：新序，執國柄，履民上，懍乎如以腐索御奔馬。易履虎尾，詩履薄冰，不亦危乎！

徐世大：履，歷，敍人事而總結之。咥，說文大笑，今訓齧。人生前途，不得不履。

李鏡池：夢見踩虎尾，不咬人，占是吉。

金景芳：履卦主要講禮，惡人，你有禮，他也不致于咬你。

黃慶萱：柔兌隨剛乾，像走在老虎尾巴後一樣，只要和悅恭順，老虎不咬養他的人。

句讀可以：

履，履虎尾，不咥人，亨，利貞。（高亨，徐世大皆以爲應補一履字。）

履虎尾，不咥人，亨，利貞。（傳統句讀。）

履，虎尾，不咥人，亨，利貞。（依通例不補履。）

履虎尾不？咥人，亨，利貞。

由句讀之異，隨之解釋亦有絕大差異，第一履虎尾否？抑跟著虎尾走？第二虎咥人？抑虎不咥人？第三何以亨與利貞？茲依上列異辭，羅列大家異說以爲比較：

高亨：履當重，全書通例。

徐世大：卦文宜有一標題。

以上卦辭宜補一「履」字。

王弼：履虎尾，言其危。

朱熹：有履虎尾而不見傷之象。

王、朱乃傳統句法與解義，所以異者虎尾其六三？抑九二？如荀爽謂三履二。九家易謂虎尾三。朱震則謂三柔履初，二剛。梁寅謂乾虎四尾。李光地謂六三前躡三陽。毛奇齡謂一柔踐躡五剛。吳汝綸云上三陽虎，下二陽尾。薛嘉穎云初尾上角。兌虎，坤虎，離虎，容下述。

「履虎尾否？咥人，亨。」馬通伯謂人躡虎後逐虎使去。李郁謂虎躡人。竊臆卦辭乃說明全卦狀態，非眞謂媚養己者，履其尾不咥人也。狗尾短，其作用不及虎尾，故退化之迹甚顯，舍搖尾乞憐外，不如虎之長、勁，在生存競爭中扮演角色之重要。而狗尾尚不可踩，況强勁敏感之虎尾其可履邪！捋虎鬚，拍虎頭，抱虎同眠，甚至騎虎背，牽猛虎上街散步，驅虎表演，吾嘗見之矣，若司馬遷牛馬走，報任安足下書中所謂猛虎在柙，搖尾乞憐之虎則從未之見也。是虎媚養己者說，履其痛處而不咥人，非虎性也。虎之所以咥人，乃饑虎，飢不擇食，冒險犯人。今人研究虎性所以傷人畜者，乃老年无能之虎也，老而无能在自然界中角逐，遂重返被人驅逐點覓食，以人之靈，虎之入調和鼎鼐，豈其遠乎！虎骨，虎膏，虎油，虎羹，虎皮，虎鞭，皆爲人所寶愛矣！若夫山野之虎，又不可得而履之，何則？虎之靈，爲百獸王，聽覺、嗅覺，虛名非爲浪得可知也，豈容污至身始咥人耶？人絕無機會履踐虎尾。家虎，病虎或有例外。「履虎尾不？咥人，亨。」傳家皆謂危之甚，事順理當，取其危懼，遜以行禮，如詩履薄冰之戒，故「履虎尾不」乃戒辭，非謂眞履虎尾也，險在，戒辭亦事先預告，仍然執意行之者，如履薄冰之沒頂，履虎尾之咥人，事之必然毋庸置疑者也！著一亨字，則知預警之勞心獲人我戚戚然同心也，故難可避，橫逆不生。

虎像多端，兌虎、坤虎、乾虎、九二虎、互離虎，兌錯艮虎，乾五爻兼言龍虎，兌正西爲虎，九家逸象以艮爲虎，注謂艮主寅，虎寅獸。又謂虎當爲膚之誤。是皆人造虎像唬人。虎尾可以下二陽爲虎尾，二爲虎尾，初謂尾，虎尾謂三，四尾。

虎所以不咥人，應天故虎不咥人，大平之代，虎不食人。虎焰養己者。虎媚養己者。兌悅順承。悅人情。上說下和。履禮上應，遜以行之。虎降氣不嚙人。人勇能馴虎。夢見踩虎尾。你有禮，他不致咬你。和悅恭順，「老虎不咬養他的人。」易家極盡虎化人性，自唬然後唬人，故履虎尾可以不咥人矣！雖行所无事，亦得臨深履薄，春冰虎尾之意焉，執一著相，則北其轅南其轍矣！

初九，素履往，无咎。

象曰：素履之往，獨行願也。

虞翻：應在巽爲白，故素，履四失位，變往得正，故往无咎。初已得正，使四獨變，在外稱往。

荀爽傳象：初九者潛位，隱而未見，行而未成。素履者，謂布衣之士未得居位，獨行禮義不失其正，故无咎也。

王弼：處履初，爲履始，履道惡華，故素乃無咎。處履以素，何往不从，必獨行其願，物无犯也。

孔穎達：處履之始而用質素，故往而无咎，若不以質素則有咎也。

程頤：履不處者，行之義。初處至下，素在下者也。而陽剛之才可以上進，若安其卑下之素往則无咎矣。夫人不能自安於貧賤之素，則其進也，乃貪躁而動求去乎！貧賤耳，非欲有爲也，既得其進，驕溢必矣！故往則有咎。賢者則安履其素，其處也。樂其進也。將有爲也。故得其進則有爲而无不善，乃守其素履者也。

蘇軾：初九獨无所履，則其所以爲履之道者，行其素所願而已！君子之道所以多變而不同者，以物至之不齊也。如不與物遇則君子行願而已矣！

張載：陰累不于，无應於上，故其履潔素。

朱熹：以陽在下，居履之初，未爲物遷，率其素履者也。占者如是，則往而无咎也。

朱震：初九履下而正，安於下不援乎上者也。四動求之，可往矣。往成巽，巽爲白，亦素也。往以正，不失其素履。故无咎。九五中正君位，四爻不正，初九之四，將以正夫衆不正，獨行願也。

項安世：素履者，疑若安於平素。初九重剛，其志在行，不能使之不往，但能不失其初心之素則无咎矣。學者初心，皆在行志，非必皆逐祿也。及既仕始失之耳。

李衡引干：進不以爲榮，獨履素行之節，是以无咎。引陸：禮以文爲主，在禮之初，未離於質，非禮之隆。引胡：禮本於質，故冠冕始於緇布，衣裳始於韠韍，器皿始於汙尊，飲啜始於太羹，玄酒是禮之始，率以質素爲本，往則踐履而行之之謂，故得无咎。引石：居无位之地，不以位累其心，不從榮華，尙夫素也。

梁　寅：人所履貴卑下，初九陽剛居下，猶君子安其卑下无躁失，何咎之有！

吳　澄：素謂不改其舊，初九陽剛在下，素其位而行者，舜飯糗茹草，若將終身。其往安其素耳，故无咎。

來知德：素白也，空也无私欲汚濁之意。即中庸素位而行，飯糗茹草若將終身，陋巷不改其樂。往進，陽主進。又初九剛下无陰私，无外物誘，素位而行，履之善者，故占无咎。

王夫之：素，如中庸素其位之素，如其所當然之謂。初二非履虎尾者。兌體志柔，思進則亦有履道焉。初卑下與乾合德，志欲往而不躁不媚，率其素道，故可免咎。

李光地：涉履未深，凶懼未著，有剛正之德，能守其素，其占素位而行，則往而无咎。

毛大可：本姤倒兌爲巽，巽柔易兌剛，兌悅巽順。今履兌初而上悅者，乃其舊之履。巽柔下順，素也，素不願外，雖獨行可以往矣。

李塨：淺義曰履之无飾者素履也。初在下爲足，比應皆无，无應而往故曰獨行願。禮質爲本始。

吳汝綸：禮始于素，故爲素履，以喻布衣之士未得居位，獨行禮義，不失其正也。

伊籐長胤：素其位之素，此士懷志而安貧賤者也。乾初陽德，勿用而有待，時措各適其可。

薛嘉穎：初九上無係應，不變所守，乃素其位而行者，往，行也。履猶位也。素位行何咎之有！

丁壽昌：蘇蒿坪曰兌屬西色，白有素象，義皆可通。案履禮也。甘受和，白受采，忠信可以學禮。

曹爲霖：韋素之士如黃憲之居汝南，管寧之處于魏，庶幾可以無愧此爻。古者學而後行，後世行而後學。明太祖命宋濂執政，辭曰臣攻文學，待罪翰林足矣，臣不願居樞要，得爻象之義。

馬通伯：胡瑗曰禮以資素爲本，往則踐而行之之謂。案素履之往，不化之謂也。

劉次源：履始，外无係應，孤介自守，率其素性，與世相忘，得失弗問，特此以往，自无詬病。

李　郁：質樸謂之素。初在下故質，往行。禮有素爲貴者，至敬無文，吾行吾素，故往无咎。

胡樸安：素履，始履也。言履虎尾決定帝位之始，只有咥不咥之吉凶，必无咎也。

高　亨：周禮履人掌王，后之服履，有赤舃，素履。素履無文采，質而不飾之象。有所往則无咎。

徐世大：素从說文白致繒引申質素，光潤之義，質樸又光澤，猶平凡不沾污的生活。中庸君子素其位而行……。不願亦不屑經心，不斷斷計較，無怨無尤，復何可咎？譯本色鞋子，去無礙。

屈萬里：此履蓋謂屨也，與離初九同。素履謂守其常度，猶遯世无悶，不見是而无悶之義，故曰獨行願也。

李鏡池：素履，行爲純潔。往，无咎：這是行旅之占，附載。

金景芳：素，樸素，履是講文的，素履即不講文飾。

黃慶萱：語譯，履卦初位陽，安於自己的身分，遵守行爲規範，向前邁進，不致於犯錯。

林漢仕案：履者步也，踐行也，祿也（詩樛木福履綏之。履，祿也。）（祿又訓錄，取上所以敬錄接下，下所以謹錄事上。），禮也。故履卦言履踐步行之際，貞正則祿錄之記，其合禮得體，元吉也乎哉！

素履，各家以爲：

象：獨行願。荀爽謂布衣之士未得居位，獨行禮義不失其正。孔穎達云：用質素。程頤謂自安於貧賤之素，守其素履者也。蘇軾云：「行其素所願而已。」張載云履潔素。朱震循虞翻之素白。項安世云：安於平素，不失其初心之素。李衡引：禮率以質素爲本。梁寅：君子安其卑下无躁失。吳澄云素舊。來知德云素白，空无私欲污濁之意。王夫之云素，如中庸素其位之素，如其所當然之謂。李塨云：履之无飾者。吳汝綸云：禮始于素，喩布衣之士未得居位。伊籐長胤：此士懷志而安貧賤者也。薛嘉穎：「履猶位也，素位而行，何咎之有！」馬通伯案素履之往，不化之謂也。劉次源之孤介。李郁之質樸，吾行吾素，至敬無文。胡樸安謂素履爲始履。高亨云素履無文采，質而不飾之象。徐世大云質樸光澤猶平凡不沾污的生活。屈萬里云履，屨也。素履謂守其常度，遯世而无悶，不見世而无悶。李鏡池謂純潔。黃慶萱云安於自己身分，遵守行爲規範。

試將前賢「素履」之釋，攤平比較，以見指撝：

獨行願。

布衣，行禮義不失正。

質素，質樸。吾行吾素，至敬無文。（無文采）質而不飾。

自安貧賤之素。

行素願。

履潔。

舊。

素白，无私欲污濁。

素其位之素，行其所當然也。

履无飾。

士懷志而安于貧賤。

不化之謂。

孤介。

始履。（以履決定勝負。）

質樸，光澤，如平凡不沾污之生活。

守其常度，不見世而无悶。

純潔。

安於自己身分，遵守行爲規範。

上共十八說。履卦大前提爲行，踐，步。配以素限制踐行。素，後漢書張衡傳注謂猶志也。然則「素履」可謂之「志履」矣。初生之犢，正不畏虎也，可以一往無前矣。處下，處初即謂孤介，履潔，安分，行禮義，舊，獨行願，無乃過其殷情乎！廿世紀末葉，英人麥克馬宏，甫四歲入讀魯內爾大學之西倫敦學院，通法文，生而知莫札特。（見民生報八十一年十二月二日星期三拾肆版）是兒可責之以潔、孤、禮、之志，安貧无飾之文。不能責一概初生子，如居初，處下之初九「士而懷居」也！無其位，無其時，要求過當，責幼子詳許彼成人之節行，强輸入彼心，幼子之行似而中外不一矣！成人尙須誘之以利，威之以禍。幼子期許高節景行，明先哲曲彈陽春白雪也。

又素以中庸「素富貴行乎富貴，素貧賤行乎貧賤，素夷狄行乎夷狄，素患難行乎患難。」解素之如舜之被袗鼓琴；如舜之飯糗茹草；如孔子欲居九夷；匡人其如予何。許君子無所往而不自得，爲吾之所當爲而已。（趙順孫疏）然則素履，注家云傃，向之履，安而行之也。莫可奈何而行之也，有所爲而行之也，趙順孫之謂無所往而不自得，皆中心情願扮演陶冶，歷耕也，黃慶萱所謂「安於自己身分。」徐世大所謂「質樸。」吾謂初之安分，質樸有之，然深沉則不可及也。

所謂志履也者，天眞純志，爛漫无飾，老子所謂「含德之厚，比於赤子。毒蟲不螫，猛獸不據。骨弱筋柔而握固，未知牝牡之合而峻作，精之至也。」觀老氏處低，處下，處柔，處弱哲理，初之居六十四卦，所以多无過咎也。（六十四卦初爻无咎者二十，吉者十八，利者三，未署凶吉悔吝者十。

至豫初六即鳴豫，宜乎凶也，坎初六之入于坎窞，凶也，如此者共八，咎吝厲各一，可見一斑。）

九二，履道坦坦，幽人貞吉。

象曰：幽人貞吉，中不自亂也。

虞翻：二失位，變成震，爲道，爲大塗，故履道坦坦。訟之時，二在坎獄中，故稱幽人，之正得位，震出兌說，幽人喜笑，故貞吉也。（李道平疏以爲此爻之義與儒行幽居而不淫無異旨也）又傳象：雖幽訟獄中，終辯得正，故不自亂。

王弼：履道尙謙，不喜處盈，務在致誠，惡夫外飾者也。而二以陽處陰，履於謙也。居內履中，隱顯同也。履道之美，以斯爲盛，故履道坦坦，无險厄也。在幽而貞，宜其吉。

孔穎達：坦坦，平易之貌。九二以陽處陰，履於謙退，已能謙退，故履道坦坦者，易无險難也。履又爲禮，故尙謙也。履道尙謙，不喜處盈，以信爲道，不以居外爲榮，處內爲屈。若居外亦能履中謙退，隱之與顯，在心齊等，故曰隱顯同也。以其在內卦之中，故云在幽也。謙而得中，是貞正也。在幽能行此正，故曰宜其吉。

程頤：九二居柔，寬裕得中，其所履坦坦然，平易之道也。雖所履得坦易之道，亦必幽靜安恬之人處之，則能貞固而吉也。九二陽志上進，故有幽人之戒。

蘇軾：九二之用大矣，不見於二而見於三。三之所以能自以爲明，假吾目也。所以能履者，附吾足也。有目不自以為明，有足不自以為行者，使六三得坦途而安履之，豈非才全德厚，隱約而不慍者歟？故曰幽人貞吉。

張載：中正不累，无援於上，故中不自亂，得幽人之正。

朱熹：剛中在下，无應於上，故為履道平坦，幽獨守貞之象，幽人履道而遇其占，則正而吉矣。

朱震：二動成震，震為大途，坤為平衍，履道坦坦也，道中正也。初二動成坎，坎為隱伏，初未往二，伏于坎中，幽人也。靜而无求。復位，動不失正，幽人之貞也。正則吉。所履坦坦，坤為亂，二正得中，不自亂。九幽不改其操者，唯九二乎！

項安世：願坦坦者，疑若平行无礙。九二履柔行中，无所歆羨。坦坦，寬閑貌。故為幽人之貞，其心坦蕩不可亂。

李衡引介：上无其應而以剛處陰，故曰幽人。而以中行，故曰正吉。中不自亂則无巽言屈身之患。引牧：禮行中道，今二履中，是其道行而坦夷也。幽人之志專靜而不過越，履茲中道，不可過也，過則煩而自亂矣。

梁　寅：行道路者中平坦，旁崎險。九二居中得平坦者也。君子不輕自售，安靜恬淡，故為幽人貞吉，正而吉也。此爻戒躁進之意。

吳　澄：二為地上變柔成震，大塗者正路平夷者。初地下為幽，二為人，比初居中，故曰幽人，二亦比三，內取剛正之初而不外昵柔邪之三，所以為幽人之正主事而吉也。

來知德：不素隱行怪也。幽獨之人多賢，能履道坦平，不過乎高，驚世駭俗，則貞吉矣。變震足，履象。爲大塗，坦坦象。離明在上，二爲人位，幽人象。二剛居柔，履以坦行，禮之用，和爲貴，幽人如此，正且吉之道也。故占者貞吉。

王夫之：道謂所履之路。九二剛中，與乾合德，行坦坦乎無所疑阻。爲六三蔽，不能自明。蓋君子當小人干上之世，處下無能自達之象。故曰幽人。惟正志守道，與凶危相忘，物不能加害，不求吉而自無不吉也。

李光地：履稍深，有剛中之德，履中正平易之道，不失幽靜之操則吉。傳象能安靜不亂。

毛檢討：履之最正者，兌爲鹵地廣衍，進無應而退有比，非幽人乎。兌西，周禮極西多陰。則在兌中，二本正位，貞而能中，所履自不亂。

李　塨：剛德居中，履行地上，坦寬。紫巖易傳曰二居澤中爲幽人。

吳汝綸：王云履道尙謙是也，虞以幽爲幽繫殊非。

伊籐長胤：坦坦，道平也。剛中居下，上無正應，貞固守之則吉。蓋處利害之中不免寵辱之驚，超然乎利害之外，無道則隱，幽人之所以貞吉也。

薛嘉穎：九二履中者也。入之行路由徑則崎險，由中則平坦。二以剛居中，是履得其平坦者。與上無應，又居下，是爲處幽之人，惟能貞固守此不輕自妨，吉之道也。

丁壽昌：虞氏謂履自訟來故有坎象。卦變之說，今所不取。逸民，岩穴幽人，智術之士，易之幽人，孔釋幽隱之人是也。本義謂幽獨守貞，虞仲翔謂幽繫（獄中），失之。

曹爲霖：皇甫謐曰貧者士常，賤者道實，處常得實，沒齒不憂。生不爲人知，死不爲人惜，至矣，魚懸獸檻，天下一契，沈麟士笑吳興太守請爲功曹曰君欲飾混沌以娥眉，冠越客以文冕而不受黥劓也，甚幽人之貞吉者歟！

馬通伯：三在履時亂天澤之分者也。二與同體不相比，自化之正，上應九五，故日中不自亂，陽明陰暗，化陰爲幽人。

劉次源：陽得中居陰，徜徉山林，是謂幽人履中，无爭故視天下皆坦途，幽人之正道，吉以貞也。

李　郁：震爲大塗，故坦坦，言其平泰。幽人指伏陰，九二化柔，中正有應故貞吉。

胡樸安：履虎決定帝位場所廣而平也。幽人，參加履處之人鎭定心正，所以吉，象中不自亂也。

高　亨：坦平，虞釋幽爲囚。幽人今呼囚徒，筮遇此爻，將脫險就夷，故履道坦坦幽人貞吉。

徐世大：譯踏道平平坦坦，暗摸的人持久好。說文幽，隱也。引申蔽闇。幽人猶言知識未開之人，渾渾噩噩，世故不深，前途崎嶇，視之坦途，詩不識不知，順帝之則。根本不慮危險也。

屈萬里：虞注：「訟二在坎獄中，故稱幽人。」幽隱之人。三國志管寧傳：「……有素履幽人之貞，而失考父茲恭之義。」幽，隱也。幽人，周易述曰：「幽繫之人。」从虞翻說也。荀子王霸篇：「公侯失禮則幽。……」經義述聞有說。

李鏡池：履道坦坦：猶言胸懷寬廣坦蕩，履道指行爲素養。幽人：被監禁的人。爲人達觀，胸懷坦蕩，即使无辜坐牢也不憂愁，所以貞吉。

金景芳：陽爻居陰位得中。坦坦，可以隨意前行。禮尙文，要幽靜安恬，不講文飾的人才能貞固守正而得吉。幽人與素履意義相近。

黃慶萱：以合乎禮節的態度行在人生的道路上，感覺平坦舒泰。即使隱居或被囚，不能有所爲，仍須遵守常規，必有收穫。

林漢仕案：履道，謂行潔己、孤介、禮義之道也。蓋九二宜扮演角色：獨行其願，孤介守貧，質素安常，隱晦韜光，推己定位於斯而已。二失位無應，高論潔己之道，剛强有餘，坦坦然似不足，以陽居陰，懼其言之不由衷也。畏今日之芳草，難保他日不爲蕭艾！聖人之憂二如是，故著履道坦坦，其果坦坦乎哉！茲錄方家衆識以爲比較：

虞翻謂二失位，大道大塗。王弼云：二以陽處陰，履謙，不處盈。孔穎達謂：坦坦平易貌。履謙退无險難也。程頤云：九二柔得中，坦坦然，平易之道也。張載云：中正不累，无援於上。朱熹：剛中在下，无應於上，故爲履道平坦。項安世：願坦坦者，疑若平行无礙。坦坦，寬閑貌，九二履柔行中，无所歆羨。李衡引牧云：禮行中道，是道行坦夷者也。梁寅謂九二居中得平坦者。吳澄云：二變柔成震，大塗者，路平夷者。來知德：不素隱行怪也。變震足，履象。爲大塗，坦坦象。王夫之云：道謂所履之路。剛中，行坦坦乎無所疑阻。李光地云：有剛中之德，履中正平易之道。毛奇齡：履之最正者。貞能中，履自不亂。李塨：剛德居中，履行地上，坦寬。劉次源：无爭故視天下皆坦途。胡樸安：履虎尾決定帝位場所廣而平也。李鏡池：坦坦猶言胸懷寬廣坦蕩。履道指行爲素養。金景芳：陽爻居陰位得中，坦坦，可以隨意前行。黃慶萱：以合乎禮節的態度，行在人生的道路上，感覺平坦舒泰。

爲履造象者謂二變震，足，履象。爲道造象者亦謂變震爲道，爲大塗。爲坦坦造象者謂九二居中平坦，旁崎險。以義釋坦坦者謂无爭，故視天下皆坦途。李鏡池則謂坦坦爲胸懷寬廣坦蕩。來知德謂不素隱行怪。大塗，坦坦象。劉次源謂无爭故視天下皆坦途。金景芳云坦坦，可以隨意前行。黃慶萱云在人生道路上感覺平坦舒泰。

初無過咎，二步上坦途，「履道坦坦」，極理想且極順自然發展。然二宜柔而剛居，經文「坦坦」有假像虛飾之意在，又與五無應，不馴順行多拗也，是二宜乎坦坦，又未必坦坦也，唯幽人貞吉耳。又二，程頤等謂「九二柔得中。」「剛居柔位，是牡而牝視之也，牡有牝行，不正如何中？中乃「居內處中」，下卦中爻之中，非謂九二爲中庸，中正之中也。如此而中，猶中等身材之人，天塌有高個子代頂，地陷矮個子先入，居中禍福皆後於人也。李塨之謂剛德居中者也。明乎此，則各家論九二之履道坦坦條件，著墨輕重或可一目瞭然矣！茲再聚眾寶以見長短：

二失位，大道，大塗。

二以陽處陰，謙不處盈。

謙退无險難。

九二柔中，坦坦然平易之道。

履道平坦。

坦坦寬閑貌。九二履柔行中，无所歆羨。

禮行中道，是道行坦夷者也。

九二居中平坦。

二變柔成震，大塗者，路平夷者。

不素隱行怪也。

剛中，行坦坦乎無所疑阻。

履中正平易之道。

履之最正者。

无爭，故視天下皆坦途。

決帝位場所廣平。

胸懷寬廣坦蕩。

坦坦，可以隨意前行。

合乎禮節，人生道路，感覺平坦舒泰。

上十八說中，虞翻謂九二失位。李光地謂履中正之道。毛奇齡云履之最正者。李光地、毛奇齡似較兲兀無理。既失位如何履中正之道，又如何爲履之最正者！

經文坦坦，從道路坦坦平易而造象九二居中平坦，路兩旁崎險，引申至心境寬閑，无所歆羡，再進至无爭，視天下皆坦途，胸懷坦蕩。不正無應尙能坦蕩，必阿Q自我坦蕩無疑乎！

不素隱行怪與陽處陰，謙不處盈說似貞索隱行怪說九二，從初之素履，素或作索，遂謂九二不索隱行怪，猶之謂上庠時彥皆不索隱行怪同，可而不切貼。孔穎達承王弼之謙說亦欠妥，天澤履，與地山謙，關鍵爻乃六三，非謂九二，若九二即旁通謙，則履何不謙，說履卦即說謙卦矣！

上十八說未能圓滿，然則何爲而可明三聖著「履道坦坦」之文？竊以爲九二本當履道坦坦，然柔位剛佔，無應於五，實宜有吝咎，幸而外幽隱不强出頭，仍以履爲志，故其卜乃吉也。貞爲正亦甚是，幽人能正故吉，言九二獲吉之條件也。

幽人，虞翻謂二在坎獄中，故稱幽人。（吳汝綸、丁壽昌非之。）高亨、屈萬里、李鏡池則是幽人爲囚徒。

孔穎達謂內卦之中故云在幽也。

程頤謂幽靜安恬之人。（金景芳謂幽靜安恬，不講文飾的人。）

蘇軾云：才全德厚，隱約而不慍者。

張載謂中正不援，不自亂，得幽人之正。

朱熹云：幽獨守貞之象。

朱震二動成坎，隱伏，伏于坎中，幽人也。

李衡引介謂上无應，以剛處陰，故曰幽人。

梁寅云：君子不輕自售，故爲幽人。

吳隆云：初地下爲幽，二爲人，比初居中，故曰幽人。

來知德云：幽獨之人多賢。二爲人位，幽人象。

王夫之謂：君子當小人干上之世，處下無能自達之象，故曰幽人。

毛奇齡云：進無應，退有比，非幽人乎！

李塨引謂：二居澤中爲幽人。

伊籐長胤謂：無道則隱，幽人所以貞吉也。

丁壽昌云：逸民，岩穴幽人，智術之士，易之幽人，孔釋幽隱之人是也。

馬通伯以陰暗爲幽人。李郁亦謂伏陰爲幽人。

劉次源謂陽得中居陰，徜徉山林，是謂幽人履中。

胡樸安以鎭定心正爲幽人貞。

徐世大云猶言知識未開之人，渾渾噩噩。

上廿說，有褒有貶，亦有不著邊際，然以九二獲吉條件處幽人則貞吉言，九二陰位陽居，可以有爲，亦亟欲有爲，蘇軾之「才全德厚，隱約不慍」似得之矣，言幽人爲囚徒者如之何履道尙可坦坦乎？

六三，眇能視，跛能履，履虎尾，咥人，凶，武人爲于大君。

象曰：眇能視，不足以有明。跛能履，不足以與行。咥人之凶，位不當也。武人爲于大君，志剛也。

虞翻：離目不正，兌爲小，故眇而視，視上應也。訟坎爲曳，變震時爲足，足曳，故跛而履，俗儒多以兌刑爲跛，兌折震足爲刑人見刑斷足者，非爲跛也。又艮爲尾，在兌下，故履虎尾，位在虎口中，故咥人凶！既跛又眇，視步不能，爲虎所囓，故咥人凶。乾象在上爲武人，三失位變而得正成乾，故曰武人爲于大君，志剛也。

侯果傳象：六三，兌也。互有離巽，離爲目，巽爲股，體俱非正。雖能視，眇目者也；雖能履，跛足者也。故曰眇能視，不足以有明，跛能履，不足以與行，是其義也。

李鼎祚案：六三爲履卦之主體，說應乾，下柔上剛，尊卑合道，是以履虎尾，不咥人，通今于當爻，以陰處陽，履非其位，互體離兌，水火相刑，故獨唯三被咥，凶矣。又案：以陰居陽，武人者也。三互離爻，離爲嚮明，爲于大君南面之象，與乾上應，故曰志剛。

王弼：居履之時，以陽處陽，猶曰不謙，而況以陰居陽，以柔乘剛者乎！故以此爲明，眇目者也；以此爲行，跛足者也；以此履危，見咥者也。志在剛健，不修所履，欲以陵武於人，爲于大君，未能免於凶，而志存于五，頑之甚也。

孔穎達：六三以陰居陽而又失其位，以此視物，不足爲明；以此履踐，不足與之行也；以此履虎尾咥謟於人，所以凶也。武人爲于大君者，行此威武，加陵於人，欲自爲於大君，以六三之微，欲行九五之志，頑愚之甚。

程頤：三以陰居陽，志欲剛而體本陰柔，安能堅其所履。故如盲眇之視，其見不明；跛躄之履，其行不遠。才既不足而又處不得中，履非其正，以柔而務剛，其履如此，是履於危地，故曰履虎尾。以不善履，履危地必及禍患，故曰咥人，凶。如武暴之人而居人上，肆其躁率而已，非能順履而遠到也。不中正而志剛，乃爲群陽所與，是以剛躁蹈危而得凶也。

蘇軾：眇者之視，跛者之履豈其自能哉！必將有待於人而後能。故言跛眇者，以明六三之无能而待於二也。二，虎也，所以爲吾用而不吾咥者，凡以爲乾也。六三不知其眇而自有其明，不量其跛而自與其行，以虎爲畏己而去乾以自用，虎見六三而不見乾焉，斯咥之矣！九二有之而不居，故爲幽人；六三无之而自矜，故爲武人，武人見人之畏己而不知人之畏其君，是以有爲君之志也。

張載：太君者，爲衆爻之主；武人者，剛而不德也。

朱熹：六三不中不正，柔而志剛，以此履乾，必見傷害，故其象如此，而占者凶。又爲剛武之人得志而肆暴之象，如秦政、項籍，豈能久也。

朱震：六三離爲目，兌毀之，眇也。不能視遠，言其志不足以有明也。巽爲股，兌折之，跛也。跛者不能行遠。言其才，雖有上九之應，不足相與行也。卦一陽介五剛之中，才智不足，處非其位，必有凶禍。故曰咥人之凶，位不當也。在卦言不咥人，爻言咥人凶者，卦體說而應乾，應則柔應剛，所謂達其怒心。爻才智不足，有爲于大君，妄動也。上九大君，兌西方肅殺之氣，武也。三居中，志也。六柔居三，志剛也。三往上九，武人有爲于大君。志剛不慮其才，知不足於有爲，致咥之道，六三妄動而凶。

項安世：眇者跛者，象六之柔也。能視能履，象三之剛也。柔而履剛，本无可行之理，故曰不足以有行也。履虎尾者，行危道也，喻六居三，所履不正也。本不足行，又行危道，安得不傷！故曰咥人凶，位不當也。武人粗暴之人也。不足行而行，不可履而履，皆粗暴之象。大君者，一卦之主也。

六三質柔履剛，當不處之時，爲一卦之主，是以粗暴如此。本剛才，有剛志。六三下體，當履時謂之跛。有視象，六三互體爲離，離目不正，故謂眇，人之妄行，皆由不明。又三五履剛，故爲虎尾，以象其危。三剛尙武，與五爭爲主，故凶。六三彖辭亨者，以下卦有和說之德，本爻凶，資柔履不正，宜其凶。三當權用事，爲一卦之主，理雖正，事則危。故小象獨以位正當爲言。彖多言卦德，爻多論爻位。

李衡引牧謂之不明，則陽位也，謂之明又陰蔽之，眇之象也。謂之不能行，又說而乘陽，謂之能行，又柔而乘剛，跛之象也。引干：卦无陰，而三自以爲已任，僭履非位，咥其宜也。

梁　寅：兌互離，爲目，故言眇能視；兌爲毀折，故言跛能履。履虎尾不咥人者，以和悅中正也。武人者，蓋以柔居剛，外陰闇內剛猛，武人之象。爲大君計，六三一陰主五陽，是武人而爲大君，處非其位，肆爲凶暴，自取滅亡而已！

吳　澄：眇一曰少。二三四互離爲目，目眇視偏。離中虛，在三不中正，視偏而目无所傷猶能視之象。震爲足，兌變震中畫，足跛也。震下畫之陽猶存，雖跛猶能履也。三人位，兌口虛而開，如人在虎口中。居不正不能馴暴養貪。質柔而內外俱剛，血氣之勇，武人之象，大君上九也。六三應上九以力效于大君，咥人之象，占固凶。有此象則不皆凶也。

來知德：巽錯震足，離目，皆爲兌之毀折，眇跛之象。六畫卦主爲人位，正居兌口，人在虎口中，咥人象。三變爲乾，悅體文明變爲剛猛武勇，三人位，武人象。曰武者對前未變離文而言也。陰變陽，大象，故坤卦用六，變乾君，大君之象。又六三不中不正，位不當，柔而志剛，无才德而自用專，履虎必見害，武人豈可爲大君，徒自殺其軀而已！

顧炎武：非武人爲大君也。如書予欲宣力四方汝爲之爲。六三才弱志剛，雖欲有爲而不克濟，以之履虎，有咥人之凶。惟武人效力其君，其濟君之靈，不濟則死繼之，當勉爲之不可避，有斷脰決腹，一瞑而萬世不視，不知所益！以憂社稷者，莫敖大心是也。過涉之山，其何咎哉！

王夫之：能，自謂能也。柔失位，居進爻躁動，上干陽，乾方盛，還以自傷，故咥人凶。陰情柔性慘，故爲武人。爲謂圖謀妄作。三終自敗亡，而志懷叵測，君子宜早戒也。

李光地：柔履剛，爲說主應乾，不中不正。兌爲口，三適當其缺，陰居陽，才弱志剛，如眇自爲能視，跛自爲能履，居下之上，行不能自止，蹈虎尾見傷之象。暴虎馮河粗暴武人自效於大君，豈君子敬事之道！傳象：位不當，謂正當口處也。

毛大可：居兌柔主兌，互視倒兌，巽柔主順，下視倒巽，不悅不順，巽多躁，兌附決，陰僭自用，夬不全離，目眇也，及履互離于隔界，能視。姤下巽，巽爲股，易兌折于乾，跛也。欲履虎尾，以爲柔悅剛，不知巽足所加，即兌口所向。柔，陰也，武人之象，離爲戈兵，嚮明而治，肆其威武，謂可以南面稱大君，志非不剛，位不當也。武人可以爲大君也乎！

李　塨：離目巽股，皆兌之毀折，眇跛之象也。巽固多躁，履乾虎尾，咥之矣！不其凶乎！六三志剛，尙右陰，武象，居人位，赳然一武人矣。爲大君事不畏艱，不懼死，志固然耳。

吳汝綸：眇視跛履，皆力不足而志不止之象。能，虞本作而。履危遇害，無往而宜，唯武人用之以爲其君可也。

李富孫：釋文跛，依字作尳。（舊作破誤）說文跛，行不正也。尳，蹇也。二字義異。依上文眇字，當作尳，跛爲假字，錢氏曰說文尳即跛能履之跛。

伊籐長胤：眇，一目小也。跛，足偏廢也。履虎尾，承九言。不中不正，才柔志剛，欲有所爲，其見傷害也必矣！武人爲于大君，明志剛所以致凶也。蓋粗人無遠識而肆其悖戾自用。

薛嘉穎：三說主應乾，然不中不正，如眇者荒於視而自以爲能視，跛者艱難於履而自以爲能履，既眇又跛，不能趨避不履虎尾，爲其所噬矣。三當兌口，口虛而開，故被咥嚙。

丁壽昌：釋文眇，字書盲也。說文小目。跛，作尳，說文蹇也。能而古通。李資州曰以陰處陽，履非其位，互體離兌，水火相刑，三被咥矣！楚語天事武，韋昭乾健故武。乾爲大君，俗說三爲大君，非是。子曰暴虎馮河，即此句意。蓋如原軫、周亞夫之流。

曹爲霖：眇履比之刑餘奄腐之流。唐中人預軍政，宦官立天子凡六帝，劉蕡對策今夏官不知兵籍，六軍不主兵事，首一戴武弁，疾文吏如仇讎。爲于大君四字透發其僨。

馬通伯：耿南仲曰視欲正，行欲中，歸妹初九不中則爲跛，九二不正則爲眇，履六三不中不正，故跛眇兼焉。其昶案兌位在西，其氣肅殺稱武人。

劉次源：三履主，互離目，不中則眇。互巽爲股，不正則跛。弗量力犯乾陽，武人憑暴力，昧大勢，覬大位，身欲爲虎，反爲虎噬，傳象苟知自量，庶免噬臍。

李　郁：履旋爲夬，夬九三壯于頄，故眇其目。眇視不明；夬初九壯于前趾，故跛其足而行不遠。禮，體也，體不備不成人，人而無禮猶履虎尾，非坦途。三欲變晉上，故稱之武人。

胡樸安：眇視跛履者，有勇無智之人而履虎，爲虎所咥而傷目跛足，至有咥人之凶。此人不足當帝位矣，故象曰位不當也。武人徒有剛强之志，不可爲共主也。

高　亨：眇字書盲也。集解能作而。眇而視不明，履於虎尾；跛履不捷而及虎口。無其能而爲其事，致險境，遘大禍也。武人無大君之德而據大君之位，亦將妄行遘禍，覆國殺身。

徐世大：譯文瞎子能看，跛子能走，踏著虎尾咬一口，糟糕。老粗兒給大皇帝執政。三爻乃自以是的人，暗於利害，勇於任事，忠言不能入耳，人情不瞻顧，師心自用，不免於虎口，凶宜矣。武人多剛愎，狃於一二次勝利，以爲天下莫敵。幽人無知，武人强不知爲知。

屈萬里：說文：「眇，一目小也。」「跛，行不正也。」三多凶。爲，詩箋鳧鷖「猶助也。」能，而古多通用。釋文引字書：「眇，盲也。」「跛，足廢也。」禮記：「跛者不踊。」國語晉語注爲，使也。

李鏡池：眇，一目小。大君：國君。眼睛不好卻能看，跛腳能走，這是一種夢想，希望如此。老虎咬人是噩夢，武人掌權是事實，虎象武人，掌軍權成了統治者，不好故凶兆。

金景芳：眇，眼有病；跛，腳有病。眇視不清；跛步不靈利，這樣的人老虎要咬的。六三陰居陽，象一個內柔外剛，若履危地，等于履虎尾，咥人凶。但不計利害，勇往直前，象武人爲大君打仗那樣，雖弱也可取勝。

黃慶萱：三缺乏才能，偏又好强，就像眼睛小視力弱的人偏要看，跛腳的人偏要走。沒有養老虎的本領，偏要跟著老虎尾巴走，老虎咬人就倒楣了。又像好勇的人爲了領袖……

林漢仕案：六三爲卦主，當剛而柔，柔居剛位，行剛令，俗謂弱女子有男權之志。才弱志剛，又欲有所爲，徐世大所謂「六三自以爲是，暗於利害，勇於任事，忠言不能入耳，人情不瞻顧，師心自用。」六三之所以危也。明人眼裏，見六三之危，如盲人騎瞎馬，夜半臨深池。非以猛藥不足以痞六三，故著斯爻文以彰彼甚行也。易傳家因之忙覓象以見六三之眇，之跛，六三非眞眇眞跛也，讀李衡引牧沭可知，牧云：（六三）「謂之不明，則陽位也；謂之明又陰蔽之，眇之象也。謂之不能行，又說而乘陽；謂之能行，又柔而乘剛，跛之象也。」按易爻例一三五爻宜剛，故謂陽位，今六三居之，是謂陰蔽，是陰居陽位爲眇象；柔乘剛則不能行矣，故謂之跛。知眇跛蓋喻六三之位不當也，非謂六三眞眇眞跛也。然有以象置六三眞眇眞跛者，其造象方式如此：

離目，兌小，故眇而視。訟坎爲曳，變時爲足，足曳故跛。（虞翻）

六三兌，互有離巽，離爲目，巽爲股，體俱非正。眇者，跛者也。（侯果）

六三離目，兌毀之，眇也；巽股，兌折之，跛也。（朱震）

六三互體爲離，離目不正，故謂眇。（項安世）

兌互離爲目，故言眇能視；兌爲毀折，故言跛能履。（梁寅）

眇一曰少，目眇視偏，三不中，視偏而目无所傷。兌變震中畫，下畫陽猶存，跛象。（吳澄）

巽錯震足，離目，皆爲兌之毀折，眇跛之象。（來知德）

六三不中不正，跛眇兼焉。（馬通伯）

六三互離目，不中則眇，互巽股，不正則跛。（劉次源）

履旋爲夬，夬九三壯于頄，故眇其目。夬初九壯于前趾，故跛其足。（李郁）

有毛奇齡之「夬不全離，目眇也；履互離于隔界，能視。」李郁因之以履旋爲夬，毛之澤天夬，上澤半離，故不全離，謂夬五六爻也，以之謂履六三爻之眇已是又奇且妄矣，李郁因之以夬九三，與夬初九之爻文爲履六三之眇跛，尤妄中妄也。如此寄情其眇跛，直是李鏡池之謂「這是一種夢想。」吾謂彼爲狂想也！

劉次源之六三互離目，不中則眇。六十四卦中如訟六三、解六三、睽六三、困六三、歸妹六三、兌六三、未濟六三皆離目不中，又皆未著「互離目，不中不正，視不明也」之文。是一象不能貫衆同爻位之實而隨己意造象，深植離爲目，說卦相見乎離之目能見之文。馬通伯以歸妹初九不中爲跛，九二不正爲眇，謂履六三不中不正爲跛眇，而六十四卦中不中不正者又皆爲跛爲眇耶？虞翻始作俑者，其逸象離爲見爲明，而造互離，互兌，互巽之象，來知德更有錯震足，離目，兌折之廣象，可以互，可以錯，皆不能就爻本位說履六三卦爻辭也。

言不離位者謂六三眇，跛，其說如下：

王弼云：以陽處陽，猶曰不謙，況以陰居陽，柔乘剛者乎！故其明眇，其行跛。

孔穎達云：以陰居陽，失位，以此視不足有明，履踐不足與行。

程頤云：以陰居陽，志剛體柔，安能堅其所履，故如見不明，行不遠。

項安世云：眇者跛者，象六之柔；能視能履，象三之剛。柔而履剛，本无可行之理。

李衡引牧：謂之不明，陽位；謂之明，又陰蔽之，眇象。謂之不能行，又說而乘陽；謂之能行，又柔乘剛，跛象。

薛嘉穎云：三說主應乾，然不中不正，如眇者荒於視而自以爲能視；跛者艱難於履而自以爲能履。直接以眇跛爻文立論者：

吳澄：眇，一曰少，目眇視偏。足跛。

丁壽昌云：眇，字書盲；說文小目。跛，作彼，說文蹇也。能而古通。

吳汝綸：眇視跛履，皆力不足而志不止之象。

曹爲霖：眇履比之刑餘奄腐之流。

胡樸安：眇視跛履者，有勇無智之人。

高亨：眇，視不明；跛，履不捷。無其能而爲其事，致險境，遘大禍。

徐世大：瞎子能看，跛子能走，自以爲是，師心自用。

屈萬里：爲，猶助也。能而古通用。國語爲，使也。眇，盲；跛，足廢。

李鏡池：眇，一目小。

金景芳：眇，眼有病；跛，腳有病。眇視不清，跛步不靈利。

黃慶萱：三缺乏才能偏好强，就像眼睛小視力弱，偏要看；跛腳偏要走。

以上以眇爲一目小，盲，視不明，眼有病，眼睛小視力弱。視偏也者，少一目也。盲者徐世大所本謂瞎子也。曹爲霖比之刑餘奄腐之流。蘇軾謂視，履有待於人而後能。

察諸爻文「眇能視，跛能履。」能而古通，而視，而履皆謂可視可履也。視或有不明，履或有不穩，要之謂六三盲者，全不顧「能」視，「能」履之能字之用。尤要者，盲者無履虎尾之凶，更無武人爲于大君之寵，六三其偏廢之人乎？所以偏廢者，不能與他爻一致爲陽爻耳，亦女性之歧視者也。

履爲踐履，至六三當陽而實陰，如日用之間，當明而眇，能行變跛。

「履虎尾」如上文所述，深山猛虎之威，不待女近身或已避退或將撲剪，安有履踐及其尾始傷人者，其必病虎或家虎。病虎、家虎，履及咥人，本獸之本能反應，其意或係六三將僭於彼主人所伺養之佞給輩幾難全身矣，亦一厄也，著一凶字，謂凶厄也。眇者跛者或有不慎踐及家虎，病虎，喻難由本身生也。一陰馳騁五陽之間能全身者，智慧也。

「武人爲于大君」。武字說文止戈爲武，武人蓋謂止戈之人乎？戈由六三起，一牝之臭，五牡赳有惡惡色者，三不正，豈行不正而有美色者乎！有止戈之能，是又非春秋夏姬之流也。止戈，止乎初二四五上之戈兵相向也。履歷至三，擺低姿態，謙己無能，人將視汝爲眇跛丈夫，軟腳蝦。是以家虎、病虎，反噬汝，正禍起蕭牆也。六三不宜擺低姿態，不必要之謙遜以招下人之辱也。虎乃人所飼，虎乃畜生，以喻下人。凶者，預告急也！大君或云上九，或謂九五，亦有謂六三自爲大君（梁寅謂一陰主五陽）。有泛指大君者。武人之造象亦多端，吾以爲武人即六三，謂有止戈之能者，化干戈爲玉帛者，六三即武人。爲，助也，使也，武人助于大君，武人使于大君，武人爲大君之人則一也。是人生履中一挫折，一經驗，亦一成就也乎！

九四，履虎尾，愬愬，終吉。

象曰：愬愬終吉，志行也。

虞翻曰：體與下絕，四多懼故愬，愬變體坎，得位。承五應初，故終吉。

侯果傳象：愬愬，恐懼也。履乎兌，主履虎尾也。逼近至尊故恐懼，以其恐懼，故終吉也。執乎樞密，故志行也。

王弼：逼近至尊，以陽承陽，處多懼之地，故曰履虎尾，愬，愬也。然以陽居陰，以謙爲本，雖處危懼，終獲其志，故終吉也。

孔穎達：逼近五之尊位，是履虎尾，近其危也。以陽承陽，處嫌隙之地，故愬，愬危懼也。終獲吉者，以陽居陰，意能謙退，故終得其吉也。

程頤：九四陽剛而乾體，雖居四，剛勝者也。在近君多懼之地，无相得之義。五復剛決之過，故爲履虎尾愬，愬，畏懼貌。若能畏懼則當終吉。蓋九雖剛而志柔，四雖近而不處，故能兢慎畏懼則終免於危而獲吉也。

蘇軾：愬，懼也。九二之剛用於六三，故三雖陰而九二之虎在焉，則三亦虎矣。雖然非誠虎也，三爲乾用而二輔之。四履其上，可无懼乎，及其去乾以自用，而九二叛之，則向之所以爲虎者亡矣！故始懼終吉，以九四之終吉，知六三之衰也。六三之衰則九四之志得行矣。

張載：三五不累於己，處多懼之地，近比三，常自危，則志願終吉。陽居陰，故不自肆，常自危也。

朱熹：九四亦以不中不正履九五之剛，然以剛居柔，故能戒懼而得終吉。

朱震：九四下有兌虎，履虎尾也。以陽居陰，謙而不處，動成震，震，恐懼，愬愬也。恐懼則敬慎，動无非，恐懼不失其正，志上行于君，終吉也。中爲志，動則行。

項安世：四履柔亦爲虎尾者，凡卦之下爻爲尾，乾爲虎，四在其尾也。彼（三）以義言，此（四）以象言。四柔而愬愬，上巽乎五，故終吉。四志柔，四言志行，皆主位言之。

李衡引干：三以不順，爲衆同棄，而已近之，愼於踐履者也。引昭：六三雖是陰柔，其志剛也。上承夬履之主，下履志剛之臣，位重憂深，故愬愬然以存謙道，本志必行，雖有深憂，可保終吉。

梁　寅：以兌履乾，四虎尾；以四履五，五虎尾。四不中正，履五剛，宜見傷害，然剛居柔，近多懼，故愬愬恐懼象，而得終吉也。六三之見咥，不知懼焉爾。

吳　澄：初爲虎尾，四應初下，愬愬畏懼貌，剛而居柔，故能畏懼。終獲其吉也。

來知德：三以柔暗之才而志剛猛觸禍，四以剛明之才而志恐懼，所以免禍。四不中不正應初，故履虎尾，愬愬畏懼貌，四多懼，故終則吉也。

王船山：四體乾，剛而居後，虎尾也。三欲進干乎五，有妄人不揣見陵之象。愬愬，愼也。四以剛居柔，愼靜不與較，故終不相咥而吉。傳象不與較，自行其志，孰能犯之。

李光地：處凶懼之位，三躡乎虎尾，四正虎尾也，四以剛居柔，近而多懼，其義與卦同。

毛奇齡：四與三同才，不中不正，處人道，三履虎四隨之，然三多躁，四多懼，吉凶分然。

李　塨：四已入乾則已爲虎尾矣！九四剛居柔，多懼敬畏，所謂臨事而懼，終獲其志者也。安在虎必不可履哉！雖暫時未見其吉，終吉耳。

丁　晏：釋文馬本作虩虩。案說文虎部虩，易履虩虩恐懼，一曰蠅虎也，義海引陸希聲曰虩，蠅虎在穴中，跳躍而出，象人心之恐動。古愬虩通。呂氏春秋引愬愬終吉。高誘注愬讀如虩。馬鄭本皆云恐懼貌。

吳汝綸：愬愬，履危知懼，然不以懼止，故象曰志行也。

李富孫：說文愬爲訴或字，愬虩，古書假借，本無其字，依聲託事。馬鄭用費氏易，許用孟氏易，字異訓同，以依聲假字，故得竝通。

伊籐長胤：愬愬，畏懼貌。不中不正，上承九五，居近君多懼之地，故有履虎尾之象。然以剛居柔，故愬愬畏懼則終得吉。蓋雖危懼愼無害，非智術可免也。

薛嘉穎：四與初敵應下，履虎尾其危甚矣！然能持以敬懼之心，終免於危而吉。又愬愬所以終吉者，常存敬懼之心，不徒全身之可以上進而行其志也。

丁壽昌：愬，子夏云恐懼貌，何休云驚愕也。馬本作虩，音許逆反。恐懼也。古愬與虩通。論一卦爲乾履兌之虎尾，論一爻爲三履二之虎尾，舊說四履五爲履虎尾，非也。

曹爲霖：履帝位如唐太宗勸父淵順民心，興義兵，所謂履虎尾悉悉終吉也。誠齋易傳九體剛四志柔，柔順以服剛暴之君，速於剛暴服剛暴。

馬通伯：四爲虎尾，三之履躡其後也。四之履踐其上也。莊周言虎媚養己者，順也。惟虎媚之所以能踐，然終不可忘懼而久處。雜卦履，不處也。四不處非位，以比三變而承五，故終吉。

劉次源：乾爲虎，四其尾，三欲上犯，愬愬戒愼。志在仁讓，終吉以此。

李　郁：愬愬，恐懼貌。四本爲三所躡，虎口伊邇，故愬愬也。轉爲九三履于虎尾則不懼咥矣。

胡樸安：愬愬則不恃勇，恐懼防衛，不爲虎咥矣。九四履虎之人。方履恐懼，終則吉也。願，獨抱，志則堅貞不渝。

楊樹達：群書治要引尸子發蒙篇：若群臣皆戒愼恐懼，若履虎尾，則何不濟之有乎？又呂氏春秋愼大覽：武王勝殷得二虜，問妖，一曰晝見星而天雨血。一曰子不聽父，君令不行。武王避席再拜，非拜虜也，貴其言也。故易曰愬愬，履虎尾，終吉。

高　亨：愬借字虩本字。履虎尾，履險之象也。履險而懼則險化爲夷，故終吉。

徐世大：四爻是睿知之人，一味小心謹愼，得好結果。愬，說文訴之或字，則辨訴不休之謂。虩，說文引一曰蠅虎，從虎原聲，後說者爲正義。智者其蔽不免過於謹愼。譯爲踏虎尾，小心翼翼地，終歸是好的。

屈萬里：馬融作虩虩。按音義同。馬鄭皆云恐懼貌。丁晏言古愬虩通，呂氏春秋高誘注愬讀如虩。愬，四多懼。

李鏡池：愬愬（訴）懼也。夢見踩虎尾，很害怕，後沒事，所以說終吉。

金景芳：陽爻居多懼之地，人因此恐懼小心，終必得吉。

黃慶萱：跟著老虎尾巴後面走，謹愼小心地，最後必有收穫。（語譯）

林漢仕案：九四近君處多懼之地。本爻異說較少，愬愬六解而已：⑴多懼，恐懼，危懼，畏懼，戒懼

。(2)本作虩虩，懼也。(3)虩，蠅虎在穴中跳躍而出，象人心恐動。(4)敬慎。(5)愬爲訴或字。(6)悉悉

。其他細節，如何劃定虎尾？九四說卦中，如何變，變，變，變出恐懼之卦象，如震，孟氏逸象有驚衛，注震驚虩虩。坎有爲惕，爲慮，爲憂，爲艱之象，虞翻謂九四變體坎得位。朱震謂動成震，震，恐懼，愬愬也。皆從說卦，逸象中找出恐懼之文，變造恐懼之象。再所履之虎尾，履象，虎尾象，卦辭傳有謂虎尾乃九二、六三、初九、九四、九五，前三陽，一柔踐五剛，下二陽尾，若上說有一是，則其餘可以一槩，皆非也。梁寅謂九四尾，四履五則五虎尾，則履卦無處不尾矣！孔穎達以迫近尊位，以履虎尾喻危，項安世則眞以四爲虎尾矣，其言曰四履柔，亦爲虎尾，凡卦之下爻爲尾，四在其尾也。王船山，李光地，李塨皆以九四爲尾矣。吳澄則以初爲尾，四敵應初下，故愬愬！虎尾之造象，卦辭已紛紜其說，本爻異辭僅四：

一、九四爲尾。（凡卦下爻爲尾）

二、九五爲尾。（四履五，五虎尾）

三、迫近君位，以履虎尾喻多懼。

四、初爲尾，初四敵應。

揆諸情理，初生之犢可以不畏虎，至九四仍懷犢情，非愚則蠢。「履」以行，踐，步，禮之謂，「虎尾」似可不必局於四、五、初。虎似仍同前所飼養之家虎，因親近，故習以捋虎鬚，抱虎頭爲常，即偶不愼踐履及虎尾，愬愬然而已！曹爲霖所謂悉悉，悉悉愬愬，愬又訓訴，集韻音索，悉悉索索

，狀虎之呼痛直覺反應也，非是張牙舞爪要挾主人，故著終吉，終者，常也。墨子篇有「官無常貴，民無終賤。」常，終之可交換用。家中所飼馴服之虎，耳目自然不及山野之虎，否則，虎尾之踏，奄奄病虎矣，前賢皆以危懼意識著墨，謂侍君如侍虎，稍有不謹，身家滅裂矣。西漢周亞夫，文帝往細柳營，嘆爲眞將軍，並誡太子（景帝）緩急可任將兵，後果平吳楚之反，君賜食，無切肉，又不置櫡，亞夫心不平，及趨出，景帝以目送之曰：「此怏怏者非少主臣也。」居無何，亞夫之子因購葬器，景帝令吏誅之，其罪「縱不反地上，即欲反地下」也，欲加害之心，後世「莫須有」亦爲之遜色。侍君，能持謹而存憂患意識，君王果可玩弄股掌之上乎？謹身保命，固必然也，先儒之論足式。是九四近君多懼，而能謙直正身，雖漢武、唐皇之於汲黯、魏徵，戇直執著之情，危過履虎尾也，然終化險爲夷，爲萬王之王，英明蓋世之主，衣不整不敢見臣子，天子之於諍臣，畏懼之情，愬愬之訴，汲黯、魏徵之常獲吉者，豈偶然哉！易之用，存乎一心而耳。

九五，夬履，貞厲。

象曰：夬履，貞厲，位正當也。

虞翻：謂三上已變，體夬象，故夬履，四變五在坎中，爲上所乘，故貞厲。

干寶傳象：夬，決也，居中履正，爲履貴主，萬方所履，一決于前，恐夬失正，恆懼危厲，故曰夬履貞厲，位正當也。

王弼：得位處尊，以剛決正，故曰夬履，貞厲。履道惡盈，而五處尊，是以危。

孔穎達：夬，決也。得位處尊，履道行正，故夬履。厲，危也。五以陽居尊，故危厲。

程頤：五以陽剛乾體，居至尊之位，任其剛決而行者也。如此則雖得正猶危厲也。古之聖人，居天下之尊，明足以照。剛足以決，勢足以專，然而未嘗不盡天下之議，雖蒭蕘之微必取，乃其所以爲聖也。履帝位而光明者也。若自任剛明，決行不顧，雖使得正亦危道也，可固守乎！有剛明之才，苟專自任，猶爲危道，況剛明不足者乎！易中云貞厲義各不同，隨卦可見也。

蘇軾：九二之剛，不可以剛勝也。惟六三爲能用之。九五不付之於三，而自以其剛決物，以此爲履，危道也。夫三與五之相離也，豈獨三之禍哉！雖五亦不能无危，其所以猶得爲正者，以其君位也。

朱熹：九五以剛中正履帝位，而下以兌說應之，凡事必行，无所疑礙，故其象爲夬決其履，雖使行正，亦危道也。故其占者雖正而危，爲戒深矣。

朱震：九五位正德當，而貞厲者，剛，天德不可爲首也。九五當用三之柔，濟乎不患无威，患剛過不能柔，人君守此不變，危厲之道。兌爲決，三五相易成夬，故曰夬履。三雖不正，義取柔濟剛也。

項安世：九五以上卦言之，有剛健中正之德。於本爻爲厲者，以剛行剛，志在夬決，所決惟三，九五所履皆正，不免於厲，履剛也。五懼其恃勢位之正，教之謹其決，蓋剛者喜動而好決，任剛而行者後多可悔之事也。

李衡引干：三柔失位，志比武人，五爲一卦之主，剛得帝位，取而決之，非係於情也。然三者衆之趨也，雖曰決之，正之危也。引陸：履所以辯上下，定心志，是是而非非，乃正之危。引牧：厲，嚴也，剛而居尊，故嚴。引陳：它人所履已決，正其得失而不恕，固所危也。

梁　寅：夬決其履而過焉，即所謂疚病也。非闇於識，但恃剛明，故正不免於危。畏愼可轉危爲安。

吳　澄：夬，決也，五剛決去一柔爲夬，他爻自履，此爻卦名履，專指六三卦主，不中不正履二之剛，小人凌君子也。五二同德，欲爲二決去六三。故曰夬履。小人苟勢有未然，姑容之，夬一柔五剛，故去之爲宜。然六三和悅應上，非敵陽者也，欲決去反危矣，時勢未易也。

來知德：夬決也。以天下事爲可爲，主張大過。九五變離，明剛而愈夬。正而危者戒之也。又九五剛中履帝位，有可夬之資，挾可夬之勢，下應巽容悅承順，雖正亦危道也。傷于所恃也。

王船山：夬，剛決柔也。履，柔履剛。以夬道應履。厲之爲訓，謂其秉正而有威也。九五剛中履帝位，說而不可犯，六三憚其威而自詘。

李光地：九五以剛居尊，恐其自信明決，則不復謙虛抑畏，以致其周旋之密矣。以此爲貞，能無厲乎！傳象言履高危之位，以剛德當之，故夬決則有厲。

毛奇齡：剛卦，剛爻，當剛位，所應所輔，多剛果而少從容也。大君貴斷而決，既貞且厲，居正而嚴天威，于此位見之。

李　塨：九五剛卦，處下者和悅而不敢强諍，凡行剛決，一往无前，貞固亦厲。明太祖似之。

吳汝綸：此以卦變取象。三上變體爲夬，五在上之下，爲夬所履，故云夬履。在履以剛決行之，故貞厲，言當之者危也。

伊籐長胤：夬，果決也。居君位，下不應，剛明獨斷以臨下，所爲雖正，亦危也。蓋獨智有限，資衆善以廣其智，此九五所以戒夬夬履也。傳象：當位則益，不可不戒！

薛嘉穎：履道貴柔者也。九五陽剛，本決於履，然能常存危厲之心，動可無過矣！

丁壽昌：程傳雖正亦危，則易爲小人謀矣！所謂貞厲，若貞而不變，盡任剛決則有厲矣！蘇蒿坪云乾能斷，變離明亦能斷，故曰夬履。履與夬爲兩象，故曰夬履。

曹爲霖：誠齋易傳曰五德位相當，可以必行。聖人戒其剛決太過，雖正亦危。去四凶非舜之剛而莫剛於班有苗之師，伐匈奴非武帝之勇而莫勇於棄輪臺之地，得此爻之戒矣。

馬通伯：析中云九五有中正之德，常存危厲之心，書云心之憂危，若蹈虎尾，所以履帝位而不疚也。

其昶案：柔乘五剛，卦夬；柔履五剛，爻夬，彖剛中履帝位，知厲乃能不疚，正名定分，黜武人亦猶春秋之志也。

劉次源：五剛明中正，非禮勿說，儌幸嘗試，難逃斧鉞。妄履則咥，貞而嚴厲，不疚厥職。

李　郁：內外易爲夬，陽剛仍居中正。二五相敵，故曰貞厲。

胡樸安：夬，決。決九四終吉之人。履帝位，志正事危，以貞正處危，其位始固。象位正當也。

于省吾：虞翻曰三上已變夬象。袂即夬，即玦，作決。夬有缺義，兌口亦夬象。履上互巽與下兌爲正覆兩夬象。故曰夬履。自來讀袂如字，失之。歸妹之袂，大壯藩決，至以玦言。古人無不佩玉也。

高　亨：夬履，斷裂之履。呂氏春秋分職篇履決不組。莊子讓王踵決。決有斷裂義，有傷足之虞。

徐世大：譯，快跑步，久則變病。本經卦名多另見於他卦。如乾之見於噬嗑。从夬之字多含決義，如抉、玦、缺。又快與夬同音。喻能冒難衝鋒而成大功。三爻鹵莽，五用智慧。久受病。

屈萬里：彖傳：「夬，決也。」謂決其可履則履之，若固一不移則厲也。

李鏡池：夬（怪）履：夬是快的本字，行爲急躁莽撞。貞厲，說明把事情辦壞了。

金景芳：夬是決的意思。九五君位，履可剛決，但貞而厲，還是有危險。

黃慶萱：當廣採眾議，決定善舉之後要斷然行事，並且要作得正確而有威嚴。

林漢仕案：夬，六十四卦之一，澤天──夬。天澤──履。夬，字書本意爲：引弦彄也，字亦作觖（觖望，冀望也。又怨望也）作抉、決、眏（含怒之視，低首側目。）作使。九五之夬履，乃決斷之履，人生至此顛峰仍柔優寡斷，當斷不斷，其敗自亂也，毛奇齡所謂剛卦、剛爻、當剛位也。如李鏡池者謂怪，快本字，亦曷嘗非抉、玦、赽、趹、駃、𫞼、缺、袂、駚、妜、鈌之本字？怪履，快履，斷裂之履（傷足），李鏡池，高亨之說，異乎前賢寓深意於九五，寄不諍諫之諍諫，冀帝王從夬履九五爻辭中變化其氣質也，程頤之謂天子明足以照，剛足以決，勢足以專，決行不顧，雖得正亦危道也。蓋即「易爲君子謀」之意乎？本爻所謂夬，所謂貞厲，輯大家之傳，比較于后：

以夬爲履上下卦互動立說者，如虞翻三上變，故夬履，三上變即天澤履，變澤天夬。如朱震者三五相易成夬，故曰夬履，似當三上相易之誤，三五相易乃火天大有卦，手民之誤乎？夬字之夬，絕非六十四卦中，夬卦與履卦互通，蓋兩卦各有其精神也。

以夬字字義著眼立說者，如干寶之夬，決也；吳澄、來知德等因之，干寶之決，乃萬方所履，一決于前之決，謂九五位尊，居中履正也。吳澄之決，謂五剛決去一柔，是卦本身矛盾。來知德之決，主張大過。伊籐長胤所謂「剛明獨斷以臨下」也。于省吾以夬即袂、即玦，作決、缺義，作玦者，謂古人無不佩玉也。高亨之夬爲決，斷裂之義，其謂履（鞋子）斷裂，有傷足之虞也。徐世大則以夬爲快，夬履爲快跑步，快與夬同音，喻冒險衝鋒而成大功也。屈萬里之夬，決也，謂決其可履則履之之決。李鏡池之夬爲怪，快本字，行爲莽撞也。黃慶萱之決，爲廣採眾議後決定善舉之決，決斷行事也。同謂夬爲決，然可分爲：

地位尊崇，一決于前之決。（就地位言）

五剛決去一柔之決。

主張大過之決。（就行事言）

剛明獨斷以臨下之決。（就權勢、氣稟言）

決其可履則履之決。（就時位、氣勢與理性言）斯即黃慶萱謂廣採眾議，決斷行事也。

夬爲玦，古人佩玉也。

夬爲決，決裂，斷裂也，謂履斷裂有傷足之虞。

夬爲快，快跑，喻冒險犯難。

夬爲怪，爲快，急躁，莽撞也。

程頤謂五居尊，任剛決，雖正猶危厲。丁壽昌訾之謂「易爲小人謀矣！」竊以爲程傳「履帝位，自任剛明，決行不顧，雖正亦危。」易正爲君子謀也。臣不可訓君，藉易之設教以寤君，君不悟而勇敢剛決，垓下之刎，始皇帝之亡，王莽之所恃，豈不足借鏡？程子之「明足以照，剛足以決，勢足以專。」正是說明與借題發揮醒天下後世之「英主」，一人之斷，亦正是「雖正亦厲也」。丁壽昌之責，九五不爲君子，孰是君子？設九五爲小人，豈初下爲君子大人？而丁謂：「貞不變，盡任剛決則有厲。」貞不訓卜則訓正，其義與程子何殊！卜危厲，獨夫之必然也，「正危厲，」一人之心，異乎千萬人之心也，獨夫未嘗不以自己行爲端正，强天下人順乎己之正，故經文斥之雖正亦危厲，不以其一人之所謂正爲天下人之正也。朱熹故申之曰「爲戒深矣！」毛奇齡之謂「多剛果而少從容也。」

吳汝綸云：「三上變體爲夬，五在上之下，爲夬所履，故云夬履。」謂夬卦履踐履卦，豈六十四卦有相傾軋者？因三升上，上降三，九五在上六之下，上六履九五，謂之夬履。三上易位變成夬，不變仍履，夬自夬，履自履，何來夬上六履履九五？乾坤六子脫離父母之體，出則離矣，與乾坤无涉矣！吳說之無當也！

厲之言危厲，嚴厲，秉正而力威，厲爲有威。則誠奉五爲履道剛果，嚴正有威矣，九五剛果嚴正有威，九五之通例也。厲又可訓起，卜起，卜危，境遇雖異，而卜起之時機爲夬履則爲不可改易者也。

九五，夬，觖望，冀望之踐履，合九二之坦坦履道，卜得可起之時機至也，此時之履，當非初生之犢，一往无前之素履，又非九二幽人之履，蓋已飛龍在天，九五大明天下矣，亦非三之眇履，跛履，九四不小心之履，動輒得咎之履，乃履道成熟，履之時機至，正起，卜可起，皆謂五，此其時矣，稍縱即逝之時機不可失也，履之功名在此一舉矣，坐失此機，雖悔无及也。君子至此，其起乎哉？

上九，視履考祥，其旋元吉。

象曰：元吉在上，大有慶也。

虞翻：應在三，三先視上，故上亦視三，故曰視履考詳。考，稽。詳，善。乾爲積善，故考善。三上易位，故其旋元吉。（李道平疏周易解：詳祥古字通，祥，善也。）

盧氏傳象：王者履禮于上，則萬方有慶于下。

王弼：禍福之祥，生乎所履，處履之極，履道成矣。故可視履而考祥也。居極應說，高而不危，是其旋也。履道大成，故元吉也。

孔穎達：祥謂徵祥。上九處履之極，履道已成，故視其所履之行，善惡得失，考其禍福之徵祥。旋謂旋反也。上九處履之極，下應兌說，高而不危，是其不墜，於履而能旋反行之，履道大成，故元吉也。

程頤：上處履之終，於其終，視其所履行以考其善惡禍福，若其旋則善且吉也。旋謂周旋完備无不至也。人之所履，考視其終，若終始周完无疚，善之至也。是以元吉。人之吉凶，係其所履，善惡之多寡，吉凶之小大也。

蘇軾：三與五其始合而成功。其後離爲凶，至於上九歷見之矣！故視其所履，考其禍福之祥，知二者之不可一日相離也。而視其舊則元吉。旋，復也。

張載：視其所履，以考求其吉，莫如旋而反下則獲應而有喜也。乘剛未安，其進也寧旋。

朱熹：視履之終，以考其祥，周旋無虧，則得元吉。占者禍福，視其所履而未定也。

朱震：祥者吉之先見。吉來可考而知。上九所履不邪，旋反者必元吉。陽爲大，爲慶，上動以正，乃致大有吉慶之道，故曰元吉。三在內爲離目，視履也。上動而三有慶，其旋元吉也。上履之終，其祥可考焉。

項安世：上九與六三爲應。以六三所視所履，考其禍福之祥，則六三雖凶，而上九反旋反也。上九居亢龍之位，又與三相應，疑於不吉，然六三履剛，應剛，上九履柔，應柔。彼凶反爲我吉。履柔爲善，應柔爲吉，故曰元吉。三卦主，說而應上九，故爲大有慶。

李衡引陸：祥者吉凶之兆，未定旋猶速也。引介：其歸元吉。引石：處極高之位，能降身下應，六三有謙沖之德，以陽處陰位故也。以高應下，有旋反之象。

梁　寅：上履終，觀始，誠僞未可見，終然後見。故視其所履以考其善，若周旋无虧，其吉大矣。動容中禮，威德之至歟！

吳　澄：六三離目爲應，自下視上，故曰視履。上爻乾父終，稱考，祥者喪之時，旋反也。視其所履於喪之終。上九陽剛健壯，故能强力以終喪，此大善之人所履之吉也。

來知德：視履句，中爻離目視。祥善也。旋，周旋折旋也。三凶五厲皆非善，考其履善，必天理之節文，人事儀則。禮三千三百，不周旋折旋。考其善于周旋則中規中矩矣，豈不元吉！又上九前无所履，回視所履，考其善中規矩，大吉也。

王船山：視履，視三之履也。旋，反也。上九居高臨下，與三相應，俯視而見其情，不急加譴，但反求諸己，化災爲祥，三亦旋退以說應，不敢生憑陵之心，善以長人，吉莫大焉。

李光地：言人之德行，或敗於成，天之眷佑，或衰於後，故必視所履以考其祥，若周旋無虧，乃得元吉。履以敬懼爲義，示人以謹終如始之道也。

毛奇齡：上獨應六三，三巽，初爲眼，可視我所履，居上爲決，可考我履吉與否。祥即吉也。居履終乾首，乾元善長，吉莫大焉。（自引李贊云旋爲回視其履。來易周旋折旋而禮。）

李　塨：上九視下五爻之履，或素或坦，或剛或愬，或夬考其祥，周旋折中中矩，故吉。初素樸，二貞坦，三任剛，四戒懼，五專決，上履進於時中，履行之狀如給矣。

吳汝綸：視與示同，謂以禮示天下也。吳草廬讀視履爲句，考祥其旋爲句。祥詳同字，其旋其歸也。示天下以禮而考詳其要歸，此治定制禮之事，故曰元吉在上，大有慶也。

李富孫：釋文祥本亦作詳。（善也）鄭荀本云審也。徐鍇曰祥之言詳，天欲降以禍福，先以吉凶之兆詳審告悟之也。段氏曰詳，經傳多假爲祥字。

伊籐長胤：旋者，周旋無缺，事終視其所履，考其吉凶，周旋完備，慎終如始則吉。蓋人不患無始，患無終。剛居上能得吉者，爲事周備故也。

薛嘉穎：吳氏聖人常把禍福善惡一團看，常人抛善惡論禍福，遂成私事。視履考祥，正是考善惡。又視其所履，以驗其禍福之祥何如？考，稽也。中庸國家將興，必有禎祥，是吉祥也。

丁壽昌：考稽祥善也。詳，古文祥。詳祥通。蘇蒿坪曰變兌爲見，故曰視履，旋亦乾象，乾爲圜。

曹爲霖：冠履之辨宜嚴，則視履不失考祥之吉。周公赤舄几几是也。他如漢武，霍光不移步，金日磾不轉盼，靜定凝重，故逆知可以託孤寄命，不失考祥之實。又誠齋云行不止必跌，成不去必缺，功成身退，慶孰大焉，皆反初之義，另一解存參。

馬通伯：王安石曰其歸元吉。汪德鉞引傳曰民生以有動作威儀之則，能者養之以福，不能者敗以取禍，故曰視履考祥。李國松曰六三諂上虐下，致咥人之凶。上動之正，不與三應，三失所恃，亦可同歸元吉。劉子政考祥應福省災禍，放遠佞，是非炳然，百異滅，衆祥至，殆爻義。

劉次源：與三應，三躡上，上則自視所履，考災祥由來，不譴三而責己，不旋踵上自致元吉。

李　郁：考，稽也。祥，和善。大戴記：天道以視，地道以履，人道以稽。聖人參天地，制禮義爲器，故行事有考，和善可致。旋者上九旋爲初九。由上反下，乾元復始。故曰元吉。象陽大積善有餘慶。

胡樸安：履帝位之後，巡狩考天時人事之妖祥。旋者視考畢而旋也。元吉即大吉。本卦以履虎決定帝位，任何古書未載，而我發見之。

于省吾：虞翻三視上，上亦視三，故曰視履考祥。三上易位，故其旋元吉。晁氏引鄭玄履終，考正詳備。釋文祥本作詳。按祥，詳，羊古同字。虞上視三爲視履是也。乾善爲祥，三上易位爲旋，非也。下兌爲羊即祥。句讀應爲視履考祥，其旋，元吉。考終也。乾爲旋，物極必反。

高　亨：考祥謂有所往。考疑當訓登。考有入室，考合，進於，終，考旦猶言至旦之義。祥疑借爲庠，與詳同聲系。庠者古代行養老之禮之地也。視焉履焉，以登於庠，得預養老之禮，其返也，醉飽而已，自是大吉。

徐世大：譯文一步一步地看著，找好地方（下腳），他的回去最好。上爻之人常見，視履似四爻之愬愬不敢冒險。考祥似五爻趨利靡所底止。聰明人不敢走錯半步，不甘吃小虧，作者深惡痛絕，回老家去也！世上少此等人幾個，即多幾分福利矣。

屈萬里：旋，還也，窮高必返，乃能大吉。祥，鄭、荀、虞並作詳。按古通用。祥者吉凶之兆。左昭十八年疏：祥者，善惡之徵。

李鏡池：其句讀爲：視履，考祥其旋。元吉。視履：行爲審慎。考：考慮。祥：通詳。其：猶而。旋：反覆。全句：行爲審慎，周詳反覆考慮，則能大吉。

金景芳：這一爻表現總結，祥，善；旋，周旋完備。考察人的表現完美无缺，其吉是再大不過了。

黃慶萱：回顧過去所履行的事，考察善惡吉凶先兆，或者是圓滿無缺，或有缺點能反省改進，那就有最大的收穫。

林漢仕案：句讀有三，說者謂當如是：

視履考祥，其旋元吉。

視履，考祥其旋，元吉。

視履考祥，其旋，元吉。

「視履考祥，其旋元吉。」先明其字義：

視：三先視上，上亦視三之視，看也。歷見也。（虞翻）

其象爲三在內爲離目，視履也。（朱震、吳澄、來知德）

視三之履也。（王夫之）

初爲眼，可視我所履。（毛奇齡）

視、示同，以禮示天下也。

上自視所履。（劉次源）上九視下五爻之履。（李塨）

天道以視。（李郁引大戴記）

視焉，履焉。（高亨）

一步一步看。（似四爻之愬愬。）

顧過去……（黃慶萱）

履：禮也。

所履之行。履行，履歷。

履以敬懼爲義。行爲審愼。表現。

冠履之辨。動作威儀。視焉履焉之履。一步一步之履。

履帝位之履。

考：稽也。

上爻乾父終，稱考。（吳澄）

考正，考，終也。（于省吾）

考訓登，入室，考合，進於，終，考旦猶言至旦。（高亨）

考慮。（金景芳）

考察。（黃慶萱）

祥：詳，祥古通，祥，善也。（虞翻）禍福之徵祥。（孔穎達）祥者吉凶之兆。（李衡）

祥，善也。（梁寅）（來知德）和善也。（李郁）

祥者，喪之時。（吳澄）

祥即吉也。（毛奇齡）祥者吉凶之兆。（屈萬里）

祥，詳備。（考正詳備。羊即祥。于省吾）周詳。（李鏡池）

祥，疑借爲庠，古代行養老之禮之地也。（高亨）

黃慶萱遊走包容于吉凶先兆，圓滿無缺，缺點改進眾說之中，徐世大譯文謂找好地方下腳，考祥似五爻趨利，摩所底止。世上少此等人幾個，即多幾分福利云云。「其旋」二字之義：

虞翻謂三上易位爲其旋。王弼謂居極應說，高而不危，是其旋也。

程子謂其旋爲周旋完備无不至。周完无疚，善之至也。朱熹云「周旋無虧」。

蘇軾謂復其舊。

張載謂「旋反下獲應。」朱震云「旋反。」來知德謂「折旋。」李贄以旋爲「回視其履。」吳汝綸謂其旋「其歸也。」丁壽昌謂旋，「乾象，乾爲圜。曹爲霖云反初，功成身退也。」李郁謂上九旋爲初九。于省吾謂物極必反。徐世大謂回老家去。屈萬里以旋爲還。

劉次源以旋爲「不旋踵。」

李鏡池云：「其猶而。旋，反覆。」即「周詳反覆考慮。」異於程子之周旋完備，及朱子周旋無虧。

黃慶萱以其旋爲回顧過去。

元吉即大吉，禎祥，大慶也。

準上說，竊以爲「視」，尙有比義。如禮記：「視君之母與君之妻。」孟子萬章：「受地視侯。」注視，比也，履爲履卦諸爻，履行，履歷。考，稽考，祥爲禎祥，和善，有吉无凶，其，渠也，謂上九。（其猶而亦通）旋，周旋容止。（國語周語注）元吉即元善大吉。全句意謂上九一爻，比諸履卦各爻，而其履程禎祥，一切周旋容止，大吉大善也！

履卦乃黽人進取，敢爲，冒大險，犯笑污，志於素履，一往無前，蓋出自天眞純潔也，九二柔居剛位，外柔內剛，似幽隱實未幽隱，履道故能坦坦也，知其不可仍爲乎！毅力之展示也。六三不合天時地利，當陽而陰，如日用之間，當明而眇，能行變跛，傷於佞給讒諂小人，然不退縮，即退縮，亦以退爲進，如此而履，或係人生一挫折，一經驗，亦係一成就也，有不虞之譽存焉。九四習慣履危爲安，然能常懷憂患意識，終將化險爲夷，聽彼愬愬之訴而已！九五自任剛明，決行不顧之履，乃伊尹「何事非君，何使非民」之胸襟，「先知覺後知，先覺覺後覺」之大勇，既有知其不可而爲之堅毅，宜更有「爲而不有」之大雅，決心履踐，時乎可矣，在此一舉而起也。上九謂其一切周旋容止，比諸他爻，其歷程尤爲禎祥，大吉大善也。梁啓超所謂「辦事者有成有敗者也；而不辦事則全敗者也，知成敗之義者，其必知所擇矣！」履卦從初生之犢，冒險歷程，至不逾矩之一切周旋容止之大吉大善，不計成敗之果乎？吾人亦當知所擇矣！

䷌同人卦（天火）

同人于野，享，利涉大川，利君子貞。

初九，同人于門，无咎。

六二，同人于宗，吝。

九三，伏戎于莽，升其高陵，三歲不興。

九四，乘其墉，弗克攻，吉。

九五，同人先號咷而後笑，大師克相遇。

上九，同人于郊，无悔。

䷌ 同人于野，亨，利涉大川，利君子貞。

彖：同人，柔得位，得中而應乎乾曰同人。同人曰，同人于野，亨，利涉大川，乾行也。文明以健，中正而應，君子正也，惟君子爲能通天下之志。

象：天與火，同人，君子以類族辨物。

鄭玄：乾爲天，離爲火，卦體有巽，巽爲風，天在上，火炎上而從之，是其性同于天地，火得風然後炎上益熾，是猶人君在上施政教，使天下之人和同而事之，以是爲人和同者，君之所爲也。故謂同人，風行無所不遍，遍則會通之德大行，故曰同人于野，亨。

崔憬：以離文明而合乾健，九五中正，同人於二爲能通天下之志，故能利涉大川，利君子之貞。傳彖云：君子謂九五，能舍己同人，以通天下之志，若九三，四人臣則不當矣，故爻辭不言同人也。

九家易傳彖：謂乾舍于離同而爲日，天日同明以照于天下，君子則之，上下同心，故曰同人。

蜀才傳彖：本夬卦，九二升上，上六降二則柔得位得中而應乎乾，下奉上象，義同于人，故曰同人。

虞翻傳彖：旁通師卦，巽爲同，乾爲野，師震爲人，二得中應乾，故曰同人于野，亨。此孔子所以明嫌表微，師震爲夫，巽爲婦，所謂二人同心，故不稱君臣、父子、兄弟、朋友而故言人耳。乾四失位，變而體坎，故曰利涉大川，乾行也。又云唯，獨也，四變成坎、坎爲通爲志，故能通天下之志。謂五以類族辯物，聖人作而萬物覩。

侯果傳彖：九二升上，上爲郊野，是同人于野。而得通者由乾爻上行耳，故特曰乾行。

何妥：離爲文明，乾爲剛健，健非尙武，乃以文明，應不以邪，乃以中正，故曰利君子貞也。

荀爽傳象：乾舍于離，相與同居，故曰同人也。

孔穎達正義：謂和同於人。野是廣遠之處，借野名喩其廣遠，言和同於人，必須寬廣無所不同，用心無私處，非近狹遠，至于遠乃得亨進。故云同人于野，亨，與人同心，足以涉難。與人和同，義涉邪僻，故利君子貞也。此利涉大川，假物象以明人事。

程頤：野謂曠野，取遠與外義。天下大同則聖賢大公之心也。常人同以私意暱比，野謂不係所私，大同之道，無遠不同也。其亨可知，天下皆同則何險之不濟！何艱危之不可亨！故利涉大川、利君子貞。故雖居千里之遠，生千歲之後，若合符節。四海兆民莫不同。小人阿黨同、心不正。同人利君子之貞正。

蘇軾：野者無求之地也。立於無求之地則凡从我者皆誠同也。同人不得其誠同，可謂同人乎？故天與人同，物之能同於天者蓋寡。天非求同於物，非求不同於物。立乎上而天下能同者自至焉，不能者不至。至非非我援之，不至非我拒之。不拒不援，是以得其誠，同而可以涉川也。乾行也，苟不誠，居安則合、涉川則潰矣！

朱熹：離亦三畫卦之名，一陰麗於二陽之間，故其德爲麗爲文明。其象爲火，爲日，爲電。同人，與人同也。以離遇乾火，上同於天，六二得位，得中而上應九五。又卦一陰而五陽同與之，故爲同人于野，謂曠遠而無私也。有亨道矣。以健而行，故能涉川。爲卦內文明而外剛健。六二中正而有應，則君子之道也。占者能如是則亨，而又可涉險，然必其所同，合於君子之道乃爲利也。

項安世：一陰在下，勢不足以有衆，能推所有以同乎人者，故名同人。同人，乾之九二也。見龍在田，德施普也，故曰同人于野，亨，有善世不伐之義焉。彖文明以健，意與乾九二文言相協。又曰柔得位，得中而應乎乾。蓋本之以中正無邪，行以剛健無欲，故能忘己同人，又能忘人而同乎野也。利涉大川，乾行也，明利涉者乾，伏坎在下爲川，互巽爲舟。君子之貞，通天下之志而一之也。

朱震：姤初進至二成卦。以陰居陰、得位、二得中也。乾九五位正、德當。二以柔順應之、各得其正、其德同，故曰同人。三畫以二爲人，重卦五即二也，六二應九五同人也。上九天際故曰野。遠近內外，無不同者，故同人于野，亨。二自下至上皆成兌澤，決爲大川，險危之象。乾健也，何往不濟，故曰利涉大川，乾行也。

李衡引胡：天下否塞之久，人人欲其亨通，是必君子同志以興天下之治，則天下之人同心歸之。引石：周所以興，同心同德；紂所以亡，離心離德。夫欲建大功、立大事、除大災、定大難、君臣同心，上下協濟則可。引勾：上不居位之貴肯同于下，與人同心，胡越何患，胡可涉難。引薛：劉向曰衆賢和於朝，萬物和於野，君人之道也。故門无咎、郊无悔、野方亨也。

梁　寅：同人之道，以大同而不私爲善。故爻比應皆同於所近。初同人于門，二同人于宗，上同人于郊，未如野之尤遠也。聖人四海一家，恩无不洽，豈非同人于野之意哉！人心大同，雖大川之險，涉之無難，必君子之正道，然後爲利。利君子貞、事之正也。

來知德：同人親也。柔得位得中，應九五之中正。乾外，野外也，六二應乾，故曰同人于野。九五剛健中正，有德有位，可以險濟難，故曰乾行。內外卦皆君子之正，人同此心，億兆惟此正理可通，方可大同人心，所以利君子貞也。

王夫之：同人者同於人而人樂與之同也。凡卦之體以少者爲主，二同人之主也。五陽爭欲同之。于野者疏遠，邱民皆所欲同，其行必亨。柔非濟險之道，陽剛贊之，涉必利矣。利君子貞者柔中得位，無容悅詭隨之失，合義而利物也。

李光地：一陰在內而虛中，虛則無我，中則不偏，外同人無不同。純陽居上，火爲太陽之氣，性炎上，同氣相求。同人於野則無親疏內外之間，亨道也。涉川之利在心同力協，利君子正道行之。

毛奇齡：同人者，同于人也。六二應九五，歷久而後應，野者衆處之地也。（初二爲地道，故稱野）九五先號咷，蓋先違而後遇之。二五正應，初上曰同人，其可同者耳，非相應者，滅坎利涉，乾行中正，可以通天下之志。

李　塨：離之二爻坤，得正位中道應乾五，內文明，外剛健中正，二人同心，其利斷金。是同之正者。二地道，野象，言同人之無私也。上卦坎川象，乾行，利涉之象。

丁晏：輔嗣注所以能同人于野，亨，利涉大川，非人之所能也，是乾之所行，故特曰同人曰。孔疏云猶言同人卦曰也。唐以前本有此三字，恐非羨文。

伊籐長胤：同，會同。野，曠遠。六二柔中得位，離麗而明，五乾剛在外，涉險無虞。蓋交人常蔽私昵，所好者植党阿附，所惡者不錄其善，才柔無識故也。明剛何險不濟！

薛嘉穎：同人之道，不可暱於近情之私，蓋惟公乃同，同富貴亦同患難，利涉大川象，柔得位，五陽與之應，此卦所以爲同人也。焦氏同人柔主，徒柔不能同人，必以天德行之。

丁壽昌：傳同人曰三字非衍文，易无定體，不可以它卦例也。蘇蒿坪互巽爲木，故利涉大川，君子取乾與離象。虞氏君子謂乾，崔氏憬君子謂九二。崔說近是。

曹爲霖：石齊黃氏曰東漢諸賢傷明，傷健，傷中正，非君子貞，涉何利焉！又專權上所惡：正士在朝，群邪所忌：謀臣不用，敵國之福。此類族辨物之宜講也。

馬通伯：野爲市野之野，二居地位，野象。「同人曰」程傳羨文。乾健行，涉川則四海來同。類，同。族，群。大同其群而又細別其物也。

劉次源：同人者同于人而無異情也。野者曠野無垠，憂樂與共，畛域不分，其道必亨。大同之也，粹然无欲，險皆爲夷，利涉大川，人人有士君子之行，故利君子貞。

李　郁：同人者與人同也。非徒二五應，一陰爲眾所悅服坤來交乾故亨，九二往坤五咸成坎故利涉，君子指二宜自守正，不苟同，故利君子貞。

胡樸安：同人于野亨者，民眾聚于野，謀共主之事，情意相親，其事則亨。亨者嘉之會也。同人一心，涉大川無不利也。利君子貞者，必利九五大人主之統其事。貞、事也。

高　亨：同人猶言聚眾，野或指田獵之事，亨即享字，又筮涉大川則利，君子有所占問亦利，故曰利君子貞。

楊樹達：吳志孫皓傳注引干寶：陸抗之克步闡，皓意張大，筮幷天下遇同人之頤，皓不修政而窺上國，按皓亡。又淮南子繆稱訓：故至德者言同略，事同指，上下一心，故易曰同人于野，利涉大川。

徐世大：同人爲合群，在田野合群所以亨者，在朝傾軋排擠，野者眞誠惻怛。農業組織散漫不易結合。涉大河宜多人援助，合群之首領宜持久。

屈萬里：古者舟航不便，以涉川爲艱險之事。尙書微子：「若涉大水，其無津涯。」大誥：「若涉淵水，予惟往求朕攸濟。」故見諸占筮也。同人，蓋與交遊之義爲近，言與人結合也。利君子，君子占之則利。利字君子之常操也。傳彖行，道也。傳彖類、比類、比方、族類也。

金景芳：同人是天下交，越是大公無私越好。野過去講空曠野地，野是最邊遠的地方，能亨通，濟險，君子正用來同。

李鏡池：同人，李聚眾人，主要指農民而言，本卦是軍事專卦。野，郊外。這是說在郊外征集農民，挑選士兵。利涉大川，利君子貞，兩占附載，雖和戰爭有關，不一定連讀。

傅隸樸：同人所同的是心氣而非形跡。在事業上結合同志，要敞開門戶，不存偏私，有小圈圈，故曰同人於野，亨。大川爲大險難。君子與天下利而結合，便是利，小人朋比爲奸互相勾結便是害。故同人有利害兩面，不可不辨。

林漢仕案：序卦云物不可以終否，故受之以同人。韓注否則思通人，人同志故可出門同人，不謀而合。雜卦同人，親也。象以同人得位，得中應乾。蓋指六二也。鄭玄之釋同，極富相像力，頓開卦象無限空間，「天在上，火炎上從之，是性同于天地，得風益熾。」以互卦六二、九三、九四、爲風，故謂火得風而益熾。崔憬以離文明合乾健、乾天，通天下之志。九家易故謂「天日同明照天下，君子則之，上下同心。」附會之跡斑斑可追。蜀才與虞翻之本夬卦，旁通師卦，說雖條條是道而拋開本位說西子，無鹽之美醜，無關本人也。孔穎達回歸同人卦曰同人爲「和同於人。」與序卦，雜卦連線可通。程頤廓大並限制和同之義，並扣以聖賢大公之心，故謂天下大同，四海兆民莫不同。蘇軾謂同爲一誠字耳。朱子遠溯鄭崔之說，重心在六二離麗火日電文明，同於孔穎達之與人同也。項安世以忘己同人，通天下，爲能推所有同乎人也。同互李衡引石，爲：「欲建大功，立大事，除大災，定大難，君臣同心，上下協濟矣！王夫之謂人樂與之同也。李光地：陰虛中，虛則無我，中則不偏，外無不同。毛奇齡：同人者，同于人也。李塨云：二五二人同心，其利斷金，是同之正者。伊籐長胤以同爲會同。高亨云同人猶言聚眾。徐世大以同人爲合群。屈萬里謂同人蓋與交遊之義相近，言與人結合也。金景芳之同人是天下交，越是大公无私越好。李鏡池以同人即聚眾人，主要指農民，挑選士兵。傅隸樸以爲所同者乃心氣而非形跡。

序卦以爲否孤，同人則不終否，韓故注否則思通人。雜卦親也。鄭玄从互卦中擴大同人之性爲同于天地。崔憬通天下之志，同己由泛泛通親，一變爲主體，平面，四海古今上下皆同矣，程頤云天下大同是也。同之條件需「誠」，蘇軾所提，項安世以「忘己」同人，亦同之條件。李衡引同之作用爲建大功，定大難。高亨之聚衆；徐世大之合群；屈萬里之交遊，結合；金景芳之天下交；李鏡池特定所聚之衆爲農民；皆著卦名同人之象自劃範圍耳，孔穎達之和同於人，蓋君子和而不同，同而不和耶？傅隸樸美化所同者爲同其心氣而非形迹。步兵操典第一條由「外表之整齊，做到精神上一致。」何爲不可形迹同？今謂同人，和同原則混淆，鄉愿之同乎哉！馬援戒子姪毋效杜季良，庶免陷爲天下輕薄子，季良之交友，清濁無所失也。同人之憂人之憂，樂人之樂。聖人立同人卦，亦勉君子通親天下清濁矣？況有不可親者耶？吾之大賢，於人何所不容，是可通親；吾之不賢，人將棄我而去，豈容你通親？做人若有原則，有目的，則其親也亦有原則，有目的，是權也，非爲常道，懼爲孔者春秋之筆爲後世譏也！然則同人于野爲總綱，同人于門，于宗，于郊爲細目，同人先號咷而後笑者爲衆人，「伏戎于莽」。「乘其墉」爲同人中先同後不同，由關愛眼神轉爲睚眦攘臂者也。由此知同人者非擇交，乃權宜行事，和同於人，清濁不失之濫交也。卦辭著一「利君子貞」。貞庶有利也。利君子之正也。

至謂同人爲天下大同，聖賢大公之心者，欲人不係私心，斥小人阿比黨同則誠理想烏托邦好境界，好託辭，同人失卻自我原有立場，或我不設立場而同人，中山先生以丟棄肩擔中所藏馬票喩中國放棄民族主義追求世界主義，亡國滅種矣！以同人爲無私說者，後漢書第五倫傳，或問倫有私乎？倫對：昔有與吾千里馬者，不受，然心不能忘；吾兄子病，一夜十往，退而安寢。吾子疾，雖不省視，竟夕不眠，若是者豈可謂無私乎？私心之難滅也。康有爲理想大同世界之一，男女紙姻只准維繫一年，所生子女概由國家撫養，是消滅家庭，亦即消滅私心重要一著，其不可行也蓋強制放棄天生本能乎？動物天生本能在照顧繁衍下一代，人類則強制隔離，以爲人人無子，無家即無私心，本能與自然責任之揚棄，欲其興利他，利萬世之高志，人人無私同心，非激發宗教熱情不能行，即宗教熱誠，能迷人於一時，不能迷永久，能迷少數人，不能迷多數人，康有爲之大同書有不可大同之矣！

同人于野。野，鄭玄以風行無所不遍爲野。崔憬爲通天下之志爲野。虞翻以乾爲野。侯景以上爲郊野。孔穎達謂廣遠處，借野喻廣遠（心胸）。程頤則以曠野爲野矣，無遠不同也。蘇軾謂野爲無求之地。朱子以一陰同與五陽，曠遠無私爲同人于野。項安世以同人，乾之九二，見龍在田爲野，忘人而同乎野也。朱震謂上九天際故曰野，遠近內外無不同者。梁寅謂聖人四海一家，恩無不洽，豈非同人于野之意哉！來知德云乾外，野外也。六二應乾，故同人于野。王夫之「于野者疏遠，邱民皆所欲同。」李光地謂無親疏內外之間。毛奇齡謂野爲衆處之地。初二地道，故稱野。馬通伯謂野爲朝野之野。二居地位，野象。劉次源謂同人無異情，野曠無垠，畛域不分。高亨以野爲田獵事。胡樸安謂民衆聚于野，謂共主事。徐世大謂在朝傾軋，在野眞誠。田野合群。金景芳云野，是最遙遠地方。李鏡池以野爲郊外。

一野字，衍生出：

無所不遍

通天下之志

乾爲野。又乾之九二見龍在田爲野。六二應乾。

郊野。野外空曠無垠。郊外。

廣遠處。又借心胸廣遠。曠野，無遠不同。曠遠無私。

無求之地。

上九天際爲野。遠近內外無不同。四海一家。恩無不治。

邱民皆欲同。無親疏內外之間。衆處之地。民衆聚于野。

朝野之野。田野合群

田獵。

卦辭之「同人于野」，其同人範圍，大於同人于門，同人于宗，而野之義，經籍纂詁云：去國百里爲郊，郊外謂野。又野，田郊之外。又距王城二百里外外，至三百里爲野。坰外曰野，牧外謂之野。又謂鄙略，質勝文，不達禮，敬不中禮，事生不忠厚，不敬文，國外曰野。野謂公邑大夫。其中「野謂公邑大夫。」說，見周禮大司馬：「中秋教治兵如振旅之陳，辨旗物之用，王載大常……郊野載旐……。」注「郊謂鄉遂之州長縣正以下也；野謂公邑大夫。」疏云「公邑之田有四等，公邑皆有大夫治之，二百里州長，四百里五百里如縣，正是公邑大夫也。」然則同人之于野者，同其州縣公邑大夫耶？同之在門，在宗，在郊，固然所同者清濁無所失，而同之放大則爲不爭之實。

至言和同至天下，天下大同，建大功，定大難者。尤放大而言之也，非同人卦之實。而言「言居千里之遠，生千歲之後，若合符節，四海兆民莫不同。」斫輪高手乎！「利涉大川」爲同人得之於人者，「利君子貞」爲同人求之於己者，有同人之志則不自閉，應者必多，所謂同心之言臭如蘭，二人同人利斷金，利涉不只人與，天亦與之也。利貞求之於己者，同人而分等地，怨構所生也，貞正之行，求之在我者也，卦辭云利者，貞庶有利也。而利自有不同程度之叮嚀與囑咐！君子其詳之也。

初九，同人于門，无咎。

象曰：出門同人，又誰咎也。

虞翻：乾爲門，謂同于四，四變應初，故无咎也。

崔憬：剛而无應，比二以柔，近同于人，出門之象，又誰咎矣。

李鼎祚：初九震爻，帝出乎震，震爲大塗，又爲日門，出門之象也。

王弼：居同人之始，爲同人之首者也。无應于上，心无係吝，通夫大同，出門皆同，故曰同人于門也。出門同人，誰與爲咎。

孔穎達疏：心无係吝，含汐光大，和同於人，在於門外，出門皆同，故云无咎也。

程頤：初九无係應，是无所偏私，同人之公者也，故爲出門，同人出門，謂在外，在外則无私昵之偏，其同溥而公，如此則无過咎也。

蘇軾：初九自內出，同于上；上九自外入，同於下。自內出故言門，自外入故言郊。能出其門而同於人，不自用者也。

朱熹：同人之初，未有私主，以剛在下，上无係應，可以无咎。

項安世：同必言人，明我能同人，非本同也。初九方出門，得失禍福，惟其所擇，固非他人之咎。

朱震：初九動，艮爲門，同人門內，不若同人門外之爲廣也，故曰同人於門。初九動失正，宜有咎。四來同之，初四各得其正，蓋善，人所同，其誰咎我！

李衡引子：初比於二。引陸：門者出入之正道，同則正，不由斯道則咎。引牧初剛而能屈于下，毀方瓦合者也。引王逢：初九正人，在下不得同乎遠者，于門而已，得所同則同之，又誰咎也。

梁　寅：初二相近，偶門之象。初出門同人，不昵於私，亦可無咎矣。

來知德：變艮爲門，謂于門外也。所同者廣，無私昵矣。初九剛正居下，上無係應，無偏党之私，占者如是則無咎矣。

王夫之：初居退藏之地，上承六二，一出門即得其友，不自安於卑陋以求合於賢，相離爲明，雖交未及遠亦無咎也。

李光地：同人之初，故有于門之象，蓋家室之內則用情暱而私意多，同人于門，無咎之道也。

毛奇齡：初不及同，上過乎同。初以姤之六往居二，連九三成艮象爲門，故爻于門。出門不即同，又何咎焉！

李　塨：初變則下卦爲艮，艮爲門。比六二是出門，即與二相同矣！以陽承陰，卑以自牧，又誰咎，是同人近而易者。

吳汝綸：于門者，始出也。

伊籐長胤：于門者，出門交謂無私。蓋在顯明處不涉私，周而不比，何咎之有！

薛嘉穎：李光縉出門無私，係門內是家，便心有所係，門外是四方，便無所係。無咎之道也。王應麟出門不苟同不詭隨。

丁壽昌：初變艮，說卦艮爲門闕，故有同人于門象。虞氏以乾爲門，非也。

曹爲霖：誠齋曰吾一出門，則天地四方孰不吾同者。此顏子克己之學也。余按明末復社，東林諸君子於同人于門義有愧矣！

馬通伯：蔡元定門，二也。案初同二於門內，蓋家人也。出門則推言之，蓋宗族稱孝，鄉党稱弟，人猶有惡之者乎！

劉次源：變艮爲門，化家界以同于人也。在門內則溺私情，初無私係，交二于門，大公无我，咎何由生？

李郁：初化柔而同于二，內卦成艮，艮爲門闕，故曰同人于門也。

胡樸安：嘉會之後，振旅而出，毫無阻滯而无咎。始出門尚未遇敵，當然无咎，故象曰又誰咎也。

高亨：同人猶言聚衆也。同人于門者，君致萬民於門有所詢也。爲聚衆於門事筮遇此爻，則无咎。

徐世大：初爻合群於門。門之動詞爲守或攻。守門爲抗外侮，攻門爲克制敵，非合群齊心一致不可，故得无咎。

金景芳：初九與九四不是正應、无系應就是无偏无私，能夠出門同人，所以公。

李鏡池：門指王門。這是寫戰前準備，在王門訓告和訓練。无咎，可看作另占的貞兆辭，不必連讀。下爻各同。

傅隸樸：門內爲私，門外爲公，同人于門即背棄家門，視路人同家人，天下還有爲禍於他的嗎？初九以陽居陽，是立身正大之象。上不應四，是不存私愛，其基本態度如此。

林漢仕案：能同人則吾道不孤，由初生純一投入公共關係之起步，智慧上始分人我，我執，我慢生矣！斯時也，未可許以公義，公利之結合，然已知凝聚爲力量之源矣。至同人于門是人屬我，抑我投身屬人，且暫置而勿論，是是非非生矣，蓋有所同，必有所不同也。党同伐異自茲生。然所同者非比則應，試觀易傳大家之述。

1.泛指「出門同人」。（象辭）和同於人，在門外。（孔穎達）。

2.乾爲門，四變應初。（虞翻）艮爲門，初四各得其正。（朱震）

3.比二以柔，近同于人。（崔憬）上承六二，出門即得友。（王夫之）

4.初九震爻，又爲日門，出門之象。（李鼎祚）

5.同于上，初九內出；上九外入同于下。（蘇軾）

6.同必言人，明我能同人，非本同也。（項安世）

7.初九正人，不得同乎遠者，于門而已，得所同則同之。（王逢）

8.同人于門，家室內用情暱而私意多。（李光地）

9.于門，始出也。（吳汝綸）于門，交無私，周不比。（伊籐長胤）

10.初二，門內，蓋家人也。出門則更推言之。（馬通伯）

11.君致萬民於門有所詢也。聚衆於門。（高亨）

12.合群於門，守門抗外侮，攻門爲制敵，非合群力不可。（徐世大）

13.門爲王門，寫戰前準備。（李鏡池）

傳隸樸之「門內爲私，門外爲公。」雖上有所承，如程子謂「在外無私昵之偏。」李光地，薛嘉穎之門內是家，心有所係而私意多。然爲天下者何爲不可運籌惟幄於內，爲公利於天下，澤及百世？門內一定偏私妻子，有是哉！人之爲人，能劃然門內門外之思維，整齊公私？在朝廷之，上多少人營私舞弊，狗皮倒竈，壞事幹盡；居家之門，憂樂天下，豈止孟軻，范仲淹前日聖賢！況門也者，私門？公門？李鏡池謂王門，徐世大謂攻守之門，丁壽昌斥虞氏以乾爲門，非也。艮爲門則初宜變，合下卦言之也。聖賢無所在不以天下憂樂，志小君子則無所在不以個人憂樂，寄同人爲大同無我之說，意誠美矣，善矣，而其所同，清濁無所失，偶然成功，以成敗論英雄矣，非中道也。是以「初九同人于門」，上十三說中，以象辭「出門同人」，不著公私痕跡爲上。蓋比二，承二爲當然。初四無應，言其變應（虞翻）初四各得其正。（朱震）皆有所不是，虞須變始應，明初四不應。朱震則初動，初四庶得應，然不正，震謂各得其正。李鼎祚震爻，乃半象言，艮爲門則初變。門，亦有言門內，門外者，馬通伯謂初二門內，孔穎達爲門外，儘管說者多而未必是，而與我有戚戚然者如項安世之「明我能同人」，王逢之「不得同乎遠者。」吳汝綸之「不門，始出也。」初爻正而處下，始同人則見成長之跡見諸行也，孩提時代獨佔獨樂之王霸世界，轉而知道協調覓伴矣。能同人，突破孤獨，欣償別人，亦增益自己也。將「我」投入人生戰場矣，合群，聚眾之說未必是，我之領域加大則是可斷言之也。至門裏，門外，王門，私門，關係著個人視野，影響個人心志有之，絕非「周不比」，「溺私昵」之區別可知。門，何妨視作家門，孩子知合群，覓伴侶，同人之初步，清濁無分，成長可喜，無咎也耶！

六二，同人于宗，吝。

象：同人于宗，吝道也。

荀爽：宗者眾也。三據二陰，二與四同功，五相應，初相近，上下眾陽皆欲與二爲同，故曰同人于宗也。陰道貞靜，從一而終，今宗同之，故吝也。

王弼：應在乎五，唯同於主，過主則店，用心扁狹，鄙吝之道。

孔正義係應在五而和同於人，在於宗族，不能弘闊，是鄙吝之道，故象云吝道。

程頤：二五正應，故曰同人于宗，宗謂宗党也。同於所系，應是有所偏，與在同人之道爲私狹矣！故可吝！二若陽爻，則爲剛中之德，乃以中道相同爲私也。傳象曰：諸卦以中正相應爲善，在同人則爲可吝，故五不取君義，蓋私比非人君之道，相同爲私爲可吝也。

蘇軾：凡言媾者其外應，凡言宗者其同體。九五爲媾，九三爲宗。从媾正，从宗不正。六二欲从媾而宗欲得之。正者遠不相及，不正者近而足以相困，苟不能自力於難而安於易，以同乎不正則吝矣。

朱熹：宗，党也。六二雖中且正，然有應於上，不能大同而係於私，吝之道也。

項安世：二五言同係應，无大同之量，非所謂同人于野者也。二專於柔眷戀宗戚之私情，固爲吝道。

朱震：二往同五成離，五來同二復成乾，往來相同，乾離各反其本宗，同人于宗，所同狹，吝道也。

李衡引子：不能大感，守宗獨應，失其于野之義，可謂吝矣！

梁寅：諸陽皆欲同二，使其无私係則善！二應五未免於私，故爲同人于宗，所同止於宗党，吝道也。

來知德：凡離變乾而應乎陽者皆謂之宗。乾爲六十四卦之祖也。二五中正相應，所以亨。六二陰欲同乎陽，所以可羞。同人貴無私，六二應九五皆中正，然陰欲同陽，溺于私而非公矣，所私在一人，豈不羞！

王船山：二往同於人而麗於二陽之間，交不能遠，故爲于宗，同人云者，遇物即相合，二近初、三即同之，雖正應不能待，志褊矣，是以九五號咷而興師。又傳象若規規然就所親近者與同，雖善亦一鄉之善士而已，自困何能行遠！

李光地：六二陰爲卦主，五陽應之，卦之所以爲同人也。與五正應，有同人于宗之象。卦義于野乃亨，故于宗則吝，且下同上，尤不可不戒。

毛奇齡：二與五尙未同，同者者衆矣！傳曰人盡二夫也。諺曰一女留，百家求。夫至一女當衆求而不其羞乎！廣韻宗，衆也，徐咸清曰宗與野同。

李　塨：宗，主也。五君六二同之，是同人于宗矣。然衆皆欲同二，二獨與五應，故九三伏莽，四乘墉，群梗于中，道不吝乎！吝者，出入艱難也。此所以必須乾行之師也。

吳汝綸：出門最近者莫若宗鄙，故曰宗。

伊籐長胤：于宗者與其宗党之交也。蓋同人之道無所偏，二柔党剛，在党，雖應而吝，其何以通天下之志！

薛嘉穎：二與五應，心係所應，有同人于宗象。宗如宗戚之宗。蔡清同人之道貴廣，二五相與，其通則狹矣。又二五正應之爲吝者，蓋不能大同則狹，是以有吝也。

丁壽昌：王注訓宗爲主。候果宗謂五。禮大傳尊祖故敬宗，敬宗故收族。宗，宗子。族，同姓。古者宗子爲祭主。

曹爲霖：天地四方孰不吾同，而必曰于宗，所見不廣也。而必以我之善爲宗，盡屈天下之智力爭之，亂之階也。

馬通伯：許愼言同姓相取，吝道也。馮當可曰卦體言有大同之義，爻義則有阿党之戒！惠棟娶妻避同姓，畏黷災也。案同人義莫切於婚娶，異姓不同爲同，大同也。同則阿党之嫌。

劉次源：就全卦言，衆陽同陰，无遠近分，无親疏分，故以野稱。就二爻言，初三同宗，舍五正應而暱私親，自立界限，爭端以紛，其吝也，吝由私生。

李郁：宗，同族也。二本乾剛，與五同族。今能以柔自異，出類拔萃，爲衆所矜式，倘欲和光同塵，是必吝矣！

胡樸安：宗、君之宗、同于宗，其度未廣，程頤曰有所偏，爲私狹矣可借用，出門惟同于宗，所見狹矣，故象吝道也。

高亨：同人猶聚衆。同人于宗，不知其何所爲？古人祭祀，宴賞在宗廟，或指此事而言，筮遇此爻則吝。

徐世大：乘祭祀時大家聚會一番，越彥「上墳船裏造祠堂」喻有議論而少成功，即此例。此屬非合群之時，結一吝字。

屈萬里：惠氏士奇易說：「同人曰野，門，宗，則宗非黨明甚，禮記檀弓鄭注：宗在廟門內之西牆，則宗猶墉也。」詩大雅：「宗子維城。」註：「宗，同姓也。」招魂：「室家遂宗。」王注：「宗、衆也。」周禮官肆師注：「宗、宗廟也。」宗謂同姓。

金景芳：六二是卦主，與九五正應，宗是宗族宗党，有所偏私，所以可吝。別卦中正相應是好事，此則不然，九五不是君，相應偏私是可吝。

李鏡池：宗，宗廟。吝，不吉。戰前必卜禱于宗廟，受命于祖先。

傅隸樸：六二九五正應，六二心有所專，不能不同，故曰同人于宗。宗，宗族。在政治上門戶觀念森嚴，不能用人唯才，氣度不大，吝道也。

林漢仕案：「同人于宗。」之所以吝，乃比較言之耳，蓋少小時能跨出自己一小步，父母親戚必以為傲，繼之見其氣象不能大，又將轉為憂矣！故同門小於同宗，而同門為可喜，無咎。同宗大於同門視為吝道者，隘也，隘則惜其器宇不能一舉千里也！

宗之義，荀爽以為眾也，王弼曰同於主，孔正義以為宗族，程頤云宗党，蘇軾云同體，九三為宗，其他或言党（朱熹），或言宗戚（項安世）應陽為宗（來知德），宗五，宗子，宗族，要之如朱震所謂「所同狹矣」！王船山謂「交不遠也。」屈萬里引惠士奇獨持異義，以為宗非党明甚！引禮記檀弓鄭注宗，在廟阿內之西牆，宗猶墉也。再引云宗，同姓，眾也，宗廟亦謂同姓，傅隸樸云宗族。

宗，於是乎有：

眾也，九五也。

主也，

宗族也

宗党也

同體爲宗。九三爲宗。

墉也，廟門內之西牆。

同姓。

宗廟。

字書宗更有：尊也，長也，本也，仰也，適長子也，屬也。誠如屈萬里引謂同人于野，于門，于莽，于郊，則于宗之宗字，詞性應與野，門，莽，郊相同，是指地方，初之同，天眞爛漫，突破孤獨，欣儐別人，擴大視野領域，雖清濁不分，然其進境，父母長者滿意其成長之可喜也。二則逐漸形成模式，交通特定對象，能免偏窄狹隘之弊？有容乃大，容天容地，於人何所不容彌勒胸襟無從培育矣！狹隘之家族，地域觀念，如此而大同，不祇困難多，效果亦小，故吝。古人所謂「宰相胸襟可撐船」，言其以大爲佳也，管仲之不欲「知我者鮑叔」繼攝相事，正因鮑叔牙一聞人過，終身不忘，易樹敵招禍也。初同値得鼓勵，二同則宜置貶辭以示愛也，否則愈疏矣！愈疏，非愛晚輩之道也，故著吝以示惕！

九三，伏戎于莽，升其高陵，三歲不興。

象：伏戎于莽，敵剛也。三歲不興，安行也。

虞翻：巽爲伏，震爲草莽，離爲戎，謂四變，時三在坎中，隱伏自藏，故伏戎于莽也。巽爲高，師震爲陵，以巽股升其高陵，爻在三，乾爲歲。興，起也。動不失位，故三歲不興也。

崔憬傳象：與二相比，欲同人焉，盜憎其主而忌于五，所以隱兵于野，將以襲之，故曰伏戎于莽，五既居上，故曰升其高陵，一爻爲一年，自三至五頻遇剛敵，故三歲不興，安可行也。

李鼎祚案：三互離巽，巽爲草木，離爲戈兵，伏戎于莽之象也。

王弼：履下卦之極，不能包弘上下，通夫大同，物党相分，欲乖其道，貪於所比，據上之應，其敵剛健，非力所當，故伏戎于莽，不敢顯亢也。升其高陵，望不敢進，量斯勢也，三歲不能興者也。三歲不能興，則五道亦以成矣，安所行焉。

孔疏：九三欲下據六二，上與九五相爭也。力不能敵故伏潛兵戎於草莽之中，升高陵，量斯勢，縱令更三歲亦不能興起也。三據二奪上之應，是不能包弘也。二五相親，與三相分別，是物各有党類相分別也。

程頤：三以陽居剛，不得中，是剛暴之人也。卦一陰，諸陽皆欲同之，三又與之比，居二五之間欲奪而同之。然理不直，義不勝，故不敢顯發，伏藏兵戎于林莽之中，懷惡而內負不直，故又畏懼，時升高陵以顧望，至于三歲之久，終不敢興。此爻深見小人之情狀。然不曰凶者，不發故未至凶也。

蘇軾：六二之欲同乎五，歷三與四而後五。故三與四皆欲得之。四近五，五乘其墉，其勢至迫而不可動，是以雖有爭二之心，而未有起戎之跡，反而獲吉。三與五稍遠而肆焉，五在其陵，是以伏戎于莽而伺之。既已起戎矣，雖欲反則可得乎？欲興不能，欲歸不可，至於三歲，行將安入？故曰三歲不興，安行也。

朱熹：剛而不中，上无正應，欲同於二而非其正，懼九五之見攻，故有此象。

項安世：三四不得道，恃力以求同。三剛懷毒，終无所施，无同人之反交。伏戎，處下卦也；升高、望上卦也。三歲不興，終不與五爭也。安分而行也。三離爲戈兵，下有伏坎，故爲伏戎。五爲高位，下有伏坤，故爲高陵。自三至五歷乾三爻，故爲三歲。陽卦稱歲，陰卦稱年。三與五遠，故爲升其高陵。

朱震：離爲甲冑，爲戈兵。三動有震，巽，艮之象，震巽，草木，莽也。艮爲山，在下體之上，陵也。巽爲高，升于高陵也。三不動則伏戎于莽，言九三剛而不中，將以攻五，慮其不勝，又升高陵望焉。五陽剛居尊位，二本同五，非三之所當，知義不可行，退比於二，動爭不得，不動比之不得，奚益！乾爲歲，三歲三爻也。

李衡引崔：與二相比，盜憎主人而忌於五，一爻爲一年，自三至五，頻遇剛敵。引陸：三與五爭二，故曰敵剛，五升高以乘上。引劉：三以陽居下體之，上不能屈于下，是不能同人于門也。居外用剛，是不能同宗于內也。强欲人同于己。三居下體之上，故謂陵；有憑上之志，故謂升，三歲不能興，二五通矣。

梁　寅：卦變爲師，故三四五爻皆用師言之。九三居剛不中，欲同二，二與五應，伏戎於草莽，升高以顧望，三歲之久，終不敢興。世之强暴者欲奪人之所有，畏於名義，遷延顧望，其狀蓋如此。

來知德：離錯坎爲隱伏，巽入，亦伏象。離戈兵、戎象。莽草也。巽爲陰，水草象，巽爲股，三變震足，股足動，升象，巽爲高，三變艮，陵象，離居三，三象。興，發也。伏戎于莽者，俟五之兵也。升其高陵者，窺二之動也。對五言，三在下故曰伏，對二言，三在上，故曰升。又九三剛不中而無應興，欲同二恐九五之攻，故伏兵敵五而攘二，三理不直，勢不敵，故三季之久終不發。

王船山：六二陰得位，眾陽欲同，偏則爭起，三四五皆有兵象。三密邇二，欲私二而忌五之正應，五位尊誼正，不可明爭，故伏戎于莽而邀擊之。升其高陵謂五也。灼見其情，三無所施至三歲不興，而必潰矣。

李光地：同極必異，人情之常，異極相攻，人事所必至。三過剛無應，猜狠不和之甚，故升高陵，伏戎林莽以喻與上爲敵。然下敵上，故有三歲不興之象。傳象言勢不可興，理亦不可行。

毛奇齡：三與四求同而不得者。三離剛爲戎兵，背伏坎，伏戎于互巽木之間，將以敵五，歷離三之終幾三歲弗克興矣，巽順艮止，固當安行者。

李　塨：以離之戎兵，竊效坎伏，在巽莽間，巽股升變艮，艮之上高陵，烏能敵五哉！歷爻數之三歲不興，惟巽順安行耳。

吳汝綸：伏莽者二也。三之升高陵，升四而望五，四之乘墉，乘三攻二也。三四皆不能克，然陰亦不能敵陽，故曰三歲不興。三歲以一爻爲一年也。

伊籐長胤：伏戎者，設伏兵也。莽，林莽叢鬱處。三過剛比二應五，欲奪之不能，或伏莽，或登陵，雖三歲不得興。蓋已所欲同者，不審勢，任剛强，不敗者幾希！

薛嘉穎：同極必異，三下卦極，異則爭，九三無應，以剛敵剛，不和甚矣！有伏戎于莽升其高陵象。

丁壽昌：惠定宇巽爲草莽，虞震爲草莽，義並通。說卦震反生，虞作阪云陸阪。放震爲陵。方言草，南楚謂莽。鄭君以爲叢木，未聞。

曹爲霖：金人完顏亮有立馬吳山第一峰白，寇宋，伏莽升陵也，敗於虞允文，李顯宗、張浚，三歲不興也。又恒溫壁人以挾王謝，伏戎也，九錫升高也，緩其事，不興也。

馬通伯：安行者言其進則無應於上，退復不能比二化，又失位也。

劉次源：三與二宗，恐五來攻，伏莽以備，升高瞭望，五勢正强，辜自知戢，畜謀未遂，至于三歲，故无凶戾。

李　郁：三與上敵，故謂之戎。叢草曰莽，三伏于下，故曰伏戎于莽，三欲升隔于四，五，亦難進，故曰三歲不興。象傳，上九剛也，三亦剛，故曰敵。

胡樸安：說文戎，兵也，械也。興，起也，相持三年不起以進而能安部伍之常，故象曰安行也，行是行列之行。

高　亨：設伏兵於草莽之中，不可令敵見之，升高陵可見，必爲敵所算，覆軍殺將明矣！將有長期不振，故曰如此。

楊樹達：漢者王莽傳：張邯稱說符命事，因曰易伏戎于莽，升其高陵。莽，皇帝名，升謂劉伯升，高陵謂高陵候子翟義。言劉升，翟義爲伏戎之兵，猶殄滅不興也。達按易爲讖文矣。

徐世大：三爻得時不得地，草莽多平地，並喻下位，仰攻與推翻統治階級，難也。興疑當作與，升高也，與廢作興。

屈萬里：說文：「戎，兵也。」釋文：「鄭玄曰：莽，叢木也。」伏戎謂敵，升謂己。興，虞翻曰：「起也。」不興，不作。傳象安，焉。安行，何得行也。

金景芳：三四兩爻有乖爭之象，草莽中埋伏有兵，又到高陵去看，有乖爭之象。三敵上、四攻初，非應則有相攻之象，敵剛指上九，同人時不同，才伏戎于莽，升高其陵，三歲不興。

李鏡池：伏戎：把軍隊隱蔽起來。莽：密林。三歲指長時間。興！舉，拔取。武裝力量隱藏在深山密林里，雖然進而占領了制高點，但也是長期不能取勝。

傅隸樸：九三以剛猛之資而居剛强之位，又處下卦之極，是好勇鬥狠象，下據六二，但六二心屬九五，想以兵制九五，力不能克，伺機突襲，又登高窺探，有攻人之心，無攻人之勇，三年終不敢動，故曰三歲不興。

林漢仕案：孟子謂人而可諫則何亡國敗家之有！初之示同人于門，其氣象已小，壁壘已分，自畫也，六二同人于宗，吝。習慣積非成是，不能受知於長輩矣！長者之愛不至，一誤再誤，从無咎而吝，至三則伺機起，伏莽，升陵，皆有不軌之圖乎？由斯而知，同人之初所同者皆爲便辟，善柔，便佞之友也，故其行事多乖，由是而幡然知悟者稀矣！命矣夫，前乏指導，至今則劣根蒂固；亦自爲之夫！不能回頭是岸！茲志易家傳九三之見於左：

「伏戎于莽」之象如是：

象曰：敵剛也。

虞翻曰：三在坎中，隱伏自藏，故伏戎于莽也。

崔憬云：與二比，盜憎其主而忌五，隱兵將襲之。

李鼎祚云：互離巽，巽爲草木，離戈兵，伏戎于莽象。

于弼云：敵剛，非力所當，故伏戎于莽，不敢顯亢也。

孔穎達云：三據二與五爭，故伏潛兵戎於草莽之中。

程頤云：以陽居剛，不得中，剛暴之人欲奪比同二，理不直，義不順，伏兵戎莽中，懷惡而內負不直。

蘇軾：三肆焉，五在陵，伏戎以莽而伺之。

項安世：三剛懷毒，伏戎，處下卦也，三離戈兵，下有伏坎，故爲伏戎。

朱震：離爲甲冑，爲戈兵，三動震，巽，艮象，震，巽草木，莽也，三不動則伏戎于莽。

來知德：離錯坎爲隱伏，巽入亦伏，離戈兵，戎象，莽，草也，巽爲陰，水草象。伏戎俟五之兵也。

于船山：三不可與五明爭，故伏戎于莽而邀擊之。

李光地：三過剛無應，猜狠不和之甚，伏戎喻與上敵。

毛奇齡：三四求同不得者，伏戎巽木間敵五。

吳汝綸：伏莽者二也。

伊籐長胤：伏戎者設伏兵也。莽林莽叢鬱處。

薛嘉穎：同極必異，異則爭，九三無應敵剛，不和甚矣！

丁壽昌：震，巽爲草莽，義並通，方言草，南楚謂莽。

李郁：三與上敵，故謂戎，三伏于下，故曰伏戎于莽。

徐世大：三爻得時不得地，草莽多平地並喻下位。

金景芳：三四兩爻有乖爭之象，同人時不同，才伏戎于莽。

李鏡池：把武裝力量隱藏在深山密林里。

九三伏戎于莽孰伏戎？與誰爲敵？傳家不能一古今耳目，於是乎有：

伏莽者二也。（吳汝綸）

與上九爲敵。（李郁）

傳統易家皆以本爻爻辭覓象，謂九三伏戎于莽。莽象則以互卦或變卦使成四三二巽，三二一震。（朱震云三動）四變則四三二成坎，爲隱伏。三二一本身離爲戈兵，解雖穿鑿，要之以維持爻辭不變而造象也。

其爲敵剛之說者，亦多以五爲爭鬥對象，故云三不能與五爭，三五互爭二，不能勝故伏戎以俟之。

易六爻眞需要矛盾統一矣！

六二應爲同人之核心，爲卦主，五陽應之。荀爽謂陰貞靜，從一而終。今宗同之故吝。是謂二不專於五，毛奇齡之所謂人盡二夫也。

六二既與初三四五上同，毛又引諺「一女留，百家求。」二五獨應，故九三伏莽，四乘墉，九五先號咷後笑。五爲勝利者，爲一六二，同室操戈如是，一卦之間，爲五者佔盡便宜，易眞有爲（五）君子謀者矣！

吾嘗謂六爻乃卜者歷程，蓋人人皆有其人生顚峰期，常態期，人生固有矛盾，固有前後不一之行，然非爲自己製造荊棘橫逆可斷言，其人生前後所以有矛盾，乃奮鬥，擺脫困境掙扎痕跡斑斑也，不能以子之矛，攻子之盾也！

六二既謂所同者狹，又謂所同者衆，一女以其所同狹衆定其賢愚吉吝，則宗之訓衆，訓党、族、主、宗、皆吝矣！舉措皆吝，是六二時也。然以野，門，莽，郊其同爲處所言，則宗又當訓爲處所詞矣，所同祇一地域，故謂之偏狹也。

今日九三，往日六二也，前日所同偏狹，所行皆不能遂意，積怨咎而有攘臂睚眦之憤，見諸文字矣！不必借四三二爻，三二一爻，變動爻而爲巽震坎之卦象。

隨九三爻辭造象，倘有互體，變卦，半象之不是，況以九三本身爻辭「伏莽」，謂六二者耶！

上九乃轉換之際，太上之老人，安足爲九三之剛敵？其初四，二五，三六之應說，兩剛則不應，無應，即相抗，三之當位，應剛過上九，則謂敵剛者乃上九也，而上九非九三之對手，象之謂敵剛定另有所指，易家於是指不可與五爭，其剛五也，崔憬以下多準之立說焉。

「升高其陵。」孰升高？「三歲不興」，何爲不興，約其說如下：

虞翻云：巽爲高，師震爲陵，巽股升高陵，爻三乾歲興起。

崔憬云：五居上故升其高稜。一爻一年，三至五爲三歲。

于翖云：升其高陵，量斯勢也。二歲不興，五道亦成矣。

孔疏：三據二興五爭，升陵量勢，三不能包弘，二五相親，縱令更三歲亦不能起也。

程頤：三懷惡升陵顧望，至二歲之久不取興，深見小人情狀。

蘇軾：三與五稍遠而肆焉，五在陵，三伏戎伺之，雖欲反不能，至三歲行將安入？

項安世：三剛懷毒，升高，望上卦，三歲終不與五爭，安分而行。五高位故爲高陵，陽稱歲，陰稱年，三與五遠，故爲升其高陵。

朱震：九三剛而不中，將攻五，升高陵望焉，五尊非三所當。三歲三爻也。

李衡引劉：三居下體之上，故謂陵，有憑上之志，故謂升。

梁寅：世之强暴欲奪人之所有，畏名義，遷延顧望，其狀蓋如此。

來知德：三在下俟五之兵，三在二上窺其動，故曰升，敵五攘二，理不直，勢不敵，故終不發。

王船山：六二陰得位，衆陽欲同，偏則爭起，三四五皆有兵象，五不可明爭，故伏戎邀擊之，五升高陵，灼見其情，三無所施。

李光地：同極必異，異極相攻，三猜狠不和，升林伏莽喻與上爲敵，下敵上，故有三歲不興象。

吳汝綸：伏莽者二，三升高陵，四乘墉，乘三攻二，不克，然陰亦不敵陽，故曰三歲不興，三爻也。

馬通伯：言其進無應於上，退不能比二化，失位也。

李郁：三與上敵，故謂之戎，上九剛，三亦剛，故曰敵。

高亨：伏兵不可見，升陵可見，必爲敵算，覆軍殺將明矣！

徐世大：三爻得時不得地，仰攻，推翻統治階級難也。

屈萬里：戎，兵也，伏戎謂敵，升謂巳，不興，不作也。

金景芳：非應則有相攻之象，敵指上九，三敵上，四攻初。

李鏡池：伏戎，把軍隊隱蔽起來，莽，密林，武裝力量雖然占領制高點，但長期不能取勝。

傅隸樸：九三剛猛，好勇鬥狠象，想以兵制九五，有攻人之心，無攻人之勇。

「升高其陵」應謂三居心叵測，孔穎達故疏「三據二與五爭，升陵量勢。」而崔憬則謂五居上故升高其陵。東坡亦謂五在陵。項安世五高位爲陵。王夫之：「五升高陵，灼見其情。」虞翻第造象「巽爲高，師震爲陵。」未予專指，王弼而下多謂三懷惡升陵，升陵者三也。以爻辭言爻本身動靜，似以九三升陵爲是，蓋懷不軌，藐傳統，賤倫常者三也，三伺機升陵，伏莽，交友不慎乎！三所抗者多謂九五，五爲君不可抗，三之伏戎于莽，升高其陵，抗其不可抗，不審時，不察勢，溺於初之同門，二之同宗無咎吝，由同志轉爲仇讎，睚眦攘臂矣！諺云：「貪不學儉，卑不學恭」，非人性分也，勢使然耳。此實然之勢，賢者有機先之見而警策來茲，讀斯文而不師斯故事而爲誡止，故歷史所以重演者再也！五爲君，上爲太君，安可率性魯莽从事，「三歲不興」，比權量力之不可，無可奈何之辭也！九三之不敢貿然孤注，主，客觀情勢使然也。於其心，終抱悻悻然乎！。

九四，乘其墉，弗克攻，吉。

象：乘其墉，義弗克也。其吉則困而反則也。

虞翻：巽爲庸，四在巽上，故乘其庸。變而承五體訟，乾剛在上，故弗克則吉。

王弼：處上攻下，力能乘墉者也。履非其位，以與人爭，二自應五，三非犯己，攻三求二，尤而效之，違二傷理，衆所不與，故雖乘墉而不克也。不克則反，反則得吉也。

孔正義：與三爭二，欲攻於三，是上體，力能顯亢，故乘上高墉欲攻三也。三求二，其事已非，四效之求二，違義傷理，衆所不與，雖乘墉不能攻三也。能反思愆，以從法則，故得吉也。

程頤：四剛不中正，志欲同二，與五爲仇者也。墉垣所以限隔也。四功近於五，如隔墉耳。乘其墉欲攻之，知義不直而不克也。苟能自知義之不直而不攻則爲吉也。三以剛居剛，故終其強不能反，四以剛居柔，故有困而能反，畏義而能改，其吉矣。

朱熹：剛不中正，又无應與，亦欲同於六二而爲三所隔，故爲乘墉以攻之象。然以居柔，故有自反而不克攻之象，占者如是，則是改過而得吉也。

項安世：三、四不得中道，恃力求同，四以柔自反，猶可得吉。四與五鄰，故爲乘其墉。弗克攻，義弗克也，顧義知困，復循乾，此即春秋褒弗克納之義。凡爻言不克者，皆陽居陰位，惟其陽，故有訟，有攻。陰故不克訟，攻。

朱震：九三爭二成坤，土在內外之際，墉也。九四欲擣虛自上乘之，故曰乘其墉，四動入坎險，有弓矢相攻之象，故曰攻，三非犯己，二非己應，雖乘墉入險，豈其宜哉！故曰義弗克也。三動、四乘之成坎，四動，上乘之成兌，兌坎困象，故曰困，弗克：攻。吉者正也。入險力盡，二不應，困而知反，不失其則，是以吉。古本易云反則得則，得則吉也；一本云反則得，得則吉。定本作其吉。

李衡引陸：墉謂三也。三體剛得位，四失位而動，自量非義而止。引劉：四剛不正，又無應乎時，强欲使人同己，故爻辭無同人之稱。引鮮于：三既不能攻五，四亦以之不能，是因三不興而已獲吉，墉指三也。引胡旦：二與五應，應則協同，二爲卦主，五爲君位，君臣相協，戮力同心，三升陵敵五，四乘墉攻三，三積歲不興，四不克爲吉。

梁寅：四亦欲同二，爲三所隔，三居下卦之上，墉象。然四以剛居柔，能以義反，故不克攻，此吉之道也。聖人此爻獨言吉者，美其能自反也。聞義能徙誠人情之所難也。

來知德：墉，牆也。離中虛，外圍墉象。九三爲六二之墉，九四在上，故曰乘。三惡五，有犯上之心。四惡二比三，有陵下之志。又四不中正无應與，乘三攻二。以剛居柔，有自反弗克攻之象。

王夫之：四居三五間，與內卦相近，退而就下，故亦有爭，乘其墉者將踰三取二也。三方伏戎以待，見不可攻而退以承乎五，故吉。

李光地：四无應，不同相攻矣！上攻下，有乘墉以攻之象。以剛居柔，又有弗克攻之象，重能悔過遷義，故其占曰吉。

毛奇齡：離剛堅乎外爲墉，三爲二墉，四乘之，弗克攻者順也。互乾而反天則焉。

李塨：乘九三之墉，欲與共事，居五下仰攻之，不惟勢弗克，義亦豈克！變坎則合義吉矣。

丁晏：釋文墉，鄭作庸。大雅以作爾庸。當從鄭本。

李富孫：毛傳庸，城也。王制附於諸侯曰附庸，正義亦云庸，城也。說文墉，古文作𩫖此作庸，古字从省。書大傳庸，牆謂之庸，亦从省。

吳汝綸：四之吉者知難而退也。故象云反則，反其不攻之常也。則，常也。

伊籐長胤：墉，城也。此爻不中不正，上无應援，欲奪二乘墉以攻象。剛居柔，知義不可而罷，不强求，故吉也。

薛嘉穎：四亦无應，無應則不同而相攻矣！居上攻下，有乘墉象。牆高爲墉，互巽爲高。惠棟攻初。折中，三敵上、四攻初。

丁壽昌：墉，鄭作庸，晁氏庸，古文，惠定宇尙書大傳賁庸，鄭注，賁，大，牆謂之庸。案程傳四與五爲仇，王注四攻三。蘇蒿坪說卦戰乎乾，有攻象，巽伏，有弗克象。

曹爲霖：誠齋傳曰陶侃握重兵據上流，九四乘墉之勢，欲攻上，疑不克，知不可而自反，知困而僅保其吉爾。

馬通伯：四欲同二不承五，故爭乘墉。五踞上，杜牧說自下趨高者力乏，自高趨下者勢順，五乘四，故四弗克攻，非徒勢力，義則然也。

劉次源：四欲同二，憤三阻，乘墉欲攻，力弗克，二五正應，亦非三可攘得，止而不攻，是以吉也。

李郁：墉指九三，九四乘三故乘墉，九三得位，比于六二，守正不動，故弗克攻，九三反柔，得位得應，故吉。

胡樸安：三年後伺敵懈而乘其城垣，未免有僥倖之心。敵猶強，攻之不克，退而自守，不失爲吉。象退兵猶有法則也。

高亨乘墉，弗克，攻，吉。攻者登墉，守者未退，亟攻必拔，止不攻更不易攻矣，故弗克，攻，吉。

徐世大：四得地乘高俯攻，必其外援斷絕，城下盟可期，不必力戰爭功矣！吉祇言合群得地勢，其他不在議論之列。

屈萬里：墉，庸古通用。乘謂守者，墉，城也。弗克攻謂攻者。傳象義，宜也。困謂敵攻故困。反吉，故反乎常。經義述聞「義者理也，道也。」寇自召，被困而反乎法則，則寇不犯，故吉也。又「則，常也，反則猶言反常。」

金景芳：墉，墻。乘其墉，要向入進攻。程傳以爲四不中正，志欲同二仇五，近五如隔墉。折中以爲九四攻初九，不同就是異，也是敵剛，弗克攻，終于未攻。發覺攻不對。

李鏡池：圍攻敵人，雖然登上城墻，還是不能攻進去。吉屬另占的貞兆辭。

傅隸樸：九四以剛居柔，心行不正之象。想攻五同二，五居上有宮墻護衛，便登墻進攻，可是懸崖勒馬不攻了，故曰弗克攻，循義而動是吉的，故曰吉。

林漢仕案：易六爻既爲歷程，其比，其應，其互體，其半象，皆依爻辭而發心見象，未可以執一而象而是，而非象而非是之也，如此，則易可含萬象，易可以廣，可以言乎天地之間者備矣！繫辭「生生之謂易」也乎！

九三蓄睚眦攘臂之勢而未發，發則齏粉矣！不著吉凶者，非吉凶克善其後也。九四乃以蓄勢，造勢以竟其「不學儉，不學恭」之宿志，故爻云「乘其墉，弗克攻。」各家賡續闡九四之所以乘其墉之義，故輯而比較之如后：

虞翻云：巽爲庸，四在巽上。（以二三四爻言之也。）

王弼云：處上攻下，力能乘墉者也。攻三求二，衆所不與，故雖乘墉不克也。

孔穎達：與三爭二，違義傷理，衆不與攻三也。

程頤：四剛不中，欲同二，與五仇，近五如隔墉，知不直而不攻則吉也。

朱熹：不中无應與，欲同二而三隔，居柔自反改過得吉。

項安世：三四恃力求同，四與五爲鄰，義弗克攻。凡爻言不克者，皆陽居陰位，陰故不克攻，訟。

李衡引陸：墉，三也。引劉：四强欲使人同己。引鮮于：三不能攻五，墉指三。引胡旦：三升陵敵五，四乘墉攻三。

梁寅：聖人獨言吉者，美其能自反也。

來知德：離中虛，外圍墉象。九三爲六二之墉，四乘三攻二，有自反不克之象。

王夫之：四將踰三取二，三伏戎以待，見不可攻而退承五。

李光地：四无應，无應則不同而相攻矣！（似言所攻者爲初）。

李塨：乘三共事仰攻五，變坎則合義。

吳汝綸：四知難而退，反其不攻之常則吉也。

傅隸樸：九四心行不正，想攻五，五有宮墻護衛，故弗克攻。

九四所攻，五耶？三耶？初耶？諸大家說辭，似皆可信而可跡其綜，見其影焉！九四欲得者六二也。王弼云四攻三求二。是之者有孔疏，朱熹，朱震，李衡引，王夫之，薛嘉穎，劉次源，李郁等，聲勢不可謂不大。

程頤云：四剛不中仇五。循聲相應者有項安世，李衡所引，李塨，曹爲霖引，馬通伯，傅隸樸等。

來知德謂四乘三攻二，惡二比三，有陵下之志。

李光地謂四無應，不同相攻。薛嘉穎亦謂惠棟云攻初。

丁壽昌引蘇蒿坪云說卦戰乎乾，有攻象。則所攻者上卦乾，四五六爻成乾。自戰邪？抑陰陽相戰如來傳謂攻六二？

他如胡樸安之三年後伺敵懈而乘城垣。高亨之亟攻必拔。徐世大之乘高仰攻，城下盟可期，不必力戰爭功。李鏡池謂雖登上城牆，還是不能攻進去。

上六說：四攻三。

四仇五。

四攻二。

四攻初。

戰乎乾。（韓康伯注陰陽相戰則在乎乾。）

乘城垣仰攻。

蘇蒿坪之「戰乎乾」、宜乎六二之依乾，非謂九四統九五，上九而乾，戰乎二也。九四之德不及此，六二之依乾九五，亦與本爻九四無涉，知丁壽昌所引說卦陰陽相戰，乾西北卦也不能成立。

四之攻無應之初，攻二或取二，攻三，仇五，項安世云「四不得中道，恃力求同。」應可爲四之德寫照，乘墉欲攻而不克，矛盾時地之心境。伏戎于莽不興，已知量時度義，然不識大體依舊。乘墉仍弗克攻者，或係有更深一層體察，有其不可勝之潛在因素。已乘其墉而欲全身而退，舍征服實無他轉圜餘地，而爻著一吉字，易家多謂困反則，反思從法則，能反，能改，畏義，悔過遷義，不攻，反常……蓋乘其墉，非止箭在弦，刀出鞘。登敵城非敵降則已屈，欲全身非謂改遷，反則可及時救窮，然而乘其墉矣乃弗克攻者，由我暨我之同儕間千百結，億萬節而有不可攻者，由敵，敵我間，種種不可攻者，非謂悔謂改可知，亦非項安世云陽居陰位，故不克攻。九四狹隘同人主義者或係有所省悟，幡然向理，如卦辭之行險利涉大川，利君子之貞正。所同者貞正，與向之同者便佞損友一同向化矣，同人之質，至此一變，吉何如也。

九五，同人先號咷而後笑，大師克相遇。

象：同人之先，以中直也。大師相遇，言相克也。

虞翻：應在二，巽爲號兆，乾爲先，故先號咷。師震在下。故後笑，震爲後笑。乾爲大同人，反師故大，師二至五體姤，遇也，故相遇。

侯果傳象：乾德中直，不私于物，欲天下大同，方始同二矣，三，四失義而近，據之未獲同心，故先號咷也。時須同好，寇阻其途，以言相克，然後始相遇，故笑也。

九家易傳象：乾爲言。

王弼：彖曰柔得位，得中而應乎乾，曰同人。然則體柔居中，衆之所與，執剛用直，衆所未從。故近隔乎二，剛未獲厥志，是以先號咷也。居中處尊，戰必克勝，故後笑也。不能使物自歸而用其強直，故必須大師克之，然後相遇也。

孔正義：五與二應，用其剛直，衆所未從，故九五共二欲相和同，九三九四與之競二也。五未得二，故志未和同於二，故先號咷。處得尊位，戰必克勝，故後笑。不能使物自歸己，用其剛直，必以大師與三四戰，克乃得與二相遇，此爻假物象以明人事。

程頤：九五同於二，而爲三，四二陽所隔，五自以義直理勝，故不勝憤抑至於號咷。然邪不勝正，雖爲所隔，終必得合，故後笑也。大師克相遇，五與二正應而二陽非理隔奪，必用大師克勝之，乃得相遇也。九五君位而爻不取，蓋五專以私暱而失中正，人君當與天下大同，私一人非君道也。繫辭云：「二人同心，其利斷金」天下莫能間也。聖人贊之曰：同心之言，其臭如蘭，謂其言語意味深長也。

蘇軾：「子曰『君子之道，或出或處，或默或語，二人同心，其利斷金，同心之言，其臭如蘭。』由此觀之，豈以用師而少五哉！夫以三四之强不能奪，始於號咷，卒達於笑，至於用師相克矣，而不能散其同，此所以知二五之誠同也。二陰五陽，陰陽不同而爲同人，是知其同之可必也。君子出處語默不同，而爲同人，是以知其同之可必也。苟可必也，則有堅强之物莫能間之矣！

張載：二與五應而爲佗間，己直人曲望之必深，故號咷也。師直而壯，義同必克，故遇而後笑。

朱熹：五剛中正，二以柔中正相應於下，同心者也。而爲三四所隔，不得其同，然義理所同，物不得而間之，故有此象。然六二柔弱，而三四剛强，故必用大師以勝之，然後得相遇也。

項安世：五言同，專於剛，以離合爲悲喜。

朱震：三伏戎于莽，四乘墉，動爭二，五成巽，震，坤。坤喪，巽號，震聲，號咷也。二非三四所能有，自往同五，離目動爲笑。三四動，五若動爭，非用大師不能克，王弼謂執剛用直，不能使物自歸是也。同人先號咷何邪？曰以中直也。直者乾動，理直，三四抑之，望人者深，故號咷也。觀乎物情，怨而無告則號咷隨之。

李衡引石：九五居君位，不能推大中之心，同天下之心，係於二至於興師然後遇，故不言吉引代：三四敵疆大，興師方可克，傳曰如二君，故曰克。引王逢：二以柔得所同也，要其宗則爲吝，五以剛居上，非所以善同于下，而又同乎己之應，失同人于野之義，九三所以悖之。引薛：中正而應，可以兼通物志，恢大天德。王者之志，以有應爲狹。

梁寅：九五以乾剛中正居尊位，下與二應係於私，失君道矣，欲同二，三四隔，故先號咷。然同心相與，終莫能間，故後笑。三四剛强，用大師克之，始相遇也。

來知德：九五變離。火无定體，曰鼓缶而歌，嗟出涕沱。離錯坎爲加憂，九五隔三四，故憂而號咷，變兌，故復笑。必用大師者，三伏莽，四乘墉，變離錯震，戈兵震動，師衆也。陽大，大師之象。又九五六二同心，三四强暴所隔，以臣隔君，大逆也，興大師克强暴方遇正應。

于夫之：九五於二以剛之有餘，濟柔之不足。自得所應，使合中正，三四爭二且有于宗之吝，不能不號咷焉！中正道合，三姦露，四斂退，疑釋相得以喜矣，拔孤陰於群爭之地，非大用師大能克，五剛中勝任而能定於一。

李光地：五與二正應，居尊同下，分位所隔，衆情所阻，必先致其號咷之誠而後乃得懽合而笑。又必用大師以去其間而後得相遇卒同。二吝，下求同上，五上求同何吝之有。

毛奇齡：五應二，二承，乘，比皆陽，焉能遽遇哉！先反側後友樂，關睢之義也。升陵，乘墉，必用乾眾離兵剛金克之，始可遇。卦主離，火无定體，凡遇離皆有笑咷象。

李塨：爻用大師者，蓋非賢奸並包之爲无私，能好能惡之爲无私也。

吳汝綸：克去二陰則與乾之九二相遇矣，號咷，先難後獲也。卦義和同，而諸爻皆以攻伐爲文，去其不同乃成大同也。

伊籐長胤：號咷，哭聲，五二同心，爲三四兩陽所阻，憤至號咷，必動眾勝之後相遇。

薛嘉穎：五二應，正所謂二人同心者，未得則號咷求覓，既得則笑樂，契合之至。繫辭二人同心，其利斷金，惠氏三與上敵，四攻初，同人異德，故五用師克之。

丁壽昌：釋文號咷，啼呼也。虞氏巽爲號咷。吳草廬兌口之說，五變柔成兌。蘇蒿坪變離戈兵，互坎眾，有大師遇象。

曹爲霖：旁通師，故曰大師。曹操八十萬兵下江南，苻堅九十七萬兵向江東，張昭怯抱迎降，桓沖憂深左衽，迨羽扇一揮，圍棋半局，聞折履之聲矣！先號後笑之爻象。

馬通伯：胡一桂曰一陰者五陽所必爭，三不中，四不正，又介乎其間，必待大師克而後遇也。代淵曰三四敵強大，興師方可克。其袒案天下不得大同者，私害之也。爭同則攻奪起，五號咷者，痛三悖道，用師，正直之心不能不號咷耳。

劉次源：五欲同二，三四梗塞，故號器。物卒莫隔，故後笑，伏莽乘墉，非用大師克之莫由遇合。

李郁：乾五交坤二成師，師凶事故號咷，師通同人，與人同必色笑相迎，故笑。

胡樸安：同人之先乘墉攻弗克故號咷，退兵未受損故笑，大師未有損失，能相遇聚一處，故象相克也，克，能也。

高亨：咷嗷與號咷同，先悲後喜也。克，能也。蓋有一軍被圍將殲，相聚大哭，乃突圍與援兵相遇，轉敗爲勝，故曰先號咷而後笑，大師克相遇。

楊樹達：漢書王莽傳，周禮，春秋左氏：國有大災，則哭以厭之，故易稱先號咷而後笑。

徐世大：敵來人心惶惶，甚至死懼而痛哭，若有領導人物收拾人心，反涕爲笑，自可一戰，其精神足先聲奪人。

屈萬里：號咷、哭聲，被敵所困。大師救兵，克勝。經義述聞：「笑字隸書與先相似而誤爲先。」自注先當爲笑。傳象引王引之曰：同人之先，謂同人之先號咷而後笑也……。」

金景芳：先號咷說明異，后笑說明同。程傳五同于二，三四所隔，至于號咷，邪不勝正得合，故笑。

折中：易凡言號者皆寫心抒誠之謂，故曰中直。二五正應，反異歸同象。

李鏡池：號咷：呼號逃跑。大師：猶言主力軍。先頭部隊打得潰不成軍，呼號逃跑。主力軍及時趕到，轉敗爲勝故后笑。

傳隸樸：九五以六二爲同人。九三、九四都想用武力爭奪，故號咷悲哀，次退擊退三四，所以笑了。

大師即大興兵戎，克，勝。九五帝王應以德同天下，今以力，故不稱大人。

林漢仕案：同人質變向化，非謂全體同人移善之速也，陳餘刎頸交，張耳征久之，先同後不同也。今不同之昔同人，號咷之者固不限同與不同也，往日情意乃在，故一同號咷。茲誌九五號咷與笑各家大要：

侯果云：乾德中直，不私于物，三四失義而近，未獲同心故先號咷也。

王弼：執剛用直，衆所未從，剛未獲厥志，是先號咷。

孔正義：九三，九四競二，五未得二，志未和同於二，故先號咷。

程頤：三四二陽隔二，故不勝憤抑至於號咷。

張載：二與五應而爲佗間，已直人曲，望之必深故號咷也。

李光地：五二正應，分位所隔，衆情所阻，必先致其號咷之誠而後乃得懽合而笑。

毛奇齡：先反側後友樂，關雎之義也。

吳汝綸：號咷，先難後獲也。

伊籐長胤：號咷，哭聲。

薛嘉穎：五二應，未得則號咷求覓。

丁壽昌：釋文號咷，啼呼也。

馬通伯：一陰者，五陽所必爭。五痛三悖道，不能不號咷。

李郁：乾五交坤二成師，師凶事故號咷。

胡樸安：乘墉弗克故號咷。

高亨：蓋有一軍被圍將殲，相聚大哭。

楊樹達：國有大災則哭以厭之，故易稱先號咷而後笑。

徐世大：敵人來人心惶惶，至恐懼而痛哭。

屈萬里：號咷，哭聲，被敵所困。

金景芳：號咷說明異，后笑說明同。

李鏡池：呼號逃跑。

九五以比應一體言，其號咷爲求二應，而二爲陰，不同於九五，是九五不得六二爲己憂，說者一。

九五欲得六二而九三，九四競二，故不勝憤抑而號咷，說者二。

九三，九四失義而近，未獲同心，故號咷。說三。

九五直，人曲，望之必深，故號咷。說四。

乾五交坤二成師，師凶事故號咷。說之者五。

國有大災則哭厭之。說者六。

敵人來人心惶惶。被敵所困。說七。

號咷說明異。說八。

呼號逃跑。說九。

九五以不得二爲己憂，毛奇齡謂「關雎先反側後友樂。」吳汝綸謂「先難後獲。」則九五之同人尤狹於初洎二也，爲一女子而動大師，寧同于小人而棄其舊，九五徒具剛直之名，中正也者，不中正也矣！

九五與三四競二而憤抑，致同室操戈，於同人言，寧無自諷邪？九五以己直人曲，有望心。亦非九五君之胸襟，師事凶乃師卦而非同人九五之謂，越他卦以說本卦，猶之禮代哭者之撫人屍而淚下，自是死者他家事也。胡樸安以四爻文延至五爻說解，不當固不必辯之也，高亨之軍殲，徐世大之敵來，屈萬里之被困，李鏡池之逃跑。說皆嫌無本。楊樹達「國有大災則哭以厭之。」大災也者，其不和耶？往日之袍譯，如九三九四之未獲同心，金景芳謂「號咷說明異。」正爲異而號咷也。九四同人，質變而向化，望之者據而起爭，九五號咷，望之者亦號咷，故爻至九五見同人先號咷之文也，五爲歷程言，號咷是鳴惜異者之不能同，不能共享今日苦後之甘果也。亦自痛惜如蘧伯玉行年五十而知四十九年之非也。孔子云吾之遇也如日月蝕焉。九五公天下之志，見同而后笑可味也。當非謂戰九三，九四勝之而後笑也。然其笑，與大師克相遇，易傳家說辭不妨匯聚再作一比較：

侯果：時須同好，寇阻其途，以言相克，始遇故笑。

王弼：居中處尊，戰必克勝，故笑。大師克之然後遇。

孔穎達：不能使物自歸己，必大師與三四戰，假物象以明人事。

程頤：必用大師克之，五私暱失中正私一人，非君道也。

蘇軾：用師相克，不能散其同，二五誠同也。

張載：師直而壯，義同必克，故遇而後笑。

朱熹：二柔弱，三四剛强，必用大師勝之然後得相遇也。

李衡引代：三四敵强大，興師方可克。以有應爲狹。

梁寅：同心相與，終莫能間，故後笑，大師克之始相遇。

來知德：師，衆也，陽大，大師之象，興大師克强暴方遇。

于夫之：拔孤陰於群爭之地，非大師不能克，五剛中定於一。

李光地：用大師去其間而後相遇卒同。

毛奇齡：必用乾衆離兵剛金克之，始可遇。

李塨：爻用大師者，非賢奸並包，能好能惡之爲无私也。

吳汝綸：諸爻皆以攻伐爲文，去不同乃成大同。

薛嘉穎：三敵上，四攻初，同人異德，五用師克之。

馬通伯：三不中，四不正，爭同則攻奪起。

李鏡池：先頭部隊潰不成軍，逃跑，主力趕到轉敗爲勝故笑。

傅隸樸：大師即大興兵戎，九五應以德同天下，以力，故不稱大人。

九五爲爭六二而動大師，爭風吃醋，大同之志，爲一六二不惜反目爲仇，其同也，不能經考驗之同，爲一烏合之衆也，私心起，大軍爲一女子可以傾國傾城矣！古今大家之思路，助王者君子好逑矣！如之何言「師以義動？」五居中處剛處尊，正乃飛龍在天之時位，必興師而後私暱一人，亢龍乎？必用師而後大同天下，然有天子不能臣者，假此物。象不足以明人事也！王者之用兵必依於仁，庶克東征西怨，南征而北狄怨，曰奚爲後我；必簞食壺漿以迎王師；言盍不歸乎來，吾聞某善養老！勞師越國，祇爲王者關雎之樂，只爲拔孤陰於群爭之地，許彼曰「師直而壯」。吾不爲也，況賢者乎！況作易之聖人乎！恃力則外貌同而心實不服，非同人之謂也。然則倚「大師克相遇」之大師實無當於兵戎也耶？

大師不祇一解，大師言大部隊，大兵戎之外，尚可視大師爲掌六律，合陰陽之聲者如周禮春官大師者是，論語某在斯，某在斯，固相師之道也。孟子召大師作君臣相說之樂。史記伏生傳「山東大師無不涉尚書。」以大師爲學者尊稱。後世又以尊僧徒爲大師。大師之大又通太，太師則爲三公之最尊者。通志氏族略更以太師爲複姓，謂以官爲氏，商有太師摯，周有太師疵。

由大師不一解，則知恃强而一天下與中國善以德化天下之傳統不侔，易大家「戰必克。」同不離兵之說似可斟酌，蓋人之有異志，叛逆性，因成長層次而遞變，三之伏戎，升陵，叛逆性至親痛仇快而不悟，九四則有轉機，「乘墉而弗克攻。」知所難則知自反，五之克遇大師，毋論其是否目盲心不盲之大師抑學者之尊大師，三公之尊太師，其爲悟五同之以德，不同之以力則一也，九五之轉人生另一境界，號咷之狹而後笑，笑其往日狹；笑其睚眦望深之稚，留候一腳成就高祖，太師一擊碎琴，可曾醒悟晉公？故成就九五而後笑者，克相遇大師也。「大師克相遇」之說，其有當乎？

上九，同人于郊，无悔。

象：同人于郊，志未得也。

虞翻：乾爲郊失位无應，與乾上九同義，當有悔。同心之家，故无悔。

候果傳象：獨處于外，同人于郊也。不與內爭，无悔吝也。同人之時，唯同于郊，志未得也。

王弼：郊者外之極，處同人之時，最在於外，不獲同志而遠於內爭，故雖无悔吝，亦未得其志。

孔疏：處極外，雖欲同人，人必疎己。陽在外，遠內之爭訟，故无悔吝。以在外郊，故未得志也。

程頤：郊在外而遠之地，求同者必相就相與，上九居外而无應，終无與同者也。始有同則至終或有睽悔，處遠而无與，故雖无同亦无悔，雖欲同之志不遂，而其終无所悔也。

蘇軾：物之同於乾者已寡矣，今又處乾之上，則同之者尤難，以其无所苟同則可以无悔。以其莫與共立則志未得也。

朱熹：居外无應，物莫與同，然亦可以无悔。故其象占如此。郊在野之內，未至於曠遠，但荒僻无與同耳。

項安世：同人六爻，獨上九爲不得志，獨不見同，此二之吝，非上之傲也，故爲无悔。又上九在國外，處遠而无同，亦非己之悔也。上已无望矣！郊喻其遠而已！又大有之初九，即同人上九之反對，皆遠於柔也。

朱震：上九在外，遠於二，未得志也。動得正同九三，故動而无悔。處不爭之地，動而无悔。九三自至。同人在不與物爭，而物情自歸乎！

李衡引子：居外已過其同，无與同者，患爭之禍免，求同之志可得乎！引薛：郊，邑之近也，自初至上皆不及卦德之亨，德不兼濟，故自守而无悔也。

梁寅：上九无所係應而同人于郊，所同者遠，亦无私矣。然猶未能周於天下，止於无悔而已。

來知德：乾爲郊象，國外曰郊，郊外曰野。上九无與，无人可同，既无所同則亦无所悔。

王船山：上遠二，與二同者浮慕其名，泊然相遭於逆旅而已。本无求同之志，故失亦无悔。

李光地：在卦之外，野之象。國外爲郊，郊外爲野，雖未至野，然近野矣，故占无悔。同人之道，以野爲至上。傳象內卦自同而異，外卦返異之同，三四未能同，二有于宗之戒，五有攻克之難，于門于郊而已，終未能未野而大同也。

毛奇齡：蓋從此是路人矣！徐咸清曰同人于郊與同于野同。

李塨：此出世之人攜手同行以爲朋者，如長沮桀溺，師戎不問也。侶煙友霞，尙何過悔！同人之道，妒忌而戈矛者有之。善交者通天下之志，作易者其有憂患乎！

吳汝綸：東坡云野无求之地，凡從我者皆誠同也。

伊籐長胤：于郊謂在外而遠。居外无應，交非私昵，故无悔。蓋交過親密，終必貽悔。既不得親，亦不致悔。

薛嘉穎：上居卦外，心无繫應，所同者遠，有同人于郊象。又无係則公，无悔之道也。

丁壽昌：爾疋邑外謂之郊，郊外謂之牧，牧外謂之野。王郊者外之極，蔡節齋國外曰郊，郊外曰野，未出乎卦，故曰郊。折中郊去野猶一間。虞曰乾爲郊。

曹爲霖：唐僞周僭制，武氏族皆貴顯，武攸緒獨隱嵩山，此同人于郊也。及武三思伏誅，諸武无一存者，攸緒獨恬澹遠禍，故无悔。

馬通伯：同人于郊，此列國會盟之象。棄怨修好，故无悔。苟信不繼，盟无益也。故又曰志未得。爻許平，傳勉信。

劉次源：郊猶有域，野則无垠，同人于郊，是世界未盡大同，上无應與。同于郊自可同于野，進世界大同无悔也。

李郁：上最遠故稱郊，非如門之近，莽之穢，墉之險，陵之高，同人至此，交已廣，處已泰，雖乘剛亦可无悔也。

胡樸安：上爻退兵振旅，預備第二次進攻，同人于野始謀也，同人于郊，結同人之終，志未遂，故象志未得也。

高亨：邑外曰郊，祭祀於郊必有多人同往，故易以同人于郊四字概括之，爲同人于郊而筮，遇此爻則无悔。
徐世大：人心團結，仍宜有憑籍方可，郊无城塞可守，即能團結一時，亦易渙散，无悔最勉之語，一動搖全功盡棄而悔无及矣。
金景芳：郊是邑外，野內。遠子邑，近于郊。同人的廣度大于門，小于野。
李鏡池：這是班師致祭。无悔似也是另占的貞兆辭。
傅隸樸：上九在九五之外故爲郊，九五居中得位，天下之可同者均爲所同，上九置身事外，雖无利，也无悔，故曰同人于郊，无悔。
林漢仕案：上九乃同人之回顧，由初歷二三至上之途程，胡適勸有功業者撰回憶錄時，不妨以實錄示人，則人知效法，偶然過失，無損其偉大，如必一定幼而壯皆聖人，偉人相，其著述無益後生，蓋天縱英睿，無從效法也。同人之成長過程，乃不隱瞞乘田，委吏，砍櫻桃樹之類也乎！
上九同人于郊，无悔何謂也？
象云：同人于郊，志未得也。
虞翻：乾郊失位无應，乾上九同義，同心故无悔。
侯果：獨在外，不與內爭故无悔，同人于郊，志未得也。
王弼：同人時最在外，不獲同志，遠內爭，雖无悔亦未得志。
孔疏：處極外，人疎己，遠內訟故无悔吝，在外故未得志。

程頤：求同中相親與，上居外无應，始同終睽，處遠无所悔。

蘇軾：同乾者寡，乾上尤難同，无所苟同則无悔。莫與共立志未得。

朱熹：居外荒僻无與同，可以无悔。

項安世：獨上九爲不得志，在國外處遠无同，上已无望矣。

朱震：上九遠二爲未得志，動同三故无悔，處不爭之地，動而无悔。

李衡引：居外，患爭之禍免，求同之志可得乎！

梁寅：上九无係應，同者遠无私矣，未能同天下，止无悔而已。

來知德：乾爲郊象，國外曰郊，无應與，无人可同，无所同亦无所悔。

王夫之：遠二，本无求同之志，故失亦无悔。

李光地：內卦自同而異，外卦返異之同，郊未能至野而大同也。

毛奇齡：從此路人矣！同人于郊與同人于野同。

李塨：此出世之人攜手同行以爲朋者，侶煙友霞，尙何過悔！

吳汝綸：「東坡云『野无求之地，凡從我者皆誠同也。』」

伊籐長胤：郊遠无應，交非私昵故无悔。

薛嘉穎：上居卦外，无係則公，无悔之道也。

丁壽昌：未出乎卦，故曰郊。

馬通伯：同人于郊，此列國會盟之象。修好故无悔。
劉次源：郊有域，世界未盡大同，進世界大同无悔也。
李郁：同人至此，交已廣，處已泰，雖乘剛亦可无悔也。
胡樸安：退兵振旅，預備第二次進攻。
高亨：祭於郊，必有多人同往，郊而筮，遇此爻則无悔。
徐世大：郊庶城塞可守，即團結一時，亦易渙散。勗勉語。
金景芳：同人的廣度大于門，小于野。
李鏡池：班師致祭。
傅隸樸：上九在九五外爲郊，置身事外，無利也無悔。

卦辭「同人于野。」謂同人未必盡合於禮，然同者多，由初之牙牙學語，同于門；至出門就師學藝，同于宗，攬小團體，小勢力；伏戎，升陵，乘墉之莽撞，而同之者若滾雪球，愈聚而愈多；九五得其人，「大師克相遇。」其笑，得其組織乎！高祖之嘆今日始知爲帝之樂。同人之烏合，至此而朝綱具，倫常備矣，蓋有大帥之名則少帥，小子之目可以預見。同人于郊，所同者非盡昔日吳下阿蒙矣！金景芳，李郁之謂「同人至比，交已廣，處已泰。」「同人廣度大于門」者。雖違先賢之傳注，實與作易者原始之志相通。

「同人于郊，無悔。」象首發其「志未得」！何爲志未得？

侯果糸「同人之時，唯同于郊」爲志未得。

程頤以「上九居外無應，雖欲同，志不遂。」爲志未得。

蘇軾以「莫與共立則志未得。」

項安世謂上九獨不見同爲不得志，此二之吝。」然則上九欲同者首標出六二。

朱震：「九在外，遠於二，未得志也。」敘上九亢龍之求二，能無硜硜然小人之志？

梁寅謂「上九未能同天下」。與項朱所述，上之心志有天淵之别。

來知德謂「无人可同。」來棄上九爻文「同人于郊」而不顧，明明爻曰同人于郊，何爲「无人可同」？謂九三無應可，謂九三動，或上九動而互動可，謂「无人可同」則有悖爻意。

王夫之云「遠二，本无求同之志。」既無求同，當無志之得與未得！

李光地云「郊未能至野而大同。」卦辭「同人于野」乃總一卦言。爻由門而宗，而郊，由小而大。卦辭言其大概，未可執是郊野之文而惋嘆未能至野而大同也。爻郊之同即卦辭野之同也，卦辭總六爻之動而示其意，非是卦辭爻解間有矛盾。李云「內卦自同而異，外卦返異之同。」則爲不易之論！

毛奇齡云：「從此路人矣！同人于郊與同人于野同。」毛所謂路人，不通疴癢，從此上九成陌路之人。李塨謂出世之人如長沮桀溺，侶煙友霞，毛李之謂似不能通上九之志，上九尚於人同于郊，如之何成路人？成侶煙友霞出世？

薛嘉穎謂「上九居卦外，无係則公。」「無係」未必公，以無係爲公，則一切「帝力與我何有哉」皆公矣，許由公矣，莊光公矣，長沮公矣，虛雲和尚公矣！

馬通伯謂「列國會盟象」。郊可以祀，可以盟，同人之加廣也。馬註可聊備一說。

劉次源入吶喊口號矣，如何進世界大同？

徐世大極富想像，同人至郊，無城塞可守。然同人于門，于宗，又幾見城塞？

傅隸樸以「上九在九五外，置身事外」，不知上九正欲有爲也，聚人於門於宗，何如于郊？同人上九非爲老驥伏櫪，爲盡人事尙汲汲于同也，非但未置身事外，入世之情，盡己之志，展示老當益壯也，天命何如未予計較，作易者許「无悔」，正許壯志未酬，奮力一博於暮年亦可也。回顧從前種種，中年荆天棘地一掃之矣，從此坦途視野平闊也。李郁云「交已廣，處已泰。」金景芳云「同人的廣度大于門。」是眞有其灼見！

同人于野，亨，利涉大川，利君子貞爲總同人卦辭，而同人于門乃同人踏出第一步，清濁皆同，慶子侄之成長，故無咎；同人于宗，同人逐漸形成模式，交通特定對象，不能蓄兼容異同之志，不能免乎偏狹之譏，爻辭是以貶之曰吝；積非成是，便辟，善柔之党與常置左右，自畫壁壘，自萌異志，升陵，伏莽，皆悖倫常，識短見淺，仇讎攘臂魯莽從事不知悔；九四仍續蓄勢，造勢，至弗克攻，則有體認主客情勢之不可，幡然向理，同者亦見機隨轉，聖人許爲吉者，豈偶然哉！九五號咷向之同而未化者，嗚惜不能共享苦後之樂果共嚐，亦有遽伯玉知四十九年之非之嘆，又獲大師悟之以德，不欲鳥獸盡，走狗烹，笑樂君臣有終也，觀唐太宗與尉遲敬德君臣有終，太宗以史事爲師也。上九同人于郊，老當益壯，汲汲同以竟未了之志，所同者尤寬廣，所視者尤平闊，老驥不甘伏櫪，志仍千里也。孔子云老年戒得。得過且過，倚老賣老之不可，作易者明白告以一往無前，無悔也。願天下同爲老人者共勉。一息尚存，不得懈怠也。

䷎謙卦（地山）

謙，亨。君子有終。

初六，謙謙君子，用涉大川，吉。

六二，鳴謙，貞吉。

九三，勞謙，君子有終，吉

六四，無不利，撝謙。

六五，不富，以其鄰，利用侵伐，无不利。

上六，鳴謙，利用行師，征邑國。

䷎ 謙，亨，君子有終。

彖：謙亨，天道下濟而光明，地道卑而上行。天道虧盈而益謙，地道變盈而流謙。鬼神害盈而福謙，人道惡盈而好謙。謙尊而光，卑而不可踰，君子之終也。

象：地中有山，謙，君子以裒多益寡，稱物平施。

虞翻：乾上九來之坤，與履旁通，天道下濟，故亨。彭城蔡景君說，剝上來之三。君子謂三，艮終萬物，故君子有終。傳彖：乾盈履上虧之坤三，故虧盈。貴處賤位，故益謙。謙二以坤變乾盈，坎動而潤下，水流溼，故流謙。鬼謂四，神謂三。坤爲鬼害，乾爲神福，故鬼神害盈而福謙。乾爲好人，坤爲惡也，故人道惡盈，从上之三，故好謙。天道遠，故尊光，三位賤故卑，坎水：就下，險弱難勝，故不可踰。

鄭玄：艮爲山，坤爲地，山體高，分在地下，其于人道，高能下下，謙之象。亨者，嘉會之禮，以謙爲主。謙者自貶損以下人，唯艮之堅固，坤之厚順乃能終之，故君子之人有終也。

九家易傳彖：艮山坤地，山至高，地至卑，以至高下至卑！故謙也。謙者兌世艮與兌合故亨。

侯果傳彖：此本剝卦，乾之上九來居坤三，是天道下濟而光明也，坤之六三上升乾位，是道地道卑而上行者也。

崔憬傳彖：若日中則昃，月滿則虧，損有餘以補不足，天之道也。高岸爲谷，深谷爲陵，是爲變盈而流謙，道之道也。朱門之家，鬼闞其室，黍稷非馨，明德惟馨，是其義也。滿招損，謙受益，人之道也。

孔穎達正義：謙者，屈躬下物，先人後已，以此待物，則所在皆通，故曰亨。小人行謙不能長久，唯君子有終也。

王弼傳象：多者用謙以爲裒，少者用謙以爲益，隨物而與施不失平也。（孔疏：裒，聚也。）

程頤：有其德而不居謂之謙。人以謙巽自處，何往而不亨乎！君子之志，存乎謙巽達理，故樂天而不競，內充故退讓而不矜，安履乎謙，終身不易，自卑而人益尊，自晦而德益光，此所謂君子有終也。在小人則有欲必競，有德必伐，雖使勉慕於謙，亦不能安行而固守，不能有終也。

張載傳彖象：人自要尊大，須意我固必欲，順已尊己，又悅己之情，此所以取辱，取怒也。夫尊者謙則更光，卑者謙又如何踰之，故尊者益光，卑无人可踰越。謙，天下之良德。又易大象，是實事，小象則容有寓意而已。

蘇軾傳彖：不以其終觀之，則爭而得，謙而失者蓋有之矣，惟相要於究極，然後知謙之必勝也。又傳象：裒，取也。謙之爲名，生於過也。物過然後知有謙，使物不過，則謙乃中爾。反中而已矣！地過乎卑，山過乎高，故地中有山，謙，君子之居是也，多者取之，寡者益之。

朱熹：謙者有而不居之義。止乎內而順乎外，謙之意也。山至高，地至卑，乃屈而止其下，謙之象也。占者如是則亨通而有終矣。有終謂先屈後伸也。

項安世：謙亨，天道下濟而光明，地道卑而上行，此以卦體釋卦辭也。下濟與卑釋謙字，光明上行釋亨字。尊者行之有光，卑者行之不可踰，始雖謙下，終必高明，是有終也。必稱君子者，以君子之心行之，則有後福。質之天地神人之心，以明有終之義也。

朱震：復三變，剝四變皆成謙。上降下者謙也，處下能卑者常也，未足以盡謙義。上九降三，六三升上，此謙所以亨也。尊者屈，卑者伸，天道下濟，地道上行，萬物化生，陽濟陰，非謙亨乎！曰濟，曰光明，坎象也。人參天地而行鬼神，觀人事之得喪，則知鬼神之禍福矣。以盈爲去，以謙爲尙。九在上，盈也。三往損之爲虧，盈變盈，禍盈，惡盈。三在下爲謙，九來益之爲益謙，流謙，福謙，好謙。益福好之者，陽也。謙之爲德，其至矣乎！所處尊矣，道則彌光，所執卑矣，德彌尊。故卑不爭，尊能降，愈久不厭，乃能有終。以卦氣言之，小寒也。故太玄準之以少。

李衡引石：六十四卦惟謙六爻无悔吝，皆吉。能謙則亨通矣。引胡：艮下剛而止，坤上柔而順。內剛止而外不柔順則失於亢，外柔順而內不剛止則近於佞。引陳傳象：高者處下，讓也，卑者上行，報也。地加於山而山愈高，山載於地而地益厚。故多者用謙而更裒，寡者用謙爲益，則多而不爲溢。引石傳象：山高則損之，地卑則益之，是損山高益地卑也。夫損高益卑，損多益寡，乃稱物平施。

梁寅：人能謙巽，乃亨道。書謙受益。詩人能謙，其益其福。有不期而然者矣，常人有能必矜，有功必伐：視已常有餘，視人常不足。君子不矜不伐，安理樂天，故謙而有終者，君子之德也。

來知德：君子，三也。三爻艮終萬物，故曰有終。天尊而下濟，謙也，地卑，謙也。謙必亨。天道益謙以氣言，地道流謙以形言，福謙以理言，好謙以情言。統言天地鬼神人三才皆好謙，皆自屈于其始，自伸于其終，君子所以有終也。

王船山：謙古與慊通用，不足之謂也。一陽浮奇衆陰之中，不足甚矣。陽未泯喪，不足伏處三陰之下，安止順受，爲能受益而進於善，是以君子有取焉。孤陽介立，君子念此學知不足，教知困，雖至聖不自聖，虛受萬物廣其仁，則謙而有終矣。

李光地：一陽統衆陰而居下體，有功不德之象。亨者事之可通，有終者，道之可久。

毛奇齡：歸藏易作兼。子夏傳作嗛。說苑終下有吉字。山高而居地下，謙也。謙必亨，是以君子有終也。君子剛象，三終象，艮萬物成終象，有終矣。

吳汝綸：古本作嗛，少也。太玄擬之爲少。通作謙敬之謙亨，通，又嘉會，借爲享。說苑引此文終下有吉字。

李富孫子夏作嗛云謙也。說文嗛，口有所銜，與謙字義別。此嗛謙通借，錢氏曰古書言旁與口旁字往往相通。

丁宴：漢書易之嗛嗛。尹翁歸溫良嗛退，師古以爲古謙字。汗簡云古文尚書謙作嗛。又案釋詁虧，毀也。而福謙，釋文作富謙，釋名福，富也。說文富從宀畐聲，畐即福字。

伊籐長胤：謙者，有而不居之謂。凡卦中陰陽唯一爻者，多以是爻爲主。謙卑之極，物莫能踰，爲事有終象。蓋人所患在不能自下，貴不下賤，智不下愚，强不下弱，各挾知相陵轢，自貽其戚。以能問不能，多問寡，據王公之勢，下匹夫之微。人心悅從，宜乎君子之有終也。

薛嘉穎：謙道人不能久，君子乃能有終也。何氏諧曰饑馬在廄，漠然無聲，投芻其旁，爭心乃生，小人惡能謙哉！

丁壽昌：謙，卑退，屈己下物。作謙，嗛解不足也。王伯申曰謙尊而光。尊讀撙節退讓之撙。說文無撙字，借尊為之。或通作繜。楊倞注荀子僔與撙同，卑退也。又象裒字引蜀才等作捊，取也。作掊，作褎毋作俘俘褎。

曹為霖：松雪潘氏云功愈高，心愈下，德彌盛，體彌恭。陽明子云象之不仁，丹朱之不肖，只是傲處結果一生，謙者傲之反也，故有終。

馬通伯：馮椅曰一陽自上退處三四，下為謙，奮出於上者為豫。蔡淵曰：天道以氣言，日月陰陽是也；地道以形言，山谷川澤是也。鬼神以理言，災祥禍福是也，人道以情言，予奪進退是也。韓詩外傳以恭儉卑畏愚淺六守為謙。

劉次源：謙者自視歉然也。山依于地，地陷則山崩。故不可以盈，盈則必傾。順乎人人之意而无忤，其道乃亨。

李郁：謙為戒惰之卦。有若無，實若虛，此謙之大用。以卑巽退葸謂之謙者，非聖人之意也。乾交坤得正，故亨。君子指九三，終謂內卦之終。歉中求盈，勤勞自勉故有終。

胡樸安謙，說文敬也，从言兼聲。兼，幷也，从又持禾。持一禾為秉，二禾為兼，引申為握權。謙从言教之也，从兼聲，稼穡事也。訓敬，敬其事也。會合人民教以稼穡也。

高亨：亨即享字，古人舉行祭祀故記之，君子之事有終。

徐世大：說文謙敬也似有普敬之義。但謙實無如敬天，敬君，祇能自慊或自卑，集解引劉表「降己升人」是也。譯文普遍，先生們的歸宿所在。

楊樹達：韓詩外傳卷八持盈之道，抑而損之，順之吉也。貴爲天子不謙而亡身者，桀紂是也。易道大足治天下，安國家，守其身，惟謙德乎！又卷三衣成缺袵，宮成缺隅，示不成者天道然也。潛夫論遏利篇：以邪取於前者，衰之於後，持盈之道挹而損之，可免亢龍有悔，乾坤之愆矣。

屈萬里：釋文子夏及熹平石經作嗛，云：「嗛，謙也。」虧，釋文：「馬作毀。」福，釋文：「京房作富。」老子：「天之道其猶張弓乎……」又尊，經義述聞讀爲撙，損也，小也。光，廣也，大也。尊而光者，小而大，卑不可踰，卑而高也。裒，集解，釋文並作捊，取也。

金景芳：謙卦文爻皆吉，謙必得亨。因此過去取名叫什麼「地山」的很多，地山謙嘛。艮在下，所以說天道下濟而光明，坤在上，所以說地道卑而上行。項安世以九三，乾也，降在下卦，是下濟而光明。王引之尊改成撙不好，壞習氣，是尊卑的尊，代表天，王引之改的不對。

李鏡池：君子：指貴族。有終：有好結果，有成就。意謂貴族具備謙讓的美德，是會有成就的。

闞角如（趙來祥整理）：變指傾壞，流聚而歸之。人能謙，尊者德愈光，卑者人莫能過。謙是有而不居，不進不爭，一陽甘處三危地，謙者居之。（今人讀易）

傅隸樸：有謙虛，謙卑二義。富而分贍貧人，貴而遍尊賤人。將以爲人己愈有也。謙是指有功業地位者言。謙是亨通之道。老子說「美言可以市尊，美行可以加人。」

徐芹庭：謙有不居之義。君子指三，艮終萬物。

林漢仕案：爲不矜伐，功成不居，處虛，處退，處下，處弱，處賤，處卑，抑損不爭，蓋懼滿招損，盈則虧也。然不知權變，不識敵我，一味虛下，能無兼弱攻昧，遭吞噬之慮？身之不存，國之不保，不知謙退之用也！易爲君子謀者，宜乎以仁義爲本，信順爲宗，常謙之道要脩，權變之數不失，則其道不乖而其用無窮。執一之蔽，猶論語孔子稱執中無權也。

謙可以進出誠，然謙非誠。誠之敬也，（廣雅）與謙之敬也（說文），恭也相通。謙爲德之柄，德之基，而誠乃天道，所以成己成物。以誠出之，人或以爲謙卑下物，然忠信能實在其中。謙可以爲用，而誠之一入用，不能謂之「誠之者人道也」矣！詭異無誠也。

莊子德充符篇敍兀者申徒嘉之不屈子產，不違執政，據理斥子產之游已形骸之內，索我形骸之外之過。申徒何嘗謙！何須謙！愈謙退卑下，執政子產愈不明理而愈彰其過矣，固非愛同窗之道也。魯哀公之欲相衛之醜人哀駘它，孔子美彼爲才全而德不形。其用能使丈夫不去，婦人請爲妾，是眞有異乎人者也。誠而無實，謙而無才，其謙不足以福益人也。故謙之在我者才劣，人視爲固當如是已；謙之在人而優於我，非懼我則有求於我也。觀「王莽謙恭下士時」，隱藏用謙之目的而處卑處退，非懼於滿招損，盈轉虧也，故主一謙之下何往而不亨者，是又不然也！茲輯各易傳大家之議以明謙亨之理，因亨故君子有終也之義：

彖傳謂天道下濟，地道上行，謙尊而光，卑不可踰，君子之終也。

象傳謂地中有山，君子裒多益寡，稱物平施。

虞翻謂乾上九來坤，天道下濟故亨。彭城蔡君說剝上之三，艮終萬物，故君子有終。

鄭玄謂山高，今地下，於人道，高能下下，謙象。自貶損以下人，艮固坤順乃能終，故君子有終。

九家易傳謂山至高，地至卑，至高下至卑，故謙。

侯果謂剝上九乾來坤三，坤三升乾，是下濟上升也。

崔憬云：若日中則仄，月滿則虧，損有餘補足，天之道也。

孔穎達云：謙者屈躬下物，先人後己，以此待物，則所在皆通，故曰亨。小人行謙不能長久，唯君子有終也。

程頤：有其德而不居謂之謙。人謙巽，何往不亨！小人有欲必競，有德必伐，君子不競不伐，故君子有終。

張載云：尊者謙更光，謙，天下之良德。

蘇軾云：物不過反中，故地中有山，謙。君子多取寡益。

朱熹云：謙有不居之義，止內順外，山屈止地下，謙象。有終謂先屈後伸也。

項安世云：下濟與卑釋謙，光明上行釋亨。始謙下，終必高明，是以有終。

朱震云：處下能卑者常也，未足以盡謙義。上降下者謙也。處尊執卑則道彌光，德彌尊，愈久不厭，乃能有終。

李衡引石云：能謙則亨通矣。

梁寅云：人能謙巽，乃亨道。書謙受益。君子不矜不伐，安理樂天，故謙而有終，君子之德也。

來知德：君子三也。三爻艮終萬物故有終。屈始伸終也。

王夫之：謙慊通。不足之謂也。孤陽介立知不足，雖至聖不自聖，則謙而有終矣。

李光地：一陽統衆陰居下體，有功不德，亨，事可通，有終，道可久。

毛奇齡云：謙作兼，嗛，說苑終下有吉字。

吳汝綸：嗛，少也。太玄擬之爲少。嘉會借爲亨。

李富孫引錢氏曰嗛謙口旁字往往相通。

伊籐長胤：謙者有而不居之謂。據王公之勢，下匹夫之微，人心悅從，宜乎君子之有終也。

薛嘉穎：謙道人不能久，君子乃能有終。

丁壽昌引王伯申謂尊讀撙節退讓之撙。或通作繜，楊倞注荀子僔與撙同，卑退也。

曹爲霖引謂功愈高，心愈下；德彌盛，體彌恭。又引云象，丹朱之不仁不肖，只是傲處結果一生。

馬通作謂韓詩外傳以恭儉卑畏愚淺六守爲謙。

劉次源：謙者自視欿然也。順乎人人之意而无忤，其道乃亨。

李郁：謙者爲戒惰之卦，有若無，實若虛，此謙之大用。以卑巽退葸謂之謙者，非人聖人之意也。

勤勞自勉故有終。

胡樸安謂謙義爲會合人民敬其事，教以稼穡也。

徐世大謙，引集解劉表「降己升人」是也。

楊樹達：貴爲天子不謙而亡身者，桀紂是也。

屈萬里：尊，經義述聞讀爲撙，損也，小也。光，廣也。尊而光，小而大也。裒，取也。

金景芳：王引之尊改成撙，不好。是尊卑的尊，代表天。

李鏡池：君子指貴族，有終，有好結果，有成就。

闕角如：卑人莫能過，謙是有而不居，不進不爭。

傅隸樸：謙卑有二義，富分貧人，貴遍尊人，將以爲人己愈有也。指有功業地位者言。

從以上匯集姑引孟子所謂「詖辭知其所蔽，淫辭知其所陷，邪辭知其所離，遁辭知其所窮」以爲楔子，述其所以蔽，陷，離，窮之一二，祇能略述也，讀易君子從而得一二啓發，或有裨益焉：

彖謂謙尊而光，卑不可踰。大謙之德爲天下良德。有人不以爲是，謂謙慊通，慊爲不足，聖不自聖也。又有人謂謙兼嗛相通，嗛義，少也。口有所銜也。韓非以恭儉卑畏愚淺爲謙。

尊於尊者，彌尊，高尚而外，有人以爲尊讀爲撙節退讓之撙，或通作縛，僔，卑退也。屈萬里引經義述聞謂尊讀爲撙，損也，小也。金景芳以爲非是，仍以尊卑之尊釋字。光從光榮至光大，光廣也，故謂大，尊而光，是小而大。

爻辭謙之所以亨者，於是乎有下列十三說：

乾上九來坤與履旁通，天道下濟，故亨。（虞翻）

山體高，今在地下，于人道高能下下，謙象。亨者嘉會之禮以謙爲主。（鄭玄）

兌世艮與兌合故亨。（九家易）

屈躬下物，先人後己，以此待物，所在皆通故曰亨。（孔疏）

有德不居，謙巽自處，何往而不亨。（程頤）

以天尊而下濟與地道卑謙也，而其光明，上行，釋亨字。（項安世、來知德）

上九降三，六三升上，此謙所以亨也。（朱震）

能謙則亨通矣。（李衡引）（梁寅）（毛奇齡）

一陽統眾陰而居下體，有功不德象，亨者事之可通。（李光地）

亨通，又嘉會，借爲享。（吳汝綸，高亨）

順乎人人之意而无忤，其道乃亨。（劉次源）

戒惰之卦，有若无，實若虛。乾交坤得正故亨。（李郁）

謙六爻皆吉，謙必得亨。（金景芳）

以上十三說，撮其要爲：天道下濟，嘉會以謙爲主，屈躬下物，有德不居，能謙則亨；其象爲艮兌合，上九降三，六三升上，一陽統衆陰而居下體；別義以亨為亨；六爻皆吉，謙必得亨。劉次源之「順乎人人之意而无忤，其道乃亨」。若是者亨之遙不可及也矣！蓋人之有賢愚正詖，俗謂一種穀養百種人，必人人之可順，得有兼人之口以遊「中人以上」則語上，「中人以下」則語下，而成見在先如彼宗教徒：七億回教模罕默德膜拜者，四億天主崇拜者，十數億阿彌陀佛信徒，雖百口亦難易其信仰，況順其意而無忤矣，不能勝人必順於人，順乎彼又必逆乎此，蓋人心之不同，各如其面也，吾於是知劉君次源之「順乎人人」之說不得其義也明矣！若夫大能如伊尹者，鄭子產者，可以「先覺覺後覺。」可以轉變「孰殺子產吾其與之」為「子產而死，誰其嗣之」，則雖暫時不順終可大順也，子貢之問鄉人皆好之何如？孔子答以「不如鄉人之善者好之，其不善者惡之。」正乃賢者能者之不求天下一致，大悅歸已而得亨道也。「民可使由之，不可使知之」也。即小如議會，欲其一致通過而無異議，必史達林式議會得之，是人人順於一人矣！至金景芳以謙六爻皆吉謂謙必亨者，觀爻文，謙之三吉何如臨之四吉？晉之四吉？家人之五吉？謙前三爻吉，後三爻無不利或利用行師，利用侵伐。利用侵伐有无不利之文。「利用行師，征邑國。」則似見有蕭牆之內憂也。五爻為遠人不服，故利用侵伐，上六征邑國，專以近處言之，未著吉否，而易家以為吉者，以其謙也。金前輩之云六爻皆吉，有不然者矣！

李郁之稱「此謙之大用，有若無，實若虛。」蓋得之矣。謙非窩囊退葸，韓詩外傳以恭、儉、卑、畏、淺、為謙，以之為用，可以。有而后謙，實而后虛，人不能欺，不可欺，不忍欺，亦無由欺之也，可統言謙之德而著其功也，有我亦有人也。故能亨，彖之言益謙，流謙，福謙，好謙，來知德以氣形理情統言鬼神三才皆好謙，謙德之用大矣哉！

初六，謙謙君子，用涉大川，吉。

象：謙謙君子，卑以自牧也。

荀爽：初最在下爲謙，二陰承陽亦爲謙，故曰謙謙也。二陰一陽，相與成體，故曰君子也。九三體坎，故用涉大川吉也。

九家易傳象：承陽卑謙，以陽自牧養也。

王弼：處謙之下，謙之謙者，能體謙謙，其唯君子，用涉大難，物无害也。

孔疏：能體謙謙，唯君子者能之，以此涉難，其吉宜也。用涉大川，假象言也。傳象：牧，養也。以謙卑自養其德也。

程頤：以柔處謙，居一卦之下，爲自處卑下，謙之又謙也。故曰謙謙。自處至謙，衆所共與，雖用涉險難，亦无患害，況居平易乎！何所不吉也。柔居下乃其常也，謙之至故爲謙謙，未見其失也。

張載傳象：牧，逸也。

蘇東坡：此最處下，是謙之過也。是道也。无所用之，用於涉川而已，有大難不深自屈折，則不足以致其用。牧者養之，以待用云爾。

朱熹：以柔處下，謙之至也。君子之行也，以此涉難，何往不濟！故占者如是，則利以涉川也。

項安世：初六非小人所宜處，初在謙下，過謙者也。小人用之爲柔佞，君子不得已時用之以濟難，求吉之道也。又用涉大川者，非利之也，有險在前，用此可以免凶也。

朱震：初六本復之六三，以柔居謙之下，謙之又謙者也。謙謙，故能得眾用之以犯大難。三坎爲大川，初動之四成巽，股涉大川也。自牧，自養也。牧畜者，一童子自後鞭之，足制其剛，然後剛可用。坤牛，艮少男。初處柔在內，其動剛，卑以自牧也。君子卑自牧則能謙，謙則得眾。施之於他則卑已甚矣。

李衡引介：利涉大川，非涉大川然後吉也。其才其時，利涉大川耳。用涉大川者，用此以涉大川然後吉耳。

梁寅：初六外柔內剛，非徒能謙謙而无其才者也，外柔則不陷於險，內剛則能濟險。互體爲坎，初六前近之，故涉大川之象。

來知德：六柔，謙德也。初卑位，以謙德居卑位，謙而又謙，君子有此謙德以之濟險亦吉矣。又凡易中有此象而無此事理者，於此爻涉大川見之，蓋金車玉鉉之類也。周公立爻辭，止因中爻震木在坎水上，就文依理，只得說能謙，險亦可濟也。

王船山：內卦體也，謙以修已；外卦用也，謙以待人。謙謙者處不足之地而持之以歉也。初六當潛藏之位，初學立志之始，知道廣大而行不逮，柔心遜志於道，君子之修也，用涉大川者，下學而上達，日不足則日益，雖以涉浩渺之域而馴至之，無不吉也。

李光地：六爻皆謙，初居下，是謙而又謙也。君子用此以涉大川，則能得人之和，可以濟矣，故吉。

毛奇齡：謙之初即復之三也。三在下卦，謙也。後遜位初，又謙山。山在地中，謙也。初爲山足，又謙也。謙又謙，非君子乎！雖然互坎在前，通視爲大坎，川也，柔降而剛升，能涉之而何勿吉！

李塨：謙之又謙，卑以自養，非君子乎！即涉川尙憂風波乎！吉矣。利涉者，宜乎涉也；用涉者，用之涉也。張湛虛曰雖有大險，遇謙則平。

吳汝綸：說者謂謙而又謙，失之。嗛嗛句。君子用嗛嗛之道涉大川也。象斷四字爲句，爻不然也。

伊籐長胤：謙謙者謙而又謙。蓋在險難之時，必也謙損欽畏，卑以自牧（牧養其德）而後可以蹈大難而收成功。然柔庸即處厄而謙，亦何濟事，故必言君子也。

薛嘉穎：初處謙下，謙而又謙，君子之行也。何氏楷曰借涉川以明履危處難之道。

曹爲霖：思庵葉氏曰魯恭士機汎，冬日行陰，夏日行陽，市肆不粂行。答魯君釋恭問：君子恭以成名，小人恭以除刑。成回亦答其師子路問：行年雖老，常恐行之中隳，亦恭敬以俟命而已，二子其謙謙君子與！

馬通伯：王安石曰利涉，其才利於涉。用涉，用此以涉。胡一桂涉川貴遲，重謙謙止是不爭，先自无失。其䄂案易言利涉，取闢地圖功之義，非謙者所尙。故變其文用涉。

劉次源：以柔處下，小心翼翼，无肆于欲，履險不險。

李郁：抑則楊之，歛則張之，初六過于謙卑，是宜奮起，用剛變柔，乃能行遠。

胡樸安：君子教氏稼穡，牧牛之事亦自爲之。說文牧，養失人也。故象卑以自牧也。率人民洪水初平涉川耕種。

高亨：自矜善射者多死於矢。善戰善涉者死兵於水，臨大川而惕栗，操巨舟則無沈溺之患，故曰涉大川，吉。

徐世大：謙可通慊及歉，慊疑。歉，食不足。兩者皆有所不足，涉川以惴惴然戎慎恐懼，亦處世之正經。惟舉例形容過甚。爻譯：惴惴然，先生們涉大河有福了。

楊樹達：漢書藝文志，道家者流蓋出於史官，清虛自守，卑弱自持，君人南面術也。易之嗛嗛，一謙而四益，此其所長也。

屈萬里：群經平議：「楊倞注荀子牧，治，卑以自牧者，卑以自治也。」吳汝綸易說，「自牧，自活也。」釋文鄭玄曰牧，養也。

金景芳：處下，陰爻，朱子說以柔處下，謙之至也。講得對。象牧字，孔穎達說養。程頤說郊牧的牧，張栻牧羊的牧，都不對，孔氏卑以自牧，就是卑以自養。

李鏡池：謙謙：猶言謙而又謙。用：利。屬行旅之占，附載。

闞角如（趙來祥整理）：初六謙居最下處，自牧不是由別人管制的。

傅隸樸：陽位陰居，卑柔自處之象。爻居謙卦最下，謙而又謙之象，故曰謙謙。人謙之又謙，何難不可解？

徐芹庭：初卑位，柔謙德，謙而又謙也。言能謙，險亦可濟。

林漢仕案：謙謙，吳汝綸以爲句，又以嗛嗛，少也爲義。李富孫云，子夏作嗛，云謙也。說又口有所銜，與謙義別。依吳汝綸句讀爲：「謙謙、君子用涉大川，吉。」而傳統皆以謙謙形容君子，吳則以謙謙爲用涉大川之道，義則不取太玄「少」也，仍沿謙本義。所謂謙謙者，吳亦不以傳統「所謂謙而又諍」釋文，故吳謂「失之」。睽諸爻意，似皆可通，易家謙共得十數說，不必分軒輊並陳於君前：

象以謙謙形容君子，如何謙謙？卑以自牧也。王弼，孔穎達遂以謙之謙者，能體謙謙者唯君子能之立論。訓象之牧爲養。

荀爽以初最在下，爲謙；二陰承陽亦爲謙，故曰謙謙。

程頤謂以柔處一卦之下，謙之又謙故曰謙謙。

蘇軾謂處最下，謙之過也。牧亦謂養以待用。張載牧訓逸。

項安世謂初六小人用之爲柔佞，過謙者也。

來知德謂六柔，謙德；初卑位，以謙德居卑位，謙之又謙。

王船山：內卦體，謙修己；外卦用，謙待人。謙謙者，處不足之地，特之以歉也。

李光地：文爻皆謙，是謙而又謙也。

吳汝綸：說者謂謙而又謙，失之。用嗛嗛之道涉大川也。
馬通伯引云：重謙謙止是不爭，先自无失。
徐世大謂謙通慊及歉，慊疑，歉食不足。舉例形容過甚。
屈萬里引釋牧爲治，卑以自治也。
金景芳以自牧爲自養。同孔穎達說。

謙謙修飾君子謙謙自牧，自養，自治，自逸，无過失。——直接解爻文字上之義理。
以柔處一卦之下，謙之又謙也。——兼言象與爻義也。
初最下爲謙，二陰承陽亦謙。——取象以合爻義也。
嗛嗛之道涉川——以謙爲用，非指修身儀態之謙也。
謙通慊，歉，疑，不足也。——以爲形容過甚，惴惴然。
謙之過與過謙，蘇軾與項安世——是道，用之免凶。是謙之用，有修身成分在焉。

約言六說，各有相當實力與支持者。待明「用涉大川」之寓意后，爻意自不難浮現在大眾面前也：
大川之言其實體大河川也。荀爽、孔疏、程頤、蘇軾、朱熹皆公認無疑者。雖然有九三坎體，初動之四成巽，股涉大川，股與川象，而其涉川乃實有所指也。來知德云「凡易中有此象而无此事此理者，於此爻涉大川見之，蓋金車玉鉉之類也。」金車，困卦有「困于金車」。進延壽易林有小畜之剝「木馬金車。」困金車謂二，剛以載也。玉鉉：鼎上九有鼎玉鉉，大吉，無不利。象謂「

玉鉉在上，剛柔節也。」鉉爲鼎扛，貫鼎耳，在鼎最高處。喻處高位之大臣。薛嘉穎引云「借涉川以明履危處難之道。」馬其昶謂「取闢地圖功之義。」元，梁寅謂「初六外柔內剛，非徒能謙謙而无其才者也。」初六之謙，誠如李郁言：「過于謙卑，是宜奮起。」謙謙不用於免凶而已，卑以自牧，自治，將有所爲也。來知德以金車玉鉉喻涉川之堅實有節，其可行也。以謙謙爲手段，以涉川闢地圖功爲目的，无其才者其何以堪也！觀乎謙之須鳴。勞，撝，又言利用侵伐，利用行師，確然以謙謙之道如晉文退避三舍以報楚，三日攻原以示信之類也。

六二，鳴謙，貞吉。

象：鳴謙貞吉，中心得也。

姚信：三體震爲善鳴，二親承之，故曰鳴謙。得正處中，故貞吉。

崔憬傳象：言中正，心與謙相得。

虞翻傳象：中正謂二，坎爲心也。

王弼：鳴者，聲名聞之謂也，得位居中，謙而正焉。

孔疏：鳴謙者謂聲名也。處正得中，行謙廣遠，故曰鳴謙，正而得吉也。

程頤：二以柔順居中，是爲謙德積於中，發現於外，見於聲音顏色，故曰鳴謙。居中得正，有中正之德也。故云貞吉。凡貞吉有爲且吉者，有爲得貞則吉者，六二之貞吉，所自有也。

張載：體柔居正，故以謙獲譽，與上六之鳴異矣！故曰正吉。

蘇軾：雄鳴雌應，故易以陰陽唱和寄之於鳴謙。之所以爲謙者三也。其謙也以勞，故聞其風，被其澤者，莫不相從於謙。六二其鄰，上九其配，皆和而鳴於謙。六二陰，處內卦之中，雖微，九三其有不謙乎！鳴以言和以見其出於性也。

朱熹：柔順中正，以謙有聞，正而且吉者也。

項安世：六二鳴謙，象以中心解之。上六鳴謙，象以志解之。豫初六鳴豫，象又以志解之。然則凡言鳴者皆志也。志有憂樂，皆寓於鳴。當豫之時，人志从上爲樂；當謙之時，人志在下，不以上爲樂。二在下卦之中，其鳴爲得志。。

朱震：謙積德至六二，柔順而中正，樂發於聲音而不自知，故鳴謙。動成兌，兌爲口，爲說，雖鳴非求應，以正爲吉，吉自有也。中心自得无待於外者。

李衡引王逢：內有謙實而聲聞于外。引牧：以柔居中，嘉譽旁達，功德雖未著，而中心亦自得也。夫譽斯隆者戒其名過損實，故正則吉。引介：鳴之爲言接於物而感之也。六二接於九三而感之以謙，剛上柔下，中正以相與，其志得而可以有功矣。

梁寅：鳴謙，以謙而有聲聞也。二柔順中正，其德昭著，人皆知之矣。然以柔居柔，疑不足於剛，故言得其貞則吉。謙不貞近邪佞，雖有聲聞，何由吉乎！

來知德：鳴有飛鳥遺音之象。中爻震爲善鳴，陽唱而陰和，荀九家以陰陽相應故鳴得之矣。言二與三中心相得相唱和而鳴也。又二柔中正比三，三勞謙而二和之，與之相从，正而且吉者也。

王船山：鳴，鳥相呼告也。九三謙主，二近而承之，上六其應，故曰鳴，呼三而告之以求益也。二三同體，三以陽道下濟，不吝其勞，二雖求益而位得中，受艮之止則鳴不失其正，非貧約屈節而媚非其類者也。故吉。

李光地：柔順中正，極謙之美著聞於外，不可掩過。鳴謙而得其正者也。人能如是則吉。

毛奇齡：二爲正位而居中，則其謙正出自中心，不必自鳴其謙也。鳴者聲也，復爲地雷，則下卦震，震善鳴，前有互震，遙鳴，所謂鳴也。姚信三體震善鳴，二親承之，故曰鳴謙，隔一位矣。

李塨：居中得正，上承九三，中心相得，非有矯强，不覺鳴號其謙，不貞而吉乎！淺義曰：艮聲像山鳴谷應，震爲善鳴，以小過震艮合，有飛鳥遺音之象。

吳汝綸：謙有鳥象故曰鳴，鳴嗛者，以少爲號也。

伊籐長胤：鳴謙者鳴而謙也。謙之見於言者，正而得吉。蓋內自滿，非中心執謙下人，豈能致鳴謙乎？孟子曰恭儉豈可以聲音笑貌爲哉！鳴謙由衷，固非致飾乎外也。

薛嘉穎：六二柔順中正，謙道之美著聞於外，鳴謙之象。又鳴謙非過情之聲聞，以其中心所自得也。

丁壽昌：解故夏小正雉震雊。傳云震也者鳴也。九家震爲鼓，有鳴象。案王注作名，古鳴名通。

曹爲霖：吳氏易說如王莽之謙恭下士，非中心得也，不得謂之貞吉。朱光庭於明道先生謂在春風中坐了一月，其鳴謙可想矣。

馬通伯：震驚百里，雷之鳴也。故韓退之言以雷鳴春豫以雷奮作樂。亦取鳴義。

劉次源柔順中正，謙聲遠播，堅貞自守，其吉也。謙非可以聲音笑貌襲也，根於至性而令譽從之。

李郁：鳴者二呼三也。柔喜剛故鳴之。居中正無出位之思，有聲聞之美。

胡樸安：貞，事之幹也，貞吉，言稼穡之事，君子謙久積於中，至是始鳴之，人民聽命焉。

高亨：鳴訓名，即有名而謙，有令聞廣譽而自以爲不克當也。名謙即名益彰，德益進，助益多，故曰

鳴謙貞吉。

徐世大：語譯言語的謙虛久爲貴。鳴本義鳥聲，動詞出聲。口頭上謙虛，可信而不可信，甚至詐僞，

巧言令色，鮮矣仁，即此一極端寫照，故結之久吉。

屈萬里：鳴蓋相號召之意。觀上六爻象傳：「鳴者，相命也。」王注：「鳴者聲名之謂也。」傳象：

「得，相親說也。」

金景芳：鳴謙，能把謙表現出來。發自內心自然流露。

李鏡池：鳴謙：明智的謙讓。鳴借爲明，聲通。猶言善于分辨是非，然後決定應不應謙讓。如孟子之

自反而縮，雖千萬人吾往矣。對侵略謙讓，就會成了投降主義。

闞角如：謙有聲聞，心舒自得，非外飾自揚其謙。謙謙是無已。鳴謙是言談中表現謙虛。

傅隸樸：陰質處陰位，居中履正，謙德內積，聲名必聞於外，故曰鳴謙。表裏俱正，自然而吉。易的

貞吉有二，一堅貞才能吉，一行正大，故得吉。本爻屬後者。

徐芹庭：震爲善鳴，陽唱陰和，小過同，二比三，三謙而二與之和從，故有鳴謙之象，正且吉者也。

林漢仕案：大凡鳴，不外乎鳴不平，鳴得意，求伴侶，于省吾以冥鳴音近字通。（易經新證）說文通訓定聲云「叶形身神精瞑鳴。」經籍纂詁引「鳴，名也，命也。」說文云「鳥聲，从鳥从口。」然則「鳴謙」何謂也？易中之鳴字有「鳴鶴在陰。」（中孚）「鳴豫凶。」（豫）「鳴謙，貞吉。」（謙）謙而能鳴，能名，能命告，用之鳴不平，鳴得意，求伴侶，得共鳴而溝通，情意有輸送管道達到共識而同步也。今錄各大家鳴謙之意如后：

象謂中心得也。

姚信謂三體震爲善鳴。

王弼云聲名聞之謂也。

程頤云：謙德積中，發外，見於顏色，故曰鳴謙。（與象同說）

張載謂以謙獲譽。朱熹亦謂以謙有聞。

蘇軾云易以陰陽唱和奇之於鳴謙。鳴言其和出於性也。

項安世云：志有憂樂，皆寓於鳴。

朱震：樂發於聲而不自知，故曰鳴謙。（與象同）

李衡引：內有謙聲聞于外。功得雖未著而中心自得。戒譽。隆者名過其實。

來知德：鳴有飛鳥遺音之象，陰陽相應故鳴，二三唱和也。（李郁二呼三，柔喜剛故鳴。說同）

王船山：鳴，鳥相呼告也。二承三，上六應，故曰鳴。

毛奇齡：二正位居中，謙正出自中心，不必自鳴其謙。

吳汝綸：謙有鳥象，故曰鳴。鳴嗛，以少爲號也。

伊籐長胤：鳴謙由衷，固非致飾乎外也。

高亨：鳴，名也。名謙即名益彰，德益進，助益多。

屈萬里：鳴蓋相號召之意。

李鏡池：鳴借爲明，聲通。明智的謙讓。

闞角如：言談中表現謙虛。

綜古今十八說六二「鳴謙」之義爲：

1.中心自得，聲名遠播，因謙譽喜於顏色，發於聲而不自知也。
2.三體震爲善鳴。
3.二三陰陽唱和，陰陽相應故鳴。柔喜剛也。
4.二承三，三應上六，故鳴。鳴，鳥相呼先也。
5.謙有鳥象，鳴嗛，以少爲號。
6.鳴借爲明，明智之謙讓。
7.言談中表現謙讓。

8.志有憂樂，皆寓於鳴。（樂發於聲而不自知）。

以上鳴謙十八說中併爲右八類，其中「謙有鳥象」也者，察諸爻象，互坎，大坎，艮山，坤，六二皆不得謂「鳥象」也，爲其「鳴象」也，蓋說卦，逸象諸傳皆無爲禽之文，更無論鳥矣，離爲雉，可以謂鳥，六二，九三其半象也，可以如是以說卦爻之象乎？夫之先生謂鳴爲「鳥相呼告。」來知德謂鳴有「飛鳥遺音之象」第就說文鳴鳥聲，从鳥从口以訓爻辭鳴謙也。吳汝綸謂之「少」豈以艮爲少男乎？六二本爻陰，不得謂之男，尤非少也。太玄自注云「萬物始自載幼，故謂之少。」太玄經初一少，次二少，次六少，彼少當非易謙六二之少矣，即言少（男），亦謂九三也，吳說不中也如是。

有謂借鳴爲瞑，眼者，則其謙之瞑，有靜止，不勞而獲，不求自來之意，亦有糊塗不經之意，則六二之謙來自然，不勉强，梁寅謂宜其「貞則吉，否則雖有聲聞，何由吉？」而以名訓鳴又屬另一番氣象，謙非默默然由他人發掘表揚，乃自我播鳴，公然表態，蓋亦有所爲乎？其施之於外則震驚百里，欲謙聲遠播，所謂名益彰，德益進，而助益多；施之於內則中心自得，無出位之思。二五同屬陰，二三唱和，剛乘柔，二承三，三應上，自得之有餘，風俗之厚薄似有所不足，然以謙名，故卜得其吉也。

九三，勞謙，君子有終，吉。

象：勞謙君子，萬民服也。

荀爽：體坎爲勞，終下二陰，君子有終，故吉也。傳象：陽當居五，自卑下衆，降居下體，君有下國之意也。衆陰皆欲撝陽上居五位，群陰順陽，故萬民服也。

王弼：處下體之極，履得其位，上下無陽以分其民，衆陰所宗，尊莫先焉。居謙之世，何可安？尊上承下，接勞謙匪解，是以吉也。

孔疏：上承下接，勞倦於謙，唯君子能終而得吉也。

程頤：以陽剛之德居下體，爲衆陰所宗。履得其位，爲下之上，是上爲君所任，下爲衆所從，有功勞而持謙德者也。故曰勞謙。夫樂高喜勝，人之常情。平時能謙，固已鮮矣！況有功勞可尊乎！雖使知謙之善，勉而爲之，若矜負之心不忘，則不能常久，欲其有終，不可得也。唯君子安履謙順，乃其常行。九三以剛居正，能終者也。此爻之德最盛，故象辭特重。

張載：中心安之也，有終則吉，人所難能。

蘇軾：謙，五陰一陽，待是而後爲謙，其功多矣！艮之制在三，而三親以艮下坤，其謙至矣！勞而不伐，有功而不德，非獨以自免，又將及人，是謙之全者也。

朱熹：一陽居下之上，剛而得正，上下所歸，有功勞而能謙，尤人所難，故有終而吉。占者如是則如其應矣。

項安世：九三非小人所宜處，三有大功，爲萬民所服，小人處之，則有不貴之禍，君子處之，致恭下人以保其終，則庶乎其獲吉矣！

朱震：九三，勞而有功，以陽下陰，安於卑下，艮見兌伏，勞而不伐，有功而不德。內卦以三爲終，故勞謙君子，有終，吉。夫有血氣者必有爭心，故：有能而矜之，有功而伐之。未有不爭，爭則危，九三恭，上下五陰宗之，萬民服矣，其誰爭之，所以能存其位終吉也。

李衡引薛：居上下之際，接兩體焉，非勞不可，亦乾乾之義也。引子：居下之上，爲衆之則，勤以正衆，雖勞而謙，厚之至也。謙以保位，萬民服也，故得保其終吉。引王逢：位高而有功，以謙爲之主，能終之者其唯君子乎！

梁寅：卦多陰則陽爲主，九三爲謙主。陽居四有逼君之嫌，居三是大臣有勳勞而能自謙退，上不疑，下所服。其用全卦之彖，以見君子之謙德，必如是然後盡善也。

來知德：勞者勤也。即勞之來之之勞。坎，勞卦，雖繫辭去聲讀，然同此勞字。君子以勞民相勸。艮終萬物，有終即萬民服，有勞而不伐意。又九三一陽居五陰中，陽剛得正，能勞乎民而謙者也。雖不伐而終不掩其勞，萬民歸服，有終故占者吉。

王船山：勞謙者有勳勞而自居不足也。三以一陽止其位，群陰方在貧寡，己力任其勞而匡濟之，有勞不伐，君子所以終其德業也。又象曰萬民謂陰也，群陰皆順也。

李光地：陽而德實，是有其實而能謙者也，故曰勞謙。此爻卦之主，故其占與彖同。又傳象萬民服，群險歸，是以有終也。

毛奇齡：三居互坎之中，坎爲勞，非勞謙乎！履震首，據艮三，或動或止，以成萬物，服萬民，固其所也。

李塨：一陽居互坎中，勞民勸相功成不居，萬民悅服，象所謂君子有終者以此，此卦主也，陰爲民。

吳汝綸：三之勞謙，接兩體焉，非勞不可，亦乾乾之義矣。荀云體坎爲勞，以互體說之，亦合象義。

伊籐長胤：勞謙者，有勞而謙也。上下五陰所宗，此有勳勞於上下而持謙者也。蓋有勳勞於天下以謙自持，人之所難，非剛德君子豈能享此令名，爲萬民所宗！

薛嘉穎：群陰所歸，能成天下之功者。勞而能謙，其君子之行乎！案陰爲民，卦惟一陽，群陰歸附，無陽分此民也。

丁壽昌：傳義有功勞而能謙，與繫詞傳勞而不伐之義合。

曹爲霖：思庵葉氏曰禹惟不伐，天下莫與爭功。周亞夫折吳楚平七國，霍光受襁褓，措磐石，雖伊周蔑加，前者無罪死，後者甫死夷族何也？驕矜致之與？

馬通伯：王宗傳曰三艮止諸坤下，所謂蘊崇高於卑下者。姚配中曰得位不化，故有終吉。

劉次源：以陽居陽，眾陰歸之，有勞不伐，功成引退，屈居坤下，獲吉之道也。民謂眾陰，箕風畢雨，嗜好各別，勞謙民服。

李郁：君子終日乾乾，劬勤罔懈，非徒謙己，能勞故吉。

胡樸安：與民並耕曰勞謙。教民稼穡，鳴謙始事，勞謙終事，得萬民說服。

高亨：有功勞而不自伐，是爲勞謙。論語願無伐善，無施勞。無施勞即勞謙。老子不自伐故有功。即此意也。

徐世大：以力行表現其謙。大部分巴結，一部分不計勞苦，勞逸不均，古今通病，結語正指此輩。小官們終身受用。

金景芳：九三是卦主。勞謙，有功勞又能保持謙德。

李鏡池：勞謙：以勤勞刻苦爲前提的謙讓。不勞而謙，事事讓人，是懶漢。君子勤勞刻苦，謹慎謙虛，是有好結果的。

闞角如：有功勞爲人所共見，猶自謙不傲，因而人皆服之。書經說「汝惟不伐，天下莫與汝爭功。」

傅隸樸：以陽剛之資，居陽剛之位，德稱其位，守正不失，下服群僚，上信君主，九三算是勞謙君子。引習鑿齒云「桓公一矜而叛者九國，曹操矜而天下三分。」范蠡推勞，勾踐鑄其像。

徐芹庭：勞者勤也。中爻坎爲勞卦，艮終萬物。一陽居五陰之中，揚剛得正，能勞而謙者，萬民攸服，君子有終吉也。

林漢仕案：謙乃教謙，非乎天生。然自誠明與自明誠，其於誠一也，猶之所謂生知之，學而知之，困而知之，及其知之一也；及其成功一也。謙之用，可名之曰「藝術人生。」九三剛而正，五陰一陽而爲之主，人際關係有承上啓下，面面皆到之勞；以陰爲民，爲妻妾則又憂勞彼之養；天下事務一肩挑則又得力極於謙，佑助天下皆謙，化民成俗也。故勞又有遼字之假借，如詩小雅：「山川悠遠，維其勞矣。」鄭箋廣闊。疏遼遠。是勞謙，遼謙也，謙之流行影響廣遠矣。一謙之下，移風易俗，天下無難事矣！茲誌各家「勞謙」之釋，俾供參考：

象言萬民服，乃謙行之效果也。

荀爽謂體坎爲勞。欲陰欲撝陽居五位，故萬民服也。

王弼：處下得位，衆陰所宗，尊上承下，勞謙匪解。

孔疏：勞倦於謙。

程傳：有功勞而持謙德者也，故曰勞謙。此爻之德最盛。

蘇軾：三勞而不伐，有功而不德，謙之全者也。

朱熹：陽居下之上，得正，有功能謙，尤人所難，故終而吉。

項安世：九三小人處之，有不賞之禍。

朱震：陽下陰，安於卑，勞不伐，有功而不德。

李衡引：接兩體非勞不可。亦乾乾之義也。

梁寅：九三卦主，謙退則上不疑，下所服，然後盡善。

來知德：勞，勤也。即勞之來之之勞。勞而不伐。坎勞卦。

王船山：有勳勞，自居不足。陰貧，力任其勞，匡濟之而不伐。

李光地：陽德實，有實能謙，故曰勞謙。此爻爲卦主。

李埲：一陽居互坎中，勞民勸相，功成不居，萬民悅服。

吳汝綸：三接三體，非勞不可，亦乾乾之義。互體亦合象義。

馬通伯引謂蘊崇高於卑下者。

劉次源：以陽居陽，衆陰歸之，勞不伐，功成引退。屈坤下，獲吉道也。

李郁：君子終日乾乾，劬勞罔懈，非徒謙，能勞故吉。

胡樸安：與民民並耕曰勞謙。得萬民悅服。

高亨：有功勞而不自伐，論語「無施勞」即勞謙。

徐世大：力行表謙，巴結，不計勞苦，勞逸不均，古今通病。

李鏡池：以勤勞刻苦爲前提的謙讓。不勞而謙是懶漢。

闞角如：有功勞人所共見，猶自謙不伐，天下莫與汝爭功。

傅隸樸：德稱其位，上信下服，九三算是勞謙君子。

曹壽昌引謂「禹不伐，天下莫與爭功。周亞夫平七國，霍光受襁褓，一罪死，一夷族，驕矜致之與？」人心之險，在私心一動，執著相現矣。「和平共存」怕成一廂情願！新唐書郭子儀傳贊曰：「權傾天下而朝不忌，功蓋一也而上不疑，侈窮人欲而議者不之貶。」述其完名高節，福祿永終，宋初君讚裴垍爲知言。郭子儀並未「蘊崇高於卑下」如幸臣程元振說帝都洛陽，帝已許其計，子儀力爭，至有「臣願陛下斥素餐，去冗食，抑閹寺」之奏。魚朝恩媒譖失軍，無少望，惟以一貫事上以誠，御下以恕，賞罰必信，程，魚不止短毀，朝恩使人發子儀父墓，德宗嗲之，即號泣曰：「臣久主兵，不能禁士殘人之墓，人今發先臣墓，此天譴，非人患。」如此虧待自己先人，有益生人之化解深仇，則又確然有「蘊崇高於卑下」也。曾國藩課「陸敬輿事多疑之主，馭難馴之將；燭之以至明，將之以至誠，譬若御駑馬，登峻坂，縱橫險阻而不失其馳，何其神也！」陸贄年少材幸，德宗以輩行呼而不名，雖外有宰相而贄常居中參裁可否，時號內相。及帝用裴延齡，苦諫，帝不懌，至欲誅贄死，終身銜贄。方陸贄被放，常闔戶，人不識其名，又避謗不著書，如此其謙，孔門所謂獨善其身」有時亦不可也，蕭何不自污，幾爲之醢矣！陸贄本畏愼，未嘗通賓客，裴延齡百般讒短，禍且不測，百謙有益乎？憸人在位賣爲威福，所謂君子小人本不兩進，邪諂得君則正士危，郭子儀之幸全節，陸宣公卒時僅五十二，有生民之懷抱，奈何奪權小人之不見容，久處要津，舍效疏廣叔姪能有幾人戡破「宦成名立，不去有後悔」之理，天下後世能知又能行者幾人？方贄之得君以材幸，居中參裁可否，不知宰相之職不可分也，若以宰相不才，置之可也，而時人號贄爲內相，贄亦當知分平章所司，承恩越分之非在前，爲裴延齡小人日短君前在後，又助之以贄自引入相之趙憬，贄焉得免禍？德宗不以宰相爲總百僚，備員而已，未爲建立言官制度也。一般人謙則爲庸官，晉懋庸欲不負國家，所學，則自爲關龍逢，伍鵾鵜而已！唯百勞其謙不足自保，又何況友匪人如贄之引入相者趙憬，深交者李吉甫耶！謙者宜有知人之明也。知己，知彼，知環境，知時代，謙之有益也。其爲庸主，庸臣，勞倦於謙亦可苟免，苟爲康碌謀安，聖人造易无功矣！論語孔子謂其知可及也，其愚不可及也。是處愚難。謙之用，處愚其一也，吾故名之曰「藝術人生。」九三有承上啓下之勞，正是「上事多疑之主，下馭難馴之將。」小人成群，並存之難，知天則无「上不負天子，下不負所學，皇卹乎它」之莽撞！喬木，灌木，各有其用，即荊棘亦足化神奇之功，必欲連根去而后快，勢有所不可也，九三知其然，勞謙也者，君子是以有終也，亦吉道也。

勞謙之勞字，共得三說：

1.勞倦於謙也，勤也。劬勞匪懈。不計勞苦。

2.有功勞而持謙德也。勞而不伐也。蘊崇高於卑下。「無施勞」即勞謙。

3.體坎爲勞。

三說皆得其要，九三之勞謙者，宜其勞而不伐，劬勞匪懈，體坎注定坎勞，安於知命即知天也！。

六四，无不利，撝謙。

象：無不利，撝謙，不違則也。

荀爽：四得位處正，家性爲謙，故无不利。陰欲撝三使上居五，故曰撝謙。撝猶舉也。

九家易傳象：陰撝上陽，不違法則。

王弼：處三之上而用謙焉，則是自上下下之義，承五而用謙順，則是上行之道，盡乎奉上上下下之道，故无不利，指撝皆謙，不違則也。

孔穎達傳象：撝謙之義，所以指撝皆謙者，以不違法則，動合於理，故无不利也。

程頤：居上體近君位，六五君又謙柔自處，九三又有大功德，爲上所任，眾上宗，已居其上，當恭畏奉謙德之君，卑巽讓勞謙之臣。動作施爲，无所不利於撝謙也。撝，施布之象，如人手之撝也。蓋居多懼之地，又在賢臣之上故也。

張載：裒多益寡，无不盡道，舉措皆謙。

蘇軾：是亦九三所致也。二近其內，有配之象，故曰鳴。四近其外，三之所向，故稱撝。以柔居柔，當三之所向，三之所撝，四之所趨。以謙撝謙，孰不利者！故曰无不利。

朱熹：柔而得正，上而能下，其占无不利矣！然居九三之上，故戒以更當發揮其謙，以示不敢自安之意也。

項安世：鳴者情發於聲，撝者用在於手。謙三爻以柔居柔，皆誠於謙者，惟六四適當其用，故以撝言之。三爲大功之臣，五爲柔順之主，四居中當貴臣之位，使接三不用謙，有抑功臣之激；承五不謙則有挾柔主而弄其權。謙於此時，无往不利，故雖柔而不失則也。

朱震：體坤，柔順而正，上奉六五之君，下下九三勞謙之臣，上不得宜，故曰无不利，艮爲手，止也。震、起也。手止而復起，有揮散之象，六四揮散其謙之道，布於上下，撝謙也。非事君爲容悅，非持祿養交，不違則而已！子夏曰撝謙，化謙也。京房曰上下皆通曰揮謙是也。謂三撝之，四化之，誤矣。

李衡引子：謙以在位，不僭不逼，不違其則者也。以之奉五而待於三，奉事得宜，所揮皆從。引介：能撝去三次承己以爲謙也。引王錡：三之與五，皆若指揮，皆順從之，不敢違於三五法則，是指揮皆謙也。故无不利。

梁寅：六四柔得正，上而能下，可謂謙矣，无不利矣。然四近君，故戒以更當發揮其謙。

來知德：撝裂也，兩開之意。開裂之象。六四開裂退避而去。又六四柔得正，勞謙之賢在下，不敢當陽之承，乃避三而去，占者能此，可謂不違陰陽之則者矣。

王船山：內卦謙德已成，至四接物矣。順人情之好，避鬼神之害，柔遜退謙，无不利矣。然心推廣謙道，撝散而平施，勿侮鰥寡，勿畏彊禦。

李光地：不言撝謙无不利而曰无不利撝謙，程傳云无所不利於撝謙也。居上位而近，故其占戒如此。

毛奇齡：三之前後皆順剛不貳，有何勿利！特居位高，有似乎反聽其指撝然者。楊簡曰六柔，四柔，坤體又柔，恐恐過乎謙，故使之撝去其謙。焦竑曰，撝，裂也。

李塨：攜手指麾也。六四之謙，柔而得正，不待問而知无不利矣！艮爲手，四下比之則指撝皆謙，又安有違坎之法則者耶！

吳汝綸：撝，佐也。卦以九三爲君，四佐三者也。

丁宴：鄭讀撝爲宣。案說文楥，讀若指撝，楥俗作楦，古楥撝音近宣，故鄭君亦讀撝爲宣。

李富孫：釋文撝義與麾同，京房作揮。說文撝手指撝也。麾，旌旗所以指麾也。王肅云揮，散也。鄭讀宣，當取顯著義。毛詩咺，威儀容止。段曰撝謙者溥散其謙，無所往而不用謙，是揮與撝義同。

伊籐長胤：撝與麾同指撝也。發揚謙見於行，謙之見於事者也。居柔體順，所爲无不利。蓋位有尊卑，德有大小，上近君，下乘賢，不可不益發揚其謙。

薛嘉穎：六四上有謙德之君，下有勢謙之臣，介三五間愈宜謙讓未遑者也。蓋四所以无不利者，以比三承五皆謙德。

丁壽昌：釋文撝，指撝也。義與麾同。馬云撝猶離也。鄭讀宣，說文楥，讀若指撝。楥俗作楦，音近宣。撝一曰手指也。折中曰无不利撝謙，本義作兩句，程作一句，程近是。

曹爲霖：當依本義發揮其謙。宋仁宗朝，張知白爲相，慎名器，抑僥倖，每以盛滿爲戒，雖貴顯，清約如寒士，及卒，諡文節，此爻所謂无不利，撝謙，象曰不違則也。

馬通伯：京房曰上下皆通曰撝謙。袁樞曰因爲撝謙而後无不利也。黎遂球曰坤順故无不利。其袒案三天道下濟，四地道上行，天地交，故无不利。通君撝通上下，坤之常也。

劉次源：內卦謙以持己，外卦則以應世。柔居柔，極謙故无不利。更宜發撝謙道，扶弱抑强，勿奄然媚世。

李郁：撝，舉也，四舉三升五也，四乃得比，故无不利。

胡樸安：撝，說文裂也，从手爲聲，爲，母猴，撝謙，如猴之鹵莽滅裂不能耕種也。象不違則，知能聽命令故无不利。

高亨：撝讀作爲，同聲系，古通用。釋詁爲，施也。蓋有施行之義，亦有施予之義。撝謙即爲謙，有施於人，無居德之心，伐德之言，人皆感恩，故曰无不利，撝謙。

徐世大：說文撝，裂也，从手爲聲；一曰手指也。段注，（易）王，馬、鄭、荀注讀，要皆無當。竊以爲通爲或僞。依荀子語，人之性傲，謙者僞也。出於做作。曹丕所謂舜禹之事，我知之矣。一語道破此五字。譯沒有不宜於作的謙卑。

屈萬里：撝，京房作揮。見晁氏易。傳象．違則經義述聞猶言變常。又撝，熹平石經作揮。

金景芳：撝謙，發揮謙德。傳象：不違背法則，不宜過分。

李鏡池：撝謙：奮勇直前，不怕犧牲爲前提的謙虛。撝同揮。說文，揮，奮也。

闞角如：陰居陰，在九三之上，要發揮謙遜之誠，不僥倖竊位自恣。撝即揮，溥散其謙，无所往而不用其謙。

傅隷樸：陰乘陽，柔乘剛，謙不敢驕九三之象。撝爲指撝，又爲分散，言謙分散於各階層，上下都和，故无不利。

徐芹庭：撝爲裂。六四當上下之際，開裂之象。撝謙者以開裂退避爲謙也。六四柔得正，居多懼之地，不敢當陽承，避三而去，撝而去之，无不利也。

林漢仕案：六四大前提「无不利」，蓋得位處正也。象謂不違則。王弼云盡乎奉上上下下之道。荀爽謂得位處正，家性爲謙。孔穎達謂動合於理。程子則謂動作施爲，无不利於撝謙。朱子謂其占无不利，更當發揮其謙。李光地云不言撝謙无不利，而曰无不利撝謙，程傳无所不利於撝謙也，居上位而近，故其占戒如此。薛嘉穎云四所以无不利者，以比三承五皆謙德。袁樞云因爲撝謙而後无不利也。黎遂球曰坤順，故无不利。馬其昶云三天道下濟、四地道上行，天地交故无不利。劉次源云極謙故无不利。「无不利」本爲大前提至此變作撝謙之果實矣！

撝可以同麾，揮。麾戈中原，揮汗成雨，揮又可作擇動，揮散，發揮，揮灑，揮斥（猶縱放。）揮霍（疾貌），揮揚，揮，奮也。揮又作輝。依字書、揮又可釋爲離也，猶舉也，佐也，讀宣。（取顯著義），毛詩咺，威儀容止。如何配合六四謙中无不利之文？六四柔乘剛，上奉六五柔君，本身柔得正。毛奇齡引楊簡云：「六柔，四柔，坤體又柔，恐過乎謙，故使之撝去其謙。」與朱子「戒以更當發揮其謙。」金景芳之「發揮謙德」正南轅北轍。高亨之施行，胡樸安之如母猴鹵莽滅裂，徐世大之通爲僞，謙者僞也，李鏡池之奮勇直前不怕犧牲之謙虛又其餘事也。

卦名謙而以滅裂謙，甬謙，甩開謙德立言，其不中文王周孔意可以斷言。然天下事決無一成不變，削足以適履者，聖人教謙，亦有當仁不讓之勵，行仁高尚，故於師前亦可不讓矣，謙非窩囊一味迎合他人，謙德宜濟以剛柔，一則無權矣，準此，撝謙無權，則幾一成不變之呆頭鵝矣，寓剛愎自用而不知也，是滅裂謙，謙之又謙，僞謙，離謙，舉謙，佐之以謙，顯著其謙，有威儀容止之謙，皆可任意安裝，以湊合「无不利」之爻文也！

謙之爲用也，猶老子柔德之爲用也，攻堅莫勝於水，是柔弱勝剛强矣，故謙必處之常勝，謙之用，如張載東銘之「戲言，戲動」之出於心而知所戒，是撝謙之時機得宜，猶論語之君子，既不失人，亦不失言，人亦不厭其言也。謙德之用，能摧枯拉朽矣，天下事事物物皆不足當我矣，六四宰輔之承上御下，果然「人之有技，若己有之」矣，「人之彥聖，又不違」之王佐也。諸賢之論，宜乎哉？讀者諫君亦因汝才汝量酌飲之可也。

六五，不富，以其鄰，利用侵伐，无不利。

象：利用侵伐，征不服也。

荀爽：鄰謂四與上也，自四以上乘陽，乘陽失實，故皆不富，五居中有體，故總言之。陽利侵伐，來上無敢不利之者。傳象云：不服謂五也。

李鼎祚：六五離爻，離爲戈兵，侵伐之象也。

王弼：居於尊位，用謙與順，故能不富而用其鄰也。以謙順而侵伐，所伐皆驕逆也。

孔穎達疏：凡人將財物用贍鄰里，乃能用之。居謙履順，必不濫罰无罪，若有驕逆不服，謙得衆，利用侵伐，无不利者也。

程頤：富者衆之所歸，唯財爲能聚人。五以君位之尊而執謙順以接於下，衆所歸也。故不以富而能有其鄰。鄰，近也。不富而得人之親也。爲人君而持謙順，天下歸心也。然君道不可專尙謙柔，必須威武相濟然後能懷服天下，故利用行侵伐也。威德並著然後盡君道之宜而无所不利也。蓋五之謙柔，當防於過，故發此義。

張載：下應於三，其亦顯聞，故曰鳴謙。最上用謙，爲衆所服，故利用行師，然聲鳴其謙，必志有求焉，非如六二之正也。三止於下，如邑國之未賓也。一云鳴謙，則師有名。

蘇軾：直者曲之，矯也，謙者驕之，反也。皆非德之至也。故兩直不相容，兩謙不相使。九三以勞謙，而上下皆謙以應之，內則鳴謙，外則撝謙，其甚者則謙謙，相追於无窮，相益不已，則夫所謂裒多益寡，稱物平施者，將使誰爲之？若夫六五則不然，以爲謙乎，則所據者剛也，以爲驕乎，則所處者中也。不謙，不驕，故五謙莫不爲之使也。五无所有，故曰不富以其鄰。至於侵伐，不害爲謙。故曰利用侵伐。莫不爲之用者，故曰无不利。

項安世：六五處謙之時，非樂於侵伐。五以陰柔居尊位，已雖謙，人未免有不謙者，故必用侵伐。以一帥衆謙，攻少不謙，因不患於不利。天下皆謙，无不利也。不富以其鄰，不待賞而服者，同謙者也。利用侵伐，待刑而後服者，不謙者也，二者皆服，无不謙矣！无不利者言所收之效也。又謙反爲豫，豫利行師，五君利征人。五剛，不假用師。五居尊，必能以剛治人之叛，攻己之偏而後爲利，故五不言謙，聖人之意可見。

朱震：陽實，富也。陰虛，貧也。鄰謂四與上。以，用也。能左右之也。以六五處尊位而謙虛也。能以其鄰則能得衆，得衆，故利用侵伐无不利。五動成離坎，上與四變，有弓矢甲胄之象。征者上伐下，征不服也。動之二入坎險，六二恃險不應，乃可侵伐，禹征有苗是也。

李衡引子：柔之過，盜之生心。引陸：以陰居中，謙而不盈，是尊而不富。引牧六五爻辭無謙字，明不可用謙。謙甚，威武不耀，漸物情離，叛猶復用謙乎！必用武以服之也。五以柔居尊，履中務損已而不居盈，故曰不富。遠人離叛，不爲之用，惟能用其鄰也。五謙中履順，陰而乘柔，小人以爲卑可陵，君子反用侵伐之，是卑不可踰也。引介：得尊位而无應，故有征不服之辭。引陳：堯舜之朝，有苗必征，四凶必去，人主之道雖以謙爲德，必以威御下，然後動不失斷而威尊可保。當其行謙也，故不富而用其鄰，及其能斷，故征伐以服驕逆，不其偉歟！

梁寅：六五柔中之君，衆柔同德順附，是不待富厚而能以其鄰也。坤爲衆，用師之象。故利用侵伐而无不利也。六五柔中而執謙，猶有不服者，其爲冥頑之寇，强暴之敵可知也！五得衆心賢將，如是而侵伐，動必利，故曰利用，而又曰无不利，深贊其決也。

來知德：陽稱富，陰皆不富。富與鄰皆指三也。以用也。震長子。三非正應故稱鄰。言不用富厚之力，但用長子帥師，自利用侵伐也。坤衆，五變離爲戈兵，侵伐之象。又五柔居尊，在上能謙者，上謙則從之者衆，故有不富侵伐之象。

王船山：陰本不富，然六五居中有容，畜之足富，上六儉吝不足，則其慊少皆鄰使然也。人情雖惡盈好謙，頑民每乘虛欺其不競，欲更與謙退不得，侵伐事起矣！漢文賜吳王以几杖而吳卒反，蓋類此。師直爲壯，无不利矣。

李光地：虛中居尊而當謙時，不有其崇高富貴，以德服人，故曰不富以其鄰。兵者上人之事，唯謙之至則无上人之心，其侵伐也不得已而動，所以利也。

毛奇齡：三處剛位，上六應剛傲五，六二承剛不合五，皆不服者也。爻具師象，敵二也，命三率師敵上，九三震剛，有鐘鼓之伐，六五震柔，無鐘鼓之伐，五陰見坎成互離，主兵戈，當此不服，或侵或伐，光明震動，何勿利焉。

李塨：六五雖尊而陰虛不富，與三同互體，是其鄰也。用鄰之實益我虛，則不富猶富也。如有瞷其不富而不服者，則九三震動出離兵以侵伐之，不惟利，且无不利也。

吳汝綸：不富者不自滿假之義，鄰謂上也，五之不富，上之鳴謙，皆利征伐。老子云抗兵相加，哀者勝，是其義也。

丁晏：釋文侵，王廙作寢。案疑寑之譌，史記封禪書侵尋於泰山矣。漢郊祀志作寑尋，古字通用。

李富孫：釋文侵作寢。說文㑴，籒文𠊊，與㑴字形相似，易淆義亦可通。

伊籐長胤：柔居尊位，四陰輔之，不由富厚之力能得眾心者也。侵伐則無往不克，凡事亦无不利。蓋蠻夷猾夏，寇賊奸宄，興師故眾心悅從，所以有功。

薛嘉穎：五居坤體之中，與四上二陰爲鄰者，以謙德而用其鄰，鄰無不服矣！以，用也。不服者利用謙道以侵伐之兵不得已而動，非黷武也。

丁壽昌：釋文侵王廙作寑。解故寑疑寖之譌。寖侵古通用。六五柔變剛，故有利用侵伐之象。變互離，戈兵。四上乘陽故皆不富，五居中故總言之。孔疏利用侵伐无不利作一句讀爲長。

曹爲霖：漢文帝賜南越一書便帖服稱臣，賢於十萬之師，文帝固柔主，恃謙和仁厚一書者，不戰而屈人之兵也。又湯事葛，文王事昆夷，王赫怒伐密，伐崇，自葛，東征西怨，皆曰非富天下，此即不富以鄰，利用侵伐之謂也。

馬通伯：馮椅曰潛師曰侵，聲罪曰伐。王安石曰得尊位无應，故有征不服之辭。其袒案禮樂屬陽，兵刑屬陰，兵貴神速，出奇，曰侵伐有兵機焉。蓋王者之兵動出萬全无不利。

劉次源：柔居尊，虛中有容，不自富足。彼鄰持謙德天下无不服從，乃恣其橫暴，謙道有時窮。不得已用力，雖无不利，亦謙德之不終也。傳象征示爲言正也，各欲正己也。

李郁：坤虛故不富。左右皆陰故不富以其鄰。六五柔闇，有利用侵伐圖振作，變剛，居中正，故无不利也。傳象，上下無比應者，是謂之不服也。

胡樸安：鄰，鄰邑也。使民往教之耕，不聽教則侵伐其國土，言湯不富而伐葛耕，不服稼穡之教也，故象征不服。

高亨：因鄰人盜劫其財物而家貧。有鄰如此，侵伐之，名正言順。鄰盜則知戒備而无憂患，故又曰無不利。

徐世大：譯無領土主權的野心，用以侵略，無不相宜。本爻乃四爻之舉例，侵伐外免猜疑，內期敵愾，故曰无不利。

屈萬里：侵，釋文王：「王廙作寑。」按聲之誤。

金景芳：不富是陰爻，鄰是近的意思。不是一謙到底。文德不能服的人，使用武力征討。易經是爲統治階級服務的。

李鏡池：侵伐：指抗擊敵人，不是侵略別人。由于不警惕，敵人來犯，和鄰村一起遭殃，甚至因爲沒有戒備而有人被俘了，怎麼辦？無原則謙讓還是抵抗？利用侵伐，只有抵抗反擊才有利，而且這樣是沒有不成功的。

闕角如：不恃財，因而鄰里相助，可以征伐驕縱不馴者，兩侵字皆征字之誤。（據周易舉正謂）

傅隸樸：利用侵伐指得人死力，鄰指國人，國人樂效命疆埸。夫子補充征討不服德化的，不是侵略。

徐芹庭：陽富陰不富，以，用也。非正應故稱鄰。中爻震動長子，坤眾，變離爲戈兵，長子率師動戈兵，侵伐之象。六五柔謙故從者眾，不用富厚之力，自利侵伐之象。

林漢仕案：富之言備也；福也，盛也，厚也。不富，正合六五身分，君稱孤，道寡，謂不穀，謙也。孟子云「百姓不足，君孰足。」相對言：「君不足，天下孰足？」柔君處剛位，無德而王，禍起蕭牆，政令不出國門也。今能征伐，是謙德之君善用其勢與謙也，故其德不孤，其道不寡，謙稱不善實則大善也。古今有爲之君，莫不兢兢以德養天下，奮楊祖功，上述堯舜，封禪祭天，夫然后安，觀謙卦處心積慮，非徒獨善其身而已，有兼善天下之志，从謙謙，鳴謙，勞謙，撝謙，至侵伐，行師，非有大志，大欲者不至於此。苟有大志行謙，政客之謙也。所以致其謙，乃盾刀戈戟隨其後之助化劑，軟則不茹，情勢有所不能也。茲錄「不富」二字各家之見：

不富：

荀爽謂四以上乘陽失實，故皆不富。

王弼：居尊用謙與順，故能不富而用其鄰。

孔穎達：凡人將財物用贍乃能用之，謙得眾也。

程頤：唯財爲能聚人，五執謙接下，故不富能用鄰。

蘇軾：五无所有，故曰不富以其鄰。

項安世：不富以其鄰，不待賞而服者，同謙者也。

朱震：陽實，富也。陰虛，貧也。

李衡引陸居中：謙而不盈，是尊而不富。

王船山：陰本不富，然六五居中有容，畜之足富。

李光地：虛中居尊，不有其崇高富貴，以德服人，故曰不富以其鄰。

吳汝綸：不富者，不自滿假之義。

伊籐長胤：不由富厚之力能得眾心者也。

劉次源：柔居中，虛中有容，不自富足。

高亨：因鄰人盜劫其財物而家貧。　以上十四說中，共得九義：

陰虛不實，故不富。

居尊用謙順，不富亦能用鄰。

不待賞而服者。

五无所有。

謙不盈，猶尊不富。以德服人。

六五居中有容，畜之足富。

不自滿。

尊居中有容，不自富足。

財物被盜而家貧。

右九說中，不以財而能得人死力者，能无迂乎？烈士殉名，貧夫殉財，其鄰皆所謂陰柔小人，許小人爲烈士君子矣。五眞无所有矣。有時是可以德服人，然不可以爲典範。賞罰其利器也。陰虛不實，蓋陰柔无實對陽剛金莖玉柱言，男子有實，女子當然无實矣，然實爲无實所食，虛亦實矣。六五貴爲君位，苟眞貧無財，如何統御三軍行侵征出師之文？王夫之「畜之足富」之論，蓋統治者不能一日乏資財也。否則眾叛親離之矣！

六五，乃卜得謙卦者之行其大欲，訴諸群眾者其謙謙，鳴謙，勞謙，撝謙之餘，仍一貫以不穀，孤家，寡人之謙德，向前推進其理想與大志也。謙以貫澈大業，謙誠一矛頭利器矣，其人誠，則周公，中山先生，華盛頓。其人不誠，則謙躬下士時，日後才知忠奸也，然謙確然无往不利。不富即不福，不厚盛，不備，六五之謙也，六五福備厚盛矣，六五富有天下，視不備猶備也，不福猶福也。朱熹常云卜得是卦何如何如！今言卜得謙卦，歷經六五之數爲：宜謙稱不富，善用汝鄰，積初二三四之謙，可行攻擊進取之實，爻告之「无不利」也。非是爻中自相矛盾，自相攻殺。至鄰之言四上，言九三，或泛指近也，興夫互離爲戈兵，六二承剛敵五，或上四變有弓矢甲冑象，皆自陷象陣中拼圖遊戲而已！侵之作寖，作濅，尋，㝱，則其義有極大空間伸縮，既「以其鄰」矣，得道多助矣，「无不利」矣，利用此時行「侵伐」之事，爻文勵於進而非退縮可以斷言，六五於時可矣，似不必留待子孫解決也。

上六，鳴謙，利用行師，征邑國。

象：鳴謙，志未得也，可用行師，征邑國也。

虞翻：應在震，故曰鳴謙，體師象震爲行，坤爲邑國，利五之正，已得從征，故利用行師，征邑國。

九家易傳象：陰陽相應，故鳴謙也。雖應不承，故志未得，謂下九三可行師來上坤爲邑國也。三應上，上呼三征來居五位，故曰利用行師，征邑國也。

李鼎祚案：上六兌爻，兌爲口舌，鳴謙之象也。

王弼：最處於外，不與內政，故有各而已！志功未得也。處外而履謙順，可以邑一國而已。

孔疏：處於外不能實事，但有虛名聲聞之謙。志欲立功未能遂事，其志未得，唯利用行師征伐外旁國邑而已！不能立功在內也。

程頤：六以柔處柔順之極，又處謙極，以極謙反居高，未得遂其謙之志，故至發於聲音。謙極，亦必見於聲色，故曰鳴謙，雖居无位之地，非任天下之事。然人之行已，必須剛柔相濟，上謙太甚反為過矣！故利在以剛武自治邑國，己之私有行師，謂用剛武征邑國，謂自治其私。

蘇軾：上六志未得者，以其所居，非安於謙者也，特以其配之勞謙而強應焉！貌謙而實不至，則所服者寡矣，故雖有邑國而猶叛之。夫實雖不足，名在於謙，則叛者不利，征者利矣。

朱熹：謙極有聞，人之所與，故可用行師。然以其質柔而无位，故可以征己之邑國而已。

項安世：上在上卦之上，欲下而不可得，故其鳴為未得志。上謙已極，方病過中，豈可更得志乎！不得志於外而用三之剛以自治其內，乃上六之利也。故曰鳴謙，志未得也。可用行師征邑國也。凡言邑者，皆指近言之。坤為國，故曰邑國。又上无民，故可自征。居柔，故必用師而後可，上用三，三為萬民所服，即師懷萬邦也，九三尹君應之，上以征邑國為利，而不得遂其謙。

朱震：征邑國，非侵伐也，克己之謂也。君子自克，人欲盡而天理得則誠，誠則化物。上六極謙，至柔九三，當應止於下而不來，故鳴。陰陽相求，天地萬物之情。坤為牛，應三，震有鳴之象。故曰鳴謙。鳴求應，志未得也。坤侯位為國，大夫位為邑，三之上，坎險平，征邑國也。故曰可用行師。

李衡引陸：六二之鳴，誠有所願，上六之鳴，願將行焉，謙道大著。君子之終，故可用行師征伐邑國，謙功大成在此爻矣，小則伐其邑，大則伐其國，文王是也。三分天有其二，猶服事商，是志未得也。伐崇而天下歸，是願將行也。引牧：處謙之末，物情益叛，五始侵伐，至上，乃行師也。五以侵伐，雖小猶能及遠；上以行師，雖大纔及邑國。明謙道轉薄，物情大變，尚能利用行師者，以謙譽尚存也。引介：上六接於九三而感之以謙，故曰鳴謙。三爲眾陰所附以止於下，已雖接感，未得其應，故曰志未得。九三宜應已不來，有邑國不服之象。師，眾也，邑國所據。所用者眾，所征者狹，不若九五之正位大中也。

梁寅：坤爲土，有邑國之象。上六謙極，聲聞於人，邑國中猶有不服，其行師固利矣。

來知德：凡易中言邑國皆坤土也。上六當謙終，與三正應，見三勞謙，相從而和之。然六二中正，與三中心相得，結親比之好，則三志不在上六，故止可爲將行師，征邑國而已，豈能與勞謙君子之賢相爲唱和其謙哉！

王船山：上與三爲應，呼告以不足，天道下濟，終不益之，弱而無援，豈必四海之廣哉！近在國邑且有欺叛者，惟利行師征之而已。較六五之害愈迫而道愈衰矣。

李光地：二鳴謙，德之純也，上鳴謙，順之極也，謙德之感如此，可以行師矣！然道先自治而後治人，故用師則唯征其邑國，蓋終始自脩不務於遠之意。

毛奇齡：上六本艮而倒震，又乘上互之震，欲效震鳴而自鳴其謙，豈得志乎！上六坤極加坎上，坤順其性，乘剛應剛，乘柔比柔，以行師縱曰可，第自征其邑國耳。

李塨：上六六三志本當相應，上六柔居上，九三有不能相得者，人心得意，不得意皆鳴，上鳴謙雖未大孚于人，則驕兵之敗可免，坤爲邑國，若有迷亂，用地水師征之，尚可利耳。

吳汝綸：上之鳴嗛，羸形示弱者也。嗛之極而利以征伐行師，此聖人之時中，所以異於黃老也。

伊籐長胤：柔順處極謙之終，發於聲音，不可用侵伐。才柔無位。蓋當自量其才之不勝，審其輕重，較其緩急，不必求于事功之間，強如所欲。

薛嘉穎：上居謙極，謙德著聞，鳴謙之象也。盛德之人，謙而不居，雖至鳴謙，其志不自以爲得也。

丁壽昌：釋文征國，本或作征邑國者非也。王本無邑字，唐石經有邑字，非也。邑，孔疏謂外旁國邑，考易中言邑皆自內之義，孔泥于王注最處于外，不知王指上六言。

曹爲霖：思庵葉氏曰志未得即臨事而懼之意。本義陰柔無位，才力不足之說未安，蓋利用侵伐，利用行師，正謙之妙用。

馬通伯：李綱曰謙極非利用行師不足濟功，師之成非戒用，小人不足以保治。其昶案：行師必有罪己之詔，自鳴謙，班師有苗格，鳴謙之效。征邑國但聲罪而不遽加兵，亦謙意也。

劉次源：柔居謙極，以謙著聞，水懦民玩，叛亂以生，撫之愈驕，利于用兵。以謙示民，民不懷德，恩威宜並行也。

李郁：三上應故鳴。柔極喜剛，三來，陽帥衆故利行師。坤爲邑，剛來故征邑國。上六往三亦未得位，故志未得也。

胡樸安：上六鳴謙，對鄰國鳴，鄰國不聽，故象曰志未得。六五利用征伐豫備期，上六實行期。謙卦初爻預備耕種，二爻宣布方法，三爻與民並耕，四爻不能耕者聽教，五爻教鄰邑耕而不聽則伐，六爻伐不服。

高亨：鳴謙即名謙。萬民慕德，有東征西怨，簞食壺漿之迎，故曰鳴謙，利用行師，征邑國。

徐世大：通電自稱如何仁至義盡？如何委屈遷就？用以動刀兵，佔地盤。二上同爲鳴謙用意迴殊。二取容於人，上先聲奪人，左成公十三傳晉候使呂相絕秦書，爲鳴謙嚆矢。

屈萬里：傳象「志未得也」云言征邑國之故。

金景芳：利用行師征己之邑國。是自己管自己的意思。

李鏡池：再次申述鳴謙，雖是美德，但要明辨是非。利用行師征邑國，意同利用征伐。在敵人侵犯時要反擊，出征戰勝敵國是吉利的。

闕角如：德播于外，師出而人歸心，以德服人，不待多殺，使衆歸服，不同于擴張外侵。

傳隸樸：柔處謙終，居高名顯，故曰鳴謙。謙必須力求表現，以一人之謙，迫使一國皆謙，使舉世皆知其謙。

徐芹庭：易中邑國皆爲坤土，與三正應相從而和之，故有鳴謙之象。然六二與三比鄰相得，三之心志，不在此而不相得，止可爲將，行師征邑國而已。

林漢仕案：謙卦兩用鳴謙，蓋有不得已乎？謙非默默埋頭苦幹，冥然寂靜待人表而出之，乃自我播鳴，自我表態，故前六二時名彰，德進，助多。今卦至上，仍有所不足，是追憶從前種種自鳴得意邪？抑事業未至顛峰，垂暮仍須鼓吹同情？其自我表態，雷鳴。不無落漠，老驥伏櫪之嘆！故象直著文謂「志未得也。」則其所以鳴者與六二同，老調重彈，故態重表也。其不同者，時不我與，眾未必我從也。茲誌眾說上六鳴謙之意：

象曰：鳴謙，志未得也。

虞翻：應在震，故曰鳴謙。

九家易：陰陽相應，故曰鳴謙也。

李鼎祚云：兌爲口舌，鳴謙之象。

孔穎達：處於外不與內政，但市虛名聲聞之謙而已。

程頤：未得遂其謙志，故至發於聲音，謙極見於聲色也。

蘇軾：非安於謙，配之勞謙而強應焉。貌謙而實不至。

朱熹：謙極有聞，人之所與。

項安世：上不得志於外，用三之剛自治其內，故曰鳴謙。

朱震：上六至柔九三，當止而不來，故鳴，震有鳴象。

李衡引介：上六接九三，感之以謙，故曰鳴謙。

梁寅：上六謙極，聲聞於人。

來知德：上六與三正應，三與二相得，不能與勞謙君子唱和也。

王船山：上與三呼告爲應，較六五道愈衰矣！

李光地：上鳴謙，順之極也。

毛奇齡：乘上互震，效震鳴而自鳴其謙。

李塨：不得意皆鳴，上鳴謙雖未孚于人，敗可免。

吳汝綸：羸形示弱者也。

薛嘉穎：上謙極，謙德著聞，鳴謙之象。

馬其昶：行師有罪已之詔，自鳴謙。班師有苗格，鳴謙之效。

李郁：三上應故鳴。

胡樸安：上六對鄰國鳴。

高亨：即名謙，有東征西怨，簞食壺漿之迎，故曰鳴謙。

徐世大：通電自稱仁至義盡，如何遷就。二鳴容人，上鳴先聲奪人。

李鏡池：再次申述鳴謙。

傅隸樸：居高名顯，故曰鳴謙。

古今廿六大家衆說中，歸納爲鳴意與鳴象洎其他三類：

有鳴意者如：「志未得也。」「但有虛名聲聞而已。」「未得遂其謙志。」「應勞謙，貌謙而實不至。」「謙極有聞，人之所與。」

有鳴象者如：「應震故鳴謙。」「陰陽相應，故曰鳴謙。」「兌爲口舌，鳴謙之象。」「上六接九三，感之以謙，故鳴謙。」「上六不能與九三勞謙君子唱和。」「三上應故鳴。」

其他，蓋自命意者也，如「羸形示弱。」「行師罪己詔，班師苗格效。」「上六對鄰國鳴。」「東征西怨，簞食壺漿以迎，故曰名謙。」「先聲奪人，通電自稱仁至義盡。」「居高名顯。」

位至上六猶鳴，豈「此怏怏者非少主臣」邪？鳴象中謂震，陰陽相應，兌爲口舌，上三感應，上三失唱和。其鳴有悅鳴與不平之鳴之別，李塨謂「上鳴雖未孚人，敗可免。」象謂「志未得。」而鳴意諸賢謂「但有虛名聲聞。」「未得遂謙志。」「貌謙實不至。」則其鳴似以「不平」之聲爲是，其謙，或羸形示弱，或訑訑之聲，皆有時不我與之發，蓋有郭子儀祖墳被掘之忍，明知孰爲之而淡化敵意之智，孔聖人訓垂暮之年，「戒之在得」之德，不再以謙爲利器，一而再用，梏之反覆，則成果可保，毋須勞神出師正人，（征之爲言正也。）雖積初至上之謙可保行師之利，然不保正邑國之效，如文惠君庖丁之刃，若新發於硎乎？苟明自養則謙德或可全也。否則征邑國者，禍起蕭牆也。

謙初六，謙謙君子，用涉大川，吉。謙謙非無其才者，蓋以謙爲手段，主功爲目標，如音文公之退避楚師三舍，三日攻原之類也，智者之謀，涉大川，吉也。謙六二鳴謙，貞吉。謙非默然逆來順受，亦非賴他人表揚而有謙名，乃我撝嗚，公開表態而欲有所爲也。故震百里，謙名遠播，而助者多也。雖然風俗之厚薄有微詞焉，而以謙名鳴，故貞吉。九三勞謙，君子有終，吉。九三有承上啓下之勞，安於知命即知天也，故勞而不伐，劬勞匪懈，坎勞，有終吉也，不亦宜乎！六四無不利，撝謙。其「無不利」爲爻之大前提，蓋得位處正。「不違則」爲其「權」。謙之不可勝用矣！六四承上啓下，有威儀容止人爲之謙，眞王佐也。老子之「仁義出有大僞」撝謙也耶？六五不富，以其鄰。利用侵伐，無不利者：不富亦爲謙辭，實則大富也。刀鋸斧鑿隨其后，以勢位得人死力，六五其時也，可大膽前進貫澈吾之大志。用其鄰則中心損傷少，勸六五爲進爻立功立事無不利之時也。謙之大用，由「侵伐」二字已見矣！上六鳴謙，利用行師，征邑國：謙至上六猶有殺伐之聲，怏怏不平以正人，以謙爲「萬靈丹」也。爻故不著吉凶之字而吉凶寓然，以謙爲利器之不可爲常也。暮年行師，志未必酬老調重彈，懼其馬革裹之以還也，上六之以謙，鳴，上六之利用「行師」，上六之「征正」人邑國，斯時宜三思而行也。

䷐隨卦（澤雷）

隨，元亨利貞，无咎。

初九，官有渝，貞吉，出門交有功。

六二，係小子，失丈夫。

六三，係丈夫，失小子，隨，有求得，利居貞。

九四，隨有獲，貞凶，有孚在道，以明何咎。

九五，孚于嘉，吉。

上六，拘係之，乃從維之，王用亨于西山。

䷐隨，元亨利貞，无咎。

彖：隨，剛來而下柔，動而說，隨，大亨，貞无咎，而天下隨時，隨時之義大矣哉！

象：澤中有雷，隨，君子以嚮晦入宴息。

荀爽：隨者震之歸魂，震歸從巽，故大通，動爻得正，故利貞。陽降陰升，嫌於有咎，動而得正，故无咎。（廿一家易注）

鄭玄：震，動也。兌，說也。內動之爲德，外說之以言，則天下之民咸慕其行而隨從之，故謂之隨也。既見隨從，能長之以善，通其嘉禮，和之以義，幹之以正，則功成而有福，若无此四德，則有凶咎焉。焦贛曰漢高帝與項籍其明徵也。（廿一家易注）

王肅：大亨貞无咎而天下隨之，隨之時義大矣哉。（廿一家易注）

蜀才：此本否卦，剛自上來居初，柔自初而升上，則內動而外說，是動而說隨也。相隨而大亨无咎，得于時也。得時則天下隨之矣，故曰隨時之義大矣哉。（廿一家易注）

翟元：晦者冥也。雷者陽氣，春夏用事。今在澤中，秋冬時也，故君子象之，日出視事，其將晦冥，退入宴寢而休息也。（廿一家易注）

九家易：兌澤震雷，八月之時，雷藏於澤則天下隨時之象也。

陸績：動而說，震一陽二陰，陽君陰民，得其正也。

傳彖亨，祭也。（孫堂案經典享多作亨，古音二字通用。）

王弼：震剛兌柔，以剛下柔，動而說乃得隨也。得時則天下隨之。

孔穎達：元亨相隨之世，必大得亨通，利正者相隨之體，利得正。有此四德乃无咎。與乾坤屯臨无妄革卦義稍別。

張載：上九下居於初也，故曰剛來下柔。

程頤：隨得其道可致大亨也。人君從善，臣下奉命，從義，從長，利在貞正然後大亨而無咎。

蘇東坡：大時不齊，故隨之。天下隨時，時上所制，不從己從時，其爲隨也大矣。

吳園易解：惟是四德乃可无咎，此其所以大。

紫巖易傳：否一變隨，再變歸妹，三變泰，大亨，利在貞，不貞則無以率化天下。剛下柔，民心孚，動則說矣。

趙彥肅復齋易說：具此四德則能時中也，（可以隨時，隨人，見隨於人。）元亨利貞天然完具，雖至愚未嘗不隨，特自蔽爾。（隨故不假外求。）

朱震：剛，人所隨，柔，隨人者也。下動上說，所以隨也。易傳曰隨之道利在於正，然後能大亨无咎。是隨以正爲是。

楊簡：動而說，深得人心。元，始也，大也，縱橫言無不通，大亨貞正又無咎無尤，隨時之道盡矣。隨時無不通矣，非得易道之大全，孰能與於此。豈勉强學習能到！

李衡引焦：漢高祖，項羽，其明驗也。引石：可隨則隨，君有諍臣，父有諍子，若隨不以正道，安得亨乎！引胡：聖賢欲天下隨己，當修四德，有此四德，然後隨之，則安而无咎。

朱熹：以卦變言，皆剛來隨柔之義；以二體言，此動彼說，亦隨之義。隨己，隨物，彼此相從。占元亨，必利正乃得无咎。隨不正不免有咎。四德雖非本義，深得占法之意。

梁寅：卦德爲動，爲說，動可大亨，說則或失正，故必利正爲戒。乃能无咎。

來知德：動而悅，易至于詭隨，故必利于貞方得无咎。

王船山：下從下謂之隨，震陽，兌陽順陰行，初陽得資始之氣以司帝出，四五漸長大正利物，得乾元亨利貞之德。如長男隨少女，剛不損健，可以无咎。

周易折中案：二體言震剛下兌柔。卦畫言剛下柔爻。六十四卦惟此一卦。象貴下賤，多問寡，所謂舍己從人者。辭曰元亨利貞，明所隨必正。卦義在己隨人。

李光地：六爻皆以剛下柔，能降尊屈貴，忘其賢智以下於人，有隨之義。其德內動外說，亦隨之意。至剛伏於至柔之下，皆爲隨也。然必利於貞乃得无咎。

毛奇齡：隨者從也。震內悅外，陰柔從陽剛，而兌西秋盡，雷收澤中，則陽又從陰，所謂時也。不詭隨一以正。所謂天下隨時者，此其義。

李塨：隨與比，同人不同，比親附，同人志相同。隨不必親，不必志相同，以時相隨者也。卦震動喜悅，德乘時大通如九五之正中孚嘉則隨无咎，天下隨可建功布業。

姚配中：元乾元謂初，初從否上來，乾元反自隨，始反交初故元亨，三四之正成既濟，乾復息，故利貞，无咎。

吳汝綸：凡言元亨者皆謂乾元開通，卦中陽爻即乾元也。利貞者利於定也。隨非美德故利貞乃无咎。

左氏四德之說非經恉。彖云大亨貞亦未合故訓。

丁壽昌：釋文元亨利貞亦又作大亨利貞而天下隨時。王肅本作隨之，本義从王肅，程傳从隨時，甚是。本義誤信肅本非也。

馬其昶引楊時曰時出於聖人，天下隨聖人；時成於天下，聖人隨天下。自案卦爻所值必各隨其時然後可无咎。六爻取義皆變例，以見易之爲道，時爲大也。

薛嘉穎引李光地或問隨主我往隨人，人來隨我之義次之。隨元亨者，深著以己下人之美也。又陽當爲陰所隨。

星野恒：隨者從順也，以陽下陰，隨順不違。卦德內動外說，當理人悅，故元亨，戒其利貞而無咎。

剛而不虐，和而不流，隨道至乎！

曹爲霖：左傳襄公九年穆姜筮遇艮之隨，姜曰无是，我則取惡，能无咎乎！思庵葉氏曰當理措宜，素位中節，隨之義也。詭隨則難乎其免咎。

劉次源：初爲卦主，兌外震內，秋往春來，開歲紀元，故享則貞。善補過也。

李郁：元指乾元，乾四來初，故曰元亨。震行，動必以正，故利貞。正則無咎。

于省吾：西谿易說引有馬徒爲隨，馬徒即馬走，猶今言扈從，隨下震爲馬爲走，互艮爲牛，故亦牛馬並言。

胡樸安：否九五爲之長故曰元。同人之親，大有之眾同歸故亨。謙之教民稼穡，各得其宜故利。豫檢閱軍隊故曰貞，元亨利貞俱備於隨可謂大吉。民不知其故而隨，僅得无咎。

高亨：元大，亨享，利貞猶利占。筮遇此卦，舉事有利且无咎，故曰利貞无咎。

徐世大：百官隨從，最普遍，无咎，不要笑罵。

李鏡池：商人結伴出門做生意是大好事，有益无害。

屈萬里：古隨追通。篇中係，拘，孚皆自追義引申。

金景芳：隨从意，元亨，大亨。隨从人家可以大亨，但要利正，才可无咎。若不能元亨利貞則有咎。

汪忠長：有隨時，隨事之義。震春故元亨。兌秋故利貞。言春秋而夏冬可眩。元亨利貞即春夏秋冬，周而復始，隨時而動，不過不忒，故无咎。

徐志銳：上下二體剛來下柔，震動兌說，象徵君禮下民，臣民必隨从君。亨貞无咎是强調隨从必依正道而行。

傅隸樸：元亨是大通，利貞是宜正，是說隨目的必須正當，目的正當可獲大通，故元亨下綴以利貞，唯有元亨利貞才可无咎。

林漢仕案：隨卦下動下悅，因悅而隨，韓康伯注雜卦隨云：「隨，无故也。」注「隨時之宜，不繫於故。」序卦：「豫必有隨。」內動外悅，豫而隨矣。不繫於故，隨時之宜。傳隸樸於初九爻辭中云：「初九未有固定對象，隨心所欲，合則從。」是以隨卦聖人警告以「元亨利貞」之大德，始克免乎過咎而補少年時第知震而悅之失行也。過大而所補者亦大也。身陷紅粉陣中之青年男女，汝將爲今日之錯誤付出雙倍代價。完整人格之建立，豈容「豫而隨」哉！彼將貽誤汝終身也。易傳家雖未著警語於豫隨之誤我，然能廁重「若無此四德，則有凶咎焉。」「利正者隨之本。」「故必利正爲戒。」「强調隨從必依正道而行。」已佈限制隨之不可「只要我歡喜，有何不可。」矣！若夫將隨之元亨利貞發揮爲：「隨得其道，可致大亨也。」「元亨利貞俱備於隨，可謂大吉。」「筮遇此卦，舉事有利且無咎」則不知隨卦成卦之義也。第知元亨利貞四德之美而略其「無咎」善補過之文。

茲輯易家對本卦重點說辭於后，以見一斑：

特徵：剛下柔，動而悅。（彖）

澤中有雷，嚮晦宴息。（象）

震動兌悅，內德外吉。天下慕而隨。（鄭玄）

大亨貞无咎。天下隨之。（王肅）

雷陽在澤中，日出視事，晦冥宴寢而休息。（翟元）

雷藏於澤天下隨時之象。（九家易）

震一陽二陰，陽君陰民，得其正也。（陸績）

震剛兌柔，剛下柔，動而說乃得隨也。（王弼）

元亨相隨之世，必大得亨通，有四德乃无咎。（孔疏）

隨得其道可致大亨。利在貞正然後大亨而无咎。（程頤）

不從己，從時。其爲隨也大矣哉！（蘇軾）

惟是四德乃可无咎，此其所以大。（吳園易解）

元亨利貞，天然完具，雖至愚未嘗不隨。（趙彥肅）

隨以正爲是。（朱震）

元大，縱横無不通，天亨貞正又無尤，隨非得易道之大全，孰能與於此。豈勉強學習能到。（楊簡）

李衡引：若隨不以正道，安得亨乎！

卦變言剛隨柔，二體言此動彼說。四德雖非本義深得占法之意。（朱熹）

動可大亨，說則或失正，故必利正爲戒。（梁寅）

動而說易至詭隨。（來知德）

得乾元亨利貞之德，如長男隨少女，剛不損健。（王夫之）

貴下賤，舍己從人，卦義在己隨人。（折中）

降尊屈貴，至剛伏至柔。（李光地）

隨，從也。震內悅外，陰從陽；雷收澤中，陽從陰。所謂時也。（毛奇齡）

隨不必親，以時間隨者也。隨可建功布業。（李塨）

王肅本作天下隨之，本義从王肅，程傳从隨時，本義誤信肅本非也。（丁壽昌）

「時出於聖人，天下隨聖人；時成於天下，聖人隨天下。」各隨其時。六爻皆變例。（馬其昶引）

隨主我隨人，深著己下人之美。陽當爲陰隨。（薛嘉穎）

隨，從順也，以陽下陰，順不違。（星野恒）

思庵葉氏曰當理措宜，素位中節，隨之義也。（曹爲霖）

初卦主，秋往春來，開歲紀元，故元亨利貞，善補過也。（劉次源）

馬走爲隨，猶今言扈從。（于省吾）

元亨利貞俱備於隨，可謂大吉。民不知其故而隨，謹得无咎。（胡樸安）

筮遇此卦，舉事有利且无咎。（高亨）

若不能元亨利貞則有咎。（金景芳）

有隨時，隨事之義，春夏秋冬隨時而動，不過不忒，故无咎。（汪忠長）

强調隨从必依正道而行。（徐志銳）

隨目的必須正當，唯有元亨利貞才可无咎。（傅隸樸）

右三十五說中共同點有：

1.剛下柔，剛隨柔，長男隨少女，貴下賤。

2.震內悅外，陰從陽。震動兌悅，澤中有雷，內德外言。日作晦息。

3.天下隨時，從時，以時相隨，隨時隨事。隨不必親。

4.說則失正，動說易至詭隨。當理中節，不過不忒。隨必依正道，四德非本義。有四德乃无咎。

5.元亨利貞，天然完美，雖至愚未嘗不隨。道之大全也，天下隨之。

隨，從少年輕狂，小子，丈夫角色遲遲未予固定，至九四，貞亦凶。蓋有缺憾人生也。數年前美國一男子競選總統提名，風雷迅速，橫掃全美，正處顛峰狀態，忽然因一女子宣稱早年與彼有婚外情，哈特黯然宣佈退選。其後又欲參選，已不得其國人之支持與同情矣！即本年克林頓總統提名某某為司法部長，亦因彼早年漏稅案不得國會支持任命。今日之貞正，無補往昔破產之信譽也。然口碑流行，假以時日，點點滴滴孵化美善德行，仍將為大人所接受，隨因時因事遷獲嘉美果報也必矣，是孔聖人謂與其進也，與其絜也，不保其往也。是隨也矣！

初九，官有渝，貞吉，出門交有功。

象：官有渝，從正吉也。出門交有功，不失也。

蜀才：館有渝。（孫堂案館官通，古文管作官）（廿一家易注）

九家易：渝，變也，謂陽來居初得正爲震，震爲子，得土之位，故曰官也。陰陽出門相與交通，陰往之上，亦不失正，故曰貞吉而交有功。（廿一家易注）

王弼：上无應，動隨時，以欲隨宜者，故有官渝變，隨不失正，出門无違，何所失哉！

孔穎達：官謂人心所主。渝，變也。无應无偏，可隨則隨，是所執之志能渝變也。見善則隨，出門交獲其功。

張載：言能變而任正，不膠柱也。隨初動主，心无私係，動必擇義，善與人同者也。

程頤：官主守，有所隨，所主守有變易，隨得正則吉。出門謂非私暱，交不以私，故其隨當而有功。

蘇軾：物有正主謂官，五，二之正主。二苟隨初，則官有變矣！初有獲而非正，初取二失五，失二得五，歸其正主，初有功於五，五德之，捨近配出門交有功之人，得必多。

吳園易解：從道不從君之謂。出門交有功，吾豈匏瓜之義。

紫巖易傳：君子動靜本道，惟道之從，事雖變渝，於道常貞，得所隨矣！故吉。出門句謂如是而後可有爲於隨也。

復齋易說：初主四常也，隨二變也。爻義以時變，時義以畫變，初隨六二，故出門交有功。當隨之時而取應，失之矣。卦義陰隨陽，爻義下隨上也。

朱震：四受命於君以帥其官屬，初隨四，四隨事有變而不知變，不足以隨事渝變也。故曰官有渝。九四變正，初九隨其正，吉也。出門交四不失其正，何往而无功！

楊簡：官司不可變，今渝，隨時之義也，能正吉。初有出門之象，无所係則无所失。
李衡引子：與二相得，出門交有功也。引陸：門者所由之正道。引牧：四立功于時，交有功，同于四也。初與四俱以陽居下體，故爲同，出門言其始也。引胡：官所守也，前所守出門，又擇有功者交之。引石：以剛下柔，孰不從？引代：陽居陽得正无應，惡舍善隨，心常應變而從正。此爻无位，不當取官位之象，孟子所謂心官。引房：出門有功，先擇後交。
朱熹：卦以物隨，爻以隨物。初陽震主，卦之所以爲隨者也。有所隨則有所偏主而變其常，惟得正，不私其隨則有功。因以戒之。
梁寅：官，主也。剛下柔爲震主。官事不可膠滯，當隨時變易乃爲不失。震體爲動，能變。剛下柔，動而說，懼失正，戒貞則吉。出門交不私其隨，然後能有功也。
來知德：隨卦初隨二，二隨三，三隨四，四隨五，五隨六，不論應與，官者主也。渝者變也。初陽剛隨六二，二得正，從正而吉。交有功，不失其所隨矣！
王船山：官，在上臨下之稱。上爻居高而非君位，故曰官。否變得正故吉，二爲門，陰虛受陽之出，故曰出門。
周易折中引房氏喬曰：出門交有功，先擇後交。又引朱子語類：官是主字之義，變得正便吉。又引張氏清子曰：官，主也。渝，變也。是主守有變動象，變從正則吉。出門不牽私則有功。引俞琰曰：隨六爻專取比，隨，不取應。初九卦主，不可隨人，不可守常不知變。又案，陽爲陰主故曰官，剛下柔故曰官有渝。

李光地：初下二柔，五下上柔，此兩爻成爻之主。官者主也，陽主陰隨，正也，今陽隨陰，主道變，是官有渝也。所守正，所從正，有功可大，吉且獲廣交之益。

毛奇齡：渝者變也，今之長男，爲出帝，稱官，皆初柔之變而得之。與四二剛不交，互艮爲門闕，二四同功，二柔可交，特其所交者功焉耳。非其應也。

李塨：長男不恃剛而下柔也。陰陽相從，正而吉矣。出艮門交二，不失其歡，隨道視有功隨之，置我而前亦隨之。故不失。

焦循：官吏事君也，隨君之命以爲之主。出門交句，有功所以申上文官有渝之義也。

姚配中：官有渝謂四化應初，故貞吉。四化應初，初亦出門交四而有功，此周禮官聯之所中立也。艮爲官府之事。艮爲門，初應四，故出門交謂在官在府也。

李富孫：官蜀才本作館，一聲之轉，正義曰官謂執掌之職，與管義近。穆天子官人，聘禮管人，鄭注管猶館也。

吳汝綸：官讀館，隨，否上之初，陽本居上，今變而在下，是館之而又渝也。有又也。貞吉者，當之者吉也。以剛下柔，故出門則人從之，同人初九與此同也。

丁壽昌：釋文官，蜀才作館，鄭注管猶館，古文管作官。孔疏出門口，交有功句。程傳以出門交句。

蘇蒿坪曰震爲陽卦之長，初震主，故曰官。動而隨故曰渝。變互艮門象。震爲出爲交，變坤簡能，有功之象。

馬其昶引俞琰曰：六爻取比不取應。錢澄之曰渝者時之常然。黃式三曰初隨陽爲陰主，故稱官。自案：坤初變震爲出，震辰在卯，冒出也。艮門闕，覆艮爲震，象門開，初隨二不爲失，初當潛而出，乃初爻之變例。

薛嘉穎：官，主也。夫陽爲主，陰隨之者正也。今剛下柔是其變，故曰官有渝。變不失正故占吉。不詭隨，交以正則有功。

星野恒：官主守，陽剛動主，不仍舊貫，因時變易，故曰官有渝，隨得正則吉也。不由私暱，交以公道則能成功。

曹爲霖：誠齋曰主是事謂官，初九主一卦之動，主變者正則吉。四不爲初應，變則有應矣。唐馬周客舍常何家，代何陳，太宗召除監察御史，此所謂出門交有功。

劉次源：官守，渝變，初震主，動則變，當春始，由貞而元，變其所守，生意始萌，出門交乘時興，有功可圖。

李郁：官同公，指四。渝變，謂四化柔應初也。四正初不動故曰貞吉。初往三變艮爲門闕故出門，應上六故交有功。

于省吾：蜀才官作館應讀觀，館觀古通，觀有渝謂觀有變也。震動，動與變義相因。孟氏逸象艮爲門庭，震爲出爲交。占此爻者以動爲宜也。與豫上六成有渝詞例同。

胡樸安：官，分領軍隊之長有變更，以正直之人其吉，出門交有功者，出門改編軍隊，軍隊稍整齊，有功對改編言。

高亨：官即古館字，公舍、學舍。治事之吏亦曰官。渝墮敗。謂館舍毀圮也。筮遇吉，出門俱有功。交，俱也。

徐世大：有踰越不稱職之官，易以久吉。出門，出差，程儀折席盈箱累橐歸，交有成績。古官猶今之官也。

李鏡池：官館，旅館。渝變故，事故。交往，指互相幫助。商人住旅館發生了事故，結果沒有損失，這是出門同行互相幫忙的好處。

屈萬里：謂館舍更變。官之初誼即館，舍也。

金景芳引查氏云：隨六爻不論應不應，只論近比，下从上之義。引龔煥說：隨卦諸爻皆以陰陽相同隨爲義。三四無應，相比相隨者也。變可以从權，故陽可从陰，叫交不叫隨。

汪忠長：渝變，渝得位故貞吉。艮門震出，陽遇陰則通故有功。凡陽臨重陰者无不吉。此其一也。

徐志銳：張子清官，主也。九家易渝，變也。按易條陽爲主，隨以陽居陰下爲得卦義，初九降尊从六二，即主變从，从正道得吉。這一特定條件不僅不爲逆，且交有功。

傅隸樸：官是感官，初九震主司動，四不應，是初九未有固定對象，隨心所欲，合則從，貴在慎選唯正是隨。門內私，門外公，出門即是離私情去隨人即有功也。

林漢仕案：「官有渝」之字詮，易家之言如斯：

蜀才官作館有渝。

王弼：渝，變。

孔穎達：官謂人心所主。渝變也。

張載：言能變而任正，不膠柱也。初動主。

程頤：官主守，所主守有變易。

蘇軾：物有正主謂官。五，二正主，二隨初則官有變矣！

吳園易解：從道不從君之謂。

紫巖易傳：君子動靜惟道之從，事雖變渝，於道常貞。

復齋易說：初主四常，隨二變也。爻義以時變。

朱震：四不知變，不足以隨事渝變。九四變正，初隨正吉也。

楊簡：官司不可變，今渝，隨時之義也。

李衡引代：此爻无位，不當取官位之象，孟子所謂心官。

梁寅：官，主也。官事不可膠滯，當隨時變易乃爲不失。震體爲動，能變。剛下柔，動而說。懼失正，戒貞則吉。

來知德：隨卦不論應與。官者主也，渝者變也。初隨二得正，從正吉。

王船山：官，在上臨下之稱。上爻居高而非君位，故曰官，否變得正故吉。
折中引俞琰：六爻取比不取應。初九卦主。案陽爲陰主故曰官，剛下柔故曰官有渝。引張氏主守有變動象。
李光地：官主也，陽主陰隨，正也。今陽隨陰，主道變，是官有渝也。
毛奇齡：渝變，今之長男爲出帝，稱官，皆初柔變而得之。
李塨：長男不恃剛而下柔，陰陽相從，正而吉矣。
焦循：官吏事君，隨君命以爲之主。
姚配中：官有渝謂四化應初。故貞吉。
李富孫：官，館一聲之轉。與管義近。鄭注管猶館也。
馬其昶引錢澄之曰渝者時之當然。引黃式三曰初隨陽爲陰主，故稱官。
薛嘉穎：官主，陽爲主，陰隨之者正也。今剛下柔是變，故曰官有渝。
曹爲霖引誠齋：主是事謂官，初九主卦動，主變正則吉。
李郁：官同公，指四。渝變謂四化柔應初也。
于省吾：館應讀觀，觀有渝謂觀有變也。
胡樸安：分領軍隊之長有變更。
高亨：官古館字，公舍、學舍。治事之吏亦曰官。渝，墮敗，謂館舍毀圮也。

徐世大：有踰越不稱職之官，勗以久吉。古官猶今官。

李鏡池：官館，旅館。渝變故。事故。商人住旅館發生了事故，結果沒有損失。

屈萬里：謂館舍更變。官初誼即館，舍也。

金景芳：隨不論應只論比，下从上之義，變可從權，陽可从陰，叫交，不叫隨。

汪忠長：渝變得位故貞吉。

徐志銳：官主，渝變。陽爲主，隨陽居陰下，初降尊从二，即主變从正道得吉。

傅隸樸：官是感官，初四不應，隨心所欲，貴在唯正是隨。

上三十六說中，官：

作官謂人心所主。（孔穎達）

作館。（蜀才）　館官一聲轉，與管義近。（李富孫）　官主守。（程頤）

物有正主謂官。五，二正主。（蘇軾）

初主四常，隨二變也。（復齋）

四變正，初隨正。（朱震）

心官。（李衡引）

官者主也。初隨二得正。（來知德）

官，上臨下之稱。上爻非君故曰官。（王夫之）

初九卦主，主故曰官。（折中引）

官主也。陽主陰隨，正也。（李光地）（薛嘉穎）（徐志銳）

今之長男爲出帝，稱官。（毛奇齡）

長男不恃剛而下柔，陰陽相從。（李塨）

初隨陽爲陰主，故稱官。（馬其昶引）

主是事謂官，初九卦動變正則吉。（曹爲霖）

官同公，指四。（李郁）

館讀爲觀，觀有渝。（于省吾）

軍隊之長。（胡樸安）

官古館字，公舍、學舍。治事之吏亦曰官。（高亨）

古官猶今官。（徐世大）

旅館。（李鏡池）

館舍。舍也。（屈萬里）

官是感官。（傅隸樸）

孟子告子下「耳目之官不思而蔽於物……心之官則思，思則得之。」乃指人心官能，傅隸樸所謂感官者，所謂隨心所欲者。與孔正義官謂人心所主同義。

官直接釋主者，孰是主也，賢者之見各隨其官，蘇軾以正應者爲官主，如五，二正應，五爲二主。復齋以初主四常。折中亦以初九爲卦主，主故曰官。李郁以四爲官，官同公。蓋四，初之應。朱震四變正，初隨正也。來知德則謂初隨二得正。李光地等則以陽主陰隨爲正，馬其昶亦謂初隨爲陰主。是主管可以正應者如五之與二，四之與初，或卦主初。來謂「初隨二得正」則二亦得謂主。主，官也，如此則初，二四五皆是主，是官？在此顯然有不是之處。觀宋李衡引即謂「初爻无位，不當取官位之象。」徐世大認定「古官猶今官」之不當也。官似乎混淆不清矣，於是乎有上爻爲官；陽官陰隨；長男爲出帝稱官；長男不恃剛下柔之說。而另闢蹊徑，直用蜀才館爲公館、學舍、旅館釋官者，或以館音讀爲觀釋官。振振有辭，皆見其理路分明也。然則奈何「官有渝」之句義？胡樸安以「軍隊之長」爲官不足爲訓。窮於是乎變，變於是乎通，官之義，可以是：官之爲言宣也。古微書引春秋元命苞。

官謂各當其任無差錯也。（荀子解蔽）

足矣！其餘官解爲正、主、公、事、法、職、管、館、觀者可以休矣！

初九，宣告有渝變，斯即眾官人稱隨卦不取應與，取其近比，下从上之謂也歟？來知德之初隨二，二隨三，三隨四，四隨五，五隨六也。荀子之官解「各當其任無差錯。」亦極通順。初九，原本各當其任無差錯者有所變渝也。雖然，漢仕之所稱官有渝，仍就本初九階段卜筮言，不必初隨二，二隨三也。蓋初九即卜之者時宣言有渝也。「貞吉，交有功。」乃宣言有渝變之后有安定作用之補詞，變好，非變壞也。所以「貞吉。」所謂「出門交有功。」專家之鴻見宜有所交待：

象以從正吉。交有功，不失也。

九家易以陰陽相交通，陰上不失正，故貞吉，交有功。

王弼以隨不失正，出門無違，何失！

張載：動必擇義，善與人同者也。

程頤：交不以私，隨當而有功。

蘇軾：初有功於五，捨近配出門及有功之人，得必多。

紫巖易傳：出門句，謂如是而後可有爲於隨也。

復齋：初隨六二，故出門交有功。爻義下隨上。

朱震：九四變正，初九隨其正吉也，交四何往而无功！

楊簡：能正吉。無所係則無所失。

李衡引子：與二相得，出門交有功。引牧：四立功于時，交有功同于四也。

來知德：初剛隨六二，二得五，從正吉。不失其所隨矣。

王船山：二爲門，陰虛受陽之出，故曰出門。

毛奇齡：與四二剛不交，互艮爲門闕。二四同同功，二柔可交，特其所交者功焉耳，非其應也。

李塨：陰陽相從正而吉矣。交二不失其歡，隨道視有功。

焦循：有功所以申上文官有渝之義也。

姚配中：四化應初，初亦出艮門交四而有功。

丁壽昌引蘇：變互艮門象，震出，變坤簡能，有功之象。

李郁：四化柔應初，初不動貞吉。初往三變艮門，應上六故交有功。

胡樸安：出門改編軍隊。有功對改編言。

高亨：出門俱有功。交，俱也。

徐世大：出門，出差。

李鏡池：交往，指互相幫助，出門同行互相幫忙的好處。

金景芳引龔煥說陽可从陰，叫交不叫隨。

汪忠長：陽遇陰則通故有功，凡陽臨陰無不吉。

徐志銳：初九降尊从六二，主變从，从正得吉。

傅隸樸：門外公，出門即是離私情去隨人即有功也。

所謂从正，不失正，正即官，依官有渝之文，是正有渝也。毋怪乎復齋易說，來知德以爲舍四从二也。今官以宣言解，所謂宣言有不失正者，貞吉也，則朱震初隨變正之九四，姚配中之四化應初解得到支持。獨蘇軾之初有功五，隨五洎李郁之交上六之爲無本也，有非份高攀之嫌。李塨謂「

陰陽相從，正而吉，交二不失其觀，視有功。」蓋男女媾交，健康寶寶之來爲有功乎？觀六二係小子，六三係丈夫之爻文，初之隨二，陽之隨陰，陰納陽隨，金景芳之謂叫交不叫隨。高亨之交俱也。應爲近矣。然正者應是初二皆得其正位而比，非應也。傅隸樸言「初無固定對象，隨心所欲」有所不是可見矣！

初九，宣言有所變渝，貞卜各得其正吉，初陽二陰交，愛苗滋生，功可見矣夫！初九之時位如此。

六二，係小子，失丈夫。

象：係小子，弗兼與也。

王弼：陰之爲物，不能獨立，必有係也。居隨體柔乘剛，隨此失彼，五處上，初處下，故曰係小子，失丈夫也。

孔疏：小子，初也。丈夫，五也。六二陰柔，近係初九，不能往應五，故云失丈夫。

張載：舍小隨大，所求可得，必守正不邪乃吉。

程頤：二應五比初，隨先於近。初陽在下，小子也，五正應在上，丈夫也。捨正應而從不正，其咎大矣！當爲之戒。

蘇東坡：小子，初也；丈夫，五也。兼與必兩失。

東谷易翼：動說，陽下陰，少女從長男，是以易動於欲，二三陰柔，以欲隨人，比近必合，二比初，初在下小子三比四，四在上丈夫，設辭爲戒也。

吳園周易解：初切近勢，不得不從，罪在下不能兼與爾！

紫巖易傳：隨道在係。正否且隨。二柔中無失德，柔道多牽，謂舍五正應係初也。初爲動說主，自乾上居坤下，失隨貞者，其戒夫居陋而不誠心一意以事其君者歟！四五以乾陽在上爲夫。

復齋易說：陰爲小子，陽爲丈夫，上隨六三則失初九也。（隨非其人則隨我者去。）

朱震：四艮爲少男，小子也。初震有巽婦，夫也。二四同功，六二係情於四，四在上不正，隨非其人，比初不專不親，失在不能權輕重也。

楊簡：六二九五正應，九五有丈夫象，然近係初九，勢無兼與之理，係一失一，以爲貪小失大之戒！

李衡引介：有係而隨則不能兼與，此其所以失丈夫。臣不應君，失隨之道。引王逢：以其中正係于一不有它，故不曰凶悔吝。

朱熹：初陽在下而近，五陽正應而遠，二柔不能自守，以須正應，其象如此，凶咎可知，不假言矣。

梁寅：三陰皆言係，蓋隨之固結也。二五正應而遠，初近下隨於初，是係小子而失丈夫也。凶咎不言可知。遠君子，親小人，說與不若己者同處，觀此亦可自省矣！

來知德：巽爲繩係，陰爻小子，陽爻稱夫。小子者三也，丈夫，初也。六二義當隨三，然三不正，初正，故有係小子，失丈夫之象。

王夫之：卦以陽隨陰爲義，爻之相次者皆爲相隨。二陰隨陰，四陽隨陽，皆隨也。陰小陽大，係戀相屬，二隨三失初九之交，不言咎吝而自見。

李光地：係初則失五。初下二，二必從而係之。二五正應而係於初。自初言則有善下之美，自二言則失所從之正。二有中正之德，義與時遷，故其取象如此。

毛奇齡：前當少男（互艮少男），後遇長子（震）。少男，小子也，（子男同位）長子即丈夫，今二所隨本近丈夫，忽與小子同體，長者足未展，小子手已拘，前後牽曳，是前係小子，後失丈夫也。

李塨：一意隨六三，三陰小，艮小子，初九陽爲丈夫，六二拘三而失初九丈夫，蓋惟一是從，不得兼與隨之道也。

焦循：丈夫五已定者也，謂隨也，小子五未定者也，謂歸妹也。

姚配中：二已係於四則不得兼與五，故失丈夫。孔子曰無欲速，無見小利，欲速則不達，見小利則大事不成。

吳汝綸：小子謂初，丈夫謂四，二係初而失四，三係四而失初也。

丁壽昌案：虞仲翔曰應在巽，巽爲繩，故稱係。

馬其昶引王逢曰：以其中正，係於一而不有其他，故不曰凶悔吝。自案：二五應而不應，隨初小子，象婦人從子之義，孔子曰三從之道，夫死從子，無所敢自遂也。易重二五之應，此不取應，是二爻變例。

薛嘉穎：虞氏云陽始見故小，謂初。惠棟大既係小子，與初則失丈夫，言其不可兼與也。

星野恒：小子指初九，丈夫指九五，以柔居陰，比初上應，以近相係，必失正應。蓋君子小人不兩合，進少壯果銳之人，則老成之士退，親諂媚則法家拂士疎，所當戒也。

曹爲霖：誠齋曰牽於彼而吾隨之曰係，郭子儀初信張曇，僚幕相牽求去。婦人淫於群小失夫家之象。穆姜通僑如欲廢成公是也。

劉次源：係牽于情，隨六數否，小人道長，係三失初，闇也。

李郁：係拘，初小子，四丈夫，二柔不能自立，欲係于四，三隔，故失丈夫。近係初小子。此因小失大也。

胡樸安：係編繫之義，小子，懦弱者也，若懦弱之人並編繫，則失强健者。丈夫，强健者。故象弗兼與也。

高亨：繫縲，殆指俘虜，小存大亡之象，未言休咎，在其中矣。

徐世大：官吏介於下民上司間，似婦人介於兒女夫婿間，顧此失彼。牽住小子，失了丈夫。志爲廉吏，固未嘗操心榮辱吉凶也。

李鏡池：系，綁。小子，小奴隸。丈夫，大奴隸。原來商人是販奴隸，旅館出事時，奴隸跑了。有些小的抓住，但大的逃掉了。

屈萬里：係同繫，小子謂六三陰爻。丈夫謂初九陽爻。傳象「與」，「拜也，偕也。」

金景芳：剛隨叫交，柔隨叫系。小子是六三，丈夫是初九。陽大陰小。系小子是系六三而失掉初九。

二與三比，又與初比。系了六三就失了初九。程說丈夫是五不對。

汪忠長：初震爲小子，四艮爲丈夫。二近初故係小子，爲三所隔，不能承四故失丈夫。說卦震爲長子，初生者長，以一人言初少上長，故以震爲小子，艮爲丈夫。

徐志銳：六二與九五正應又比初九。比應關係依卦的時義而變，因此六二必須舍正應的丈夫九五去依初九小子。這是變例，由隨卦的時義所決定的。

傅隸樸：二五正應，但距離遙遠。與初親比，捨九五而隨初。九五爲丈夫，初九稱小子。係初九小子失九五正應丈夫。

林漢仕案：小子，丈夫，應爲陽爻。上古同性戀者難獲社會同情，形諸文字幾不可能也。是丈夫、小子皆非六三上六同一性別可知矣！易家之卓越裁示各盡所能也，茲綜合衆說以見一斑：

小子：

王弼：五處上，初處下，故係小子，失丈夫。

孔疏：小子，初也。

張載：舍小隨大。（以陽大言則初爲丈夫）

程頤：初陽在下，小子也。

東坡：小子，初也。

東谷：初在下小子。

紫巖：二柔中無失德，柔多牽，舍五係初也。
復齋：陰者小子。上隨六三則失初九也。
朱震：四艮爲少男，小子也。比初不專不親。
楊簡、朱熹、梁寅皆謂二五正應，初爲小子。
來知德：陰爻小子，陽爻稱夫，小子者三也。
王夫之：卦陽隨陰，陰小陽大，二隨三失初。三小子。
李光地：初有善下之美，二失所從之正。（初小子）
毛奇齡：艮少男，小子。震長子，丈夫。長者足未展，小子手已拘。前係小子也。（五爲小子）
李塨：六三陰小，艮小子，初九陽丈夫。
焦循：小子五未定者，謂歸妹。
姚配中：二係於四則不得兼與五，故失丈夫。
馬其昶：隨初小子，象婦人從子之義。
薛嘉穎：陽始見故小，謂初。
劉次源：係三失初，闇也。（三爲小子）
胡樸安：小子，懦弱者也。
李郁：初小子。因小失大。

高亨：繫縲俘虜，小存大亡。

李鏡池：綁小奴隸，大奴隸逃掉了。

屈萬里：小子謂六三陰爻。

金景芳：柔隨叫係，小子是六三。陽大陰小。

汪忠長：初震小子。

徐志銳：依初九小子。

傅隸樸：初九稱小子。係初九小子。

以初九爲小子者計有：孔穎達、程頤、蘇軾、東谷、紫巖、楊簡、朱熹、梁寅、李光地、吳汝綸、馬其昶、薛嘉穎、李郁、汪忠長、徐志銳、傅隸樸等大家。

以五爲小子者：王弼、張載、毛奇齡。

以四爲小子者：朱震、姚配中。

以三爲小子者：張載、來知德、王夫之、李塨、屈萬里。

比應以外另賦小子之義者：焦循、胡樸安、高亨、李鏡池。

傅隸樸言「初未有固定對象，隨心所欲，合則從。」六二謂所係者初九小子，易家又絕大多數謂六二係初小子，初九小子爲六二所係戀成定局矣。蓋人情眷戀初逗。喜新厭舊，楊花水性乃入中年以后胃口大，膽量大，見識亦大之可能造作。

以三爲小子者，其磨鏡矣夫！今北歐准兩陰、兩陽同性婚姻也。斷袖之癖，彌子瑕，籍孺，閎孺，同子驂乘之趙談，韓嫣，董賢，玻璃圈中事也，雖身爲九五，見之史冊者，亦可醜也。

以四爲小子者，既非比，又非應。祇因艮爲小男耳。

以五爲小子者，其無理甚也，以九五之尊，正應六二，猶之原配夫婿，硬套以「河洛哥」，（學老古）「契兄」，不淪矣夫！

焦循之亂譜鴛鴦，穆桂英可配薛丁山矣！無怪乎北海相孔融言之曹操云：武王克紂，以妲妃賜周公也。謔矣！

高亨，李鏡池，徐世大之易注所建立之新系統，乃對易經傳統價值之新反動，易經果爲記載俘虜之書？

所繫者爲初九，初無位，在下，初从九四則爲彌子瑕，趙談，董賢，雌伏之男子漢耳已。从六二甘爲之繫，則雖小子身，幹丈夫事，初亦甘爲之繫也。

六二之失丈夫說，視係小子而知失丈夫之說駁雜亦如是也。王弼之初丈夫、孔五丈夫，張載、程頤、蘇軾、張浚、楊簡、朱熹、梁寅、李光地、焦循、姚配中、馬其昶、星野恒、徐志銳、傅隸樸等偕挐五之應二爲六二之丈夫也。以初爲丈夫者王弼之外有趙彥肅、朱震、來知德、王夫之、毛奇齡、李塨、吳汝綸、劉次源、屈萬里、金景芳。以四爲丈夫者有：東谷易傳、李郁、汪忠長。揆諸情理，以五爲丈夫較妥貼。人盡可夫矣！然不必變例强初爲夫，合震長子爲夫，四艮少男爲夫，依正例也，二五本正，雖然初已近水樓梯先得月，得其身，得其心。然以理言，得初之合志，富貴於二如浮雲耳，是六二之係初，失配九五丈夫也。不愛江山愛小丈夫也。蓋亦一般少女憧憬初戀之心態乎？

六三，係丈夫，失小子，隨，有求得，利居貞。

象：係丈夫，志舍下也。

王弼：陰柔不能獨立，必有係也。舍初，志在四丈夫，隨之則得其所求矣！應非正，何可以妄！利居貞也。

孔疏：六三柔近九四，係於丈夫也。初被二據，失小子也。三有求皆得。利在俱守正。假丈夫小子以明人事。

程頤：丈夫，九四也。小子，初也。陽之在上者丈夫，居下者小子。陰柔不能自立，係於所近者。三隨四，有求必得也。隨上而上與之，是得所求也。處正，君子之隨也。

蘇東坡：四爲丈夫，初爲小子，三无適應，有求則得之矣。然從四正，四近三在上，從上則順，與近則固，故係丈夫而利居貞。

吳園周易解：舍小從大，何求不獲乎！

紫巖易傳：捨初從四，因四以通五志，有求而得者也。臣惟道惟君之隨，聖人深著不可隨麗權臣之戒。舍下謂舍初也。

復齋易說：隨得其人，故隨我非其人者去，將更得同類來從我，善惡不兩立也。

朱震：舍音捨，張弼讀與乾九二時舍也之舍同。訓居。弼讀爲長。四三比近宜相親，三係情初寧失親比，四不正也，故曰係丈夫，失小子，三柔隨初，得隨之宜，利居貞也。

楊簡：六三上六兩陰本無相應之象，六三變常隨九四，此善變者也。不隨六二，失小子；係九四之丈夫。舍六二陰下。戒利居貞，言雖暫正不能安也。

李衡引陸：三非正，承陽爲順。二以正爲隨，反不足稱，乘剛爲逆故也。引陳：三隨其所求而得之，无所定主，故利居正，固其所守則善矣。

朱熹：丈夫謂九四，小子亦謂初，三近係四而失初，其象與六二正相反，四陽當任而已隨之，有求必得，然非正應，故有不正邪媚之嫌，戒以居貞也。

梁寅：三隨四，係丈夫失小子也。四君側之臣，三隨之，有求必得，四不正，三亦不正，戒利居貞。

來知德：丈夫，九四。小子，六二。得四近君，求富得富，求貴得貴。然四不中正，六二中正，故有係丈夫，失小子之象。三不正故戒占者。

王夫之：陽實陰虛，舍二從四，往求有得矣！陰從陽，道之正也，以有得往豈所期望哉！故居守貞則合義而利。

周易折中引虞氏翻：三上無應，上係四失初小子，故係丈夫失小子。

李光地：六三上從九四，是係丈夫而失（初）小子，雖係實隨，四有德位，三求必得，懼有苟合不正之嫌，正則無不利。

毛奇齡：三甫入艮門，震足已追及，是後所係者丈夫，前所失者小子。六三巽，所隨受巽繩之係，巽利之得，恐小子在前贅多獲，忘向所失。三位不正，正則吉也。惡三多詭隨。

李塨：六三志隨上舍下，以巽繩係九四丈夫，有求而得，巽近利市三倍，爲佞則非矣，惟利居貞耳。

焦循：六二六三皆發明官有渝之義，爲全易之通例。

姚配中：三之四係五故係丈夫。三之四則艮不見，故失小子，三四易成既濟故有求得居，三失正故利居貞。

吳汝綸：四陽當任而隨之，故有求必得，然非正應，故利居貞也。

丁壽昌：案虞仲翔曰隨陰隨陽，三上无應，上係四，失初小子，故係丈夫，失小子。艮爲居，爲求。

惠定宇艮爲宮室，故爲居。艮兌同氣相求，故爲求。

馬其昶引司馬光曰：三无中正之德而不凶，所隨得其人。自案陰陽情近而相得，三四隨得承陽之義，是其貞也。然三四失位，殆殉夫而不顧者歟？求仁得仁，爻義反善，變例。

薛嘉穎：三比四遠初，有係丈夫失小子象。傳義丈夫謂九四。所係在四，則所舍必初。引李光地：三四以陰隨陽，故卦惟兩爻言隨。陽爻言交，陰爻言係，陽無隨陰之義，陰爲陽所下，又不可以隨陽爲言，聖人辭義嚴若此。

星野恒：丈夫指九四，小子初九。以近相係，上比四失初，四之於我尤相厚，有求必得，不可不正相隨，以貞自守。

曹爲霖：馬援曰當今之世，非特君擇臣，臣亦擇君。小象志舍下也。如常遇春歸明太祖，秦叔寶、程知節降唐是也。

劉次源：三上從四，係乎陽也。小人道憂，居貞自守，道在則然也。

李郁：三近四遠初，正與六二相反，係丈夫，失小子者，此因大失小也。三四易位則皆有得，是故利居正。下謂初。

胡樸安：言小子與丈夫不能兼與，六三有意失小子，故象曰舍下。舍置下即小子。相隨之衆有求必得而利，可以處事矣。

高亨：隨從引申爲逐義，大存小亡之象，小子逃可追逐及之。若人有失欲追，筮則得之，居處則利。利自爲事，非承上句。

徐世大：巧宦但知圖祿位，求考績上上，牽住丈夫，失了小子，官有求而得，自宜久佔，宦途順利。

李鏡池：有，爲。求得，希望獲利。另一種情況，小奴跑了，大奴綁住了。結伴出門爲了有所得，但郤造成損失。利居貞附載。同時表明與隨而有渝相反。

屈萬里：丈夫謂九四，小子謂六二。

金景芳：也要按比來講。查慎行說：三二同體，比四，小子是六二，丈夫是九四。卦義隨上爲貴，隨陽為得。三四近，其情易合。我看是通的。查氏又戒三四不當位利居正。

汪忠長：近四承陽，上係丈夫，為二所阻，故下失小子。艮為求，陰承陽故有得。巽為利，无上應，靜吉動不利。

徐志銳：六三與上六無應而承九四之剛，六三失初九小子，依附九四丈夫，九四應其求而相隨。有苟且相从不正之嫌。

傅隸樸：三失位无應，九四在上亦无應，見三隨便欣然受之，六三求隨目的得達，故曰係丈夫失小子。陽在上為丈夫，在下為小子。人臣當隨上不隨下。六三係是正確的。防其所隨失正，故戒之利居貞，言不可隨邪。

林漢仕案：時有古今，地有北南，老子之處柔處下處小處弱不足以動易經剛中之毫髮，「陰柔不能獨立。」「不能自立」以「承陽為順」，古之所謂婦人三從是也。在家从父、出嫁从夫、夫死从子，所从者老陽、中陽、少陽也。時代巨輪不必老子，不必女中丈夫，女子皆丈夫矣！日前由中央大學何春蕤教授發動之遊行，高喊口號「只要高潮，不要性。」是女子主動權之操之在己也，不必依剛察色觀顏矣！苟不欲則「高潮」不現，汝男子奈何我哉！此古今之實質社會變異者一。其次言「志在四丈夫，得其所求。」「利在俱守正。」「丈夫九四，有求必得，處正，君子之隨也。」言非正應，梁寅言「三不正，四亦不正。」而說者「四有德位；」（李光地）程頤之「處正，君子隨也；」「因四通五志，有求而得者也。」（張浚）依易家之傳注，六三所係之丈夫——九四者異代同聲，幾震耳欲聾矣，智者之言「利居貞」，「利俱守正」，「戒利居貞」。「三不正故戒占者。」「不可不正相隨。」而三之係四爲丈夫又幾成定局矣！觀眾口一辭，又覓得託辭可知其中有矛盾，又知逕判六三，九四爲處正者之不智亦不正也。茲依易傳作者之見約輯於后：

象：「係丈夫，志舍下也。」上丈夫，下小子已明顯指派，然上未明言九四，九五或上六。下亦未示以六二抑初九。其下作者遂有空間發揮。

王弼：舍初，志在四丈夫。應非正。利居貞。

孔疏：柔近九四，係於丈夫也。初被二據，失小子也。利俱守正。

程頤：丈夫，九四。小子，初也。處正，君子隨也。

東坡：四丈夫，初小子。從四正。

張浚：捨初從四。

朱震：三係情初，寧失親比，四不正，隨初，得隨之宜。

楊簡：六三隨六四丈夫，舍六二陰下。雖暫正不能安也。

李衡：三非正，承陽爲順。

朱熹：丈夫謂九四，小子亦謂初。係四失初。然非正應，故有不正邪媚之嫌，戒以居貞也。

梁寅：三隨四係丈夫而失小子也。四三不正故戒利居貞。

來知德：丈夫，九四；小子，六二。四不中正，六二中正，故有係丈夫，失小子之象。三不正故戒占者。

王夫之：舍二從四。

折中：三上無應，係四失初小子。

李光地：四有德位，三從是係丈夫而失（初）小子。

毛大可：三甫入艮門，震足已追及。後係丈夫，前失小子。

李塨：係九四丈夫，志隨上舍下。

姚配中：三之四係五，故係丈夫。三之四艮不見，故失小子。三失正故利居貞。

丁壽昌：上係四失初小子。

馬其昶引：三无中正之德，所隨得人，陰陽情近相得。三四隨得承陽之義，是其貞。

薛嘉穎：三比四遠初，丈夫九四，所舍必初。陽無隨陰之義。

李郁：三近四遠動，係丈夫失小子者，三四易故利居正。

屈萬里：丈夫九四，小子謂六二。

汪忠長：近四承陽，上係丈夫。爲二所阻，故下失小子。

徐志銳：失初九小子，依隨九四丈夫。

傅隸樸：三、四皆無應，見三隨便，欣然接受。六三係是正確的，陽上丈夫，在下爲小子。

上廿六說中，以陽九四爲夫婿者，幾無例外，僅朱震一人持四不正，三寧失親比隨初。餘者或謂四不正，三亦不正，「承陽爲順。」甚或謂「然從四正。」（蘇軾）甚謂「處正，君子隨也。」（程頤）知「非正應，有不正邪媚之嫌，戒以居貞也。」仍許係四失初。（朱熹）是易家認貞隨卦之各爻「隨便」爲變例，爲「陰陽情近而相得。」「三陰承四陽爲其貞。」眞不知「利在俱守正。」爲何義矣？是所謂法者以衆人之共同約定爲法也，夫如是，老子之柔弱勝剛强，剛折柔勝之哲學，前人以兩道並行不悖之兩主流，可以合併用之易學匯成一股强流矣！

三既係四，然所失小子專家屬意初九？抑六二？象只言志舍下。上列屬意舍初者有十三說，是初爲風流小子，勾六二，又勾六三，終爲六三所舍，蓋六三獲一可攀援之夫婿也。姚配中云：「三之四係五，故係丈夫。」三亦花心婦人乎？張浚云「捨初從四，因四以通五志，有求而得者也。」六三眞花心婦人矣！專家以六二爲小子者亦有五說，楊簡、來知德、王船山、屈萬里、汪忠長等。六三，舍六二，如上爻之謂磨鏡，一旦物遇酥心之異體，必「改邪歸正。」棄六二如蔽履矣！以小子爲九四者如朱震，「四不正，寧失親比。」毛大可之「三甫入艮門，震足已追及，後係丈夫，前失小子。」是亦謂失艮小子九四也。朱震以四不正隨初，得隨之宜。

係四，舍四，係初，舍初，舍二，易家各據象圓理，繫四則四不正，繫二則兩陰同性亦不正，繫初則明言失小子，震初小子也，六三有所新係戀者，厭棄舊人，乃衆易傳作家之所同稱，似皆有瑕疵，蓋比應之不得而强聒噪配，對何如直攻爻文，謂六三時位卜得「假丈夫小子以明人事。」隨至六三，雖不當位，柔優寡斷，然心智已趨成熟，對前日往行有所悔恨，六二時天眞爛漫，以爲

「東宿西食。」可以兩美俱得。六三之「舍魚而取熊掌。」挽係丈夫，拋棄愛情而取麵包，是現實生活、社會價值，抑成長經驗決定六三之係？失？蓋非偶然也。隨有求得，不亦宜乎！然今後以居貞庶有利，是丈夫所求之於六三者，六三眞須認眞自省者也。機會之來可不再也。

九四，隨，有獲，貞凶，有孚在道，以明何咎。

象：隨有獲，其義凶也。有孚在道，明功也。

王弼：三求係己，不距則獲矣！故隨，有獲。失臣道，違正故貞凶。體剛居說，得民心，能幹事，何咎之有！

孔疏：下擄二陰，三求不距故隨有獲。居臣地，非其位，擅其民，失臣道，違正理，故貞凶。體剛居說，得民心，志在濟物，更有所咎！

張載：以陽居陰，利於比三則凶也。苟利其獲凶之道也。能以信存道，則功業可明，无所咎矣。

程頤：陽剛之才，處臣位之極，若隨有獲，雖正亦凶。唯孚誠於中，動合道，明哲處之，下信而上不疑，則又何咎！

蘇軾：六三固四之所當有也。獲，取非其有之辭。四之勢可不義取二，四當道不忘信，使二五得配，居可疑之地而有功，足以自明，其誰咎之。

吳園周易解：務爲容悅之謂。有孚在道，權以濟事乃可。

紫巖易傳：伊尹周公，臣也，實受天下，隨處伊周，道雖貞，其義凶，至誠則君不疑，功可成矣。正心欽已，譬日月在天，有目有趾，莫不待以成功！故有孚以明何咎。

復齋易說：下皆隨上，上爲下所隨，四得三并初二也。四得衆以爲己有則凶，率以從五，又何咎乎！有孚，此志明爾。

朱震：四據有三，獲也。二三從初，四與五爭三，能无凶乎！三四易位，正也，雖正亦凶。義不可有三也。初九行正，所謂道也，四動與初應，有孚在道也。四正而誠三唯正之隨，二隨初，率天下隨五成隨之功也。

楊簡：九四自任以爲己獲衆心如此，雖正亦凶。有毫髮己能之心則失道。有私雖人君不能免凶，況臣乎！況居近君之位其可不敬懼乎！孚道明一也。聖人所以致誠告也。

李衡引子：竭誠奉王，立功明道，皆上之有，何咎！引胡：以剛明之才，居人臣之極位，天下之民，欲隨己，是有獲。有君之民，大凶矣！當率天下之民奉上，則可逃悔吝。引介：明足趨時，孚足守道，明則有功。

朱熹：九四以剛居上之下與五同德，隨而有獲，然勢凌五正亦凶，惟有孚在道，明則上安下從，可以无咎，占者宜審此戒。

梁寅：近九五，大臣任事者，求五宜无不獲也。然大臣當正其義不謀其利。積孚誠，致其忠，明幾微斯无咎。

來知德：有獲者，得天下之心隨于己也。四近君，若人心隨己，危疑之道也，故凶。內有孚信之心，道以事言，凡事合道理，明保身之幾，則上安下隨即无咎不凶矣！

王船山：五陽得位而四隨之，必獲其心，隨時方競隨陰，四獨守貞依主，孔融所以爲操害也，雖貞而凶矣！然其孚者道，身雖死而志白於天下，又何咎乎！

周易折中引虞氏翻：謂獲三也。引郭雍：六三隨有求而得，九四隨有獲。夫尊疑於君，又獲天下隨，守貞則凶，至誠使無疑，斯无咎。又徐氏幾曰：三四相比從，三得四，四獲三。引龔煥曰：三四相比相隨，然三上從陽，四下爲陰，理正固守則凶。案龔氏尤簡明也。

李光地：爲三所係，三實隨之，上得下隨，是有獲，正也，而與卦義相反，是以凶也。明行察理可以无咎。卦三四不正，剛下柔下，故戒。以唱隨之道獨得常，故卦惟兩爻言隨。

毛奇齡：九四巽中利有獲，必將凶，幸居坎孚，當六二同功之始，雖凶何咎！與初應不交，藉二爲功，相隨相照如此。

李塨：九四親承九五，隨得正者也。四不惟獲三，並獲初二，豐盛難居，雖貞亦凶。若二上大坎孚信，獲下隨五，非私獲竊據，凶可免矣，何咎！

焦循：獲與穫同，謂終。在猶存也，存道不失道也。

姚配中：在，察也。孚五察應而後之正成離明，故有孚在道，以明所謂從正吉也。自正則凶，孚五從初而後正，故何咎。

吳汝綸：隨有獲，獲三也。有孚在道，孚于五也。

丁壽昌：以明，王注以明其功，文義爲順。有獲，虞仲翔謂獲三，孚謂五，初震爲道。惠定宇震爲大塗故爲道。昌案四互艮爲徑路，故在道艮象，光明，故有以明之象。

馬通伯引袁樞曰其義凶有凶之理也，處得其道則無咎矣！自案初二五上同體隨，三四異體，兩爻皆明曰隨三求四，四獲三是隨有獲矣！三體震故戒征凶，得剛上柔下之道。

薛嘉穎：三隨四，四不距，四因三之隨而有得矣。龔煥隨三四無正應，以相比相隨者。近君獲天下隨，未免功高震主，守此常山。惟所存有孚，所行在道。

星野恒：此大臣承順君意而得寵任者也。居大臣之位無匡救之益，雖貞自守，豈能免凶哉！然順信禮義可以免咎。

曹爲霖：郭令公爲中書奏除州縣一人，不報，公曰方鎭跋扈，朝廷不以武臣相待而親厚之，可賀！令公可謂知有獲，貞凶之道。蕭何遣子弟從軍，讓封，卒爲功臣榮顯。

劉次源：以陽隨五，獲必鉅，正亦凶，況以詭遇，惟以孚誠，以道自處，明見幾先，咎何由取？

李郁：隨不以失爲義。四失正，化得位，是隨有獲。不自化則失，故貞凶。有孚應初，待變，明得失又何咎。

胡樸安：言相隨之衆以田獵有所獲也。軍隊之行，中途田獵，雖有獲，其事至凶，上下信而无咎。

高亨：隨逐，獲當讀爲擭。逐而有擭，不徒不能捕物，且將爲人所捕。孚讀爲浮，罰也。行罰能明，何咎哉！雖行罰在路中亦無咎。

徐世大：獲不正當收入，久敗露則凶。有俘虜在行軍所得，怕什麼，雖貪不致敗露。

李鏡池：孚，獲利。明，借爲盟。何咎，猶言无咎。商人爲了賺錢，結伴未免利益衝突，故貞凶。如果訂盟，照章程解決，就可以沒事。

屈萬里：有孚句，在道以明句，如此則孚仍作信解亦通。古俘字但作孚，此有孚應作俘解。隨又獲，言已已逃，被追又獲也，故凶。以，而也在道以明，言道路之人皆明之。隨追獲脫孚，追得之故有凶象。幸有俘虜在道可以明其功，故得无咎。

金景芳：查慎行解四五比，初四應，三系丈夫失小子。我隨人而人隨我，隨有獲之象。固守得凶。因四臣五君，人都隨臣了，臣有凶。符合道便不會有咎。

汪忠長：下乘重陰而得民，故有獲。前遇敵故貞凶。然下孚衆，光明正大，循正道亦無咎也。

徐志銳：虞翻謂獲三也。卦義何爲凶？柔隨且近君招嫌。時義衡量，違反卦義。就事理言近君大臣不以正道得民，豈能无凶！唯誠實信守于正道才可无過咎。

傅隸樸：九四陽剛近君，才性足幹濟國事，得二，三兩爻是隨有獲之象，是擅君威福，有不臣之嫌，（九四失位）凶徵。如果出自公忠體國無野心，又何咎之有。有孚在道，以明何咎，只不過是勉勵之辭罷了。

林漢仕案：有獲，獲何？貞凶，貞何爲反招致凶？茲討論如后：

象：有獲，義凶。

王弼：三求係不距則獲，失臣道，違正故貞凶。

孔穎達：下據二陰，三求不距有獲，擅民失臣道，違正理，故貞凶。

張載：陽居陰，利比三凶，苟獲，凶之道。

程頤：陽剛處臣極，若隨有獲，雖正亦凶。

蘇軾：六三固四之所當有。獲，取非其有之辭。

復齋：四得三并初二也。四得衆爲己有則凶。

朱震：四據三獲也。二三從初，四與五爭三，能无凶乎？三四易位正也，雖正亦凶。義不可有三。

楊簡：九四以爲己獲衆心如此，雖正亦凶。有毫髮己能之心則失道。

李衡引胡：天下民隨己是有獲，有君之民，大凶矣！

朱熹：九四與五同德，勢凌五，正亦凶。

梁寅：近五，求五无不獲！當正其義不謀其利。

來知德：天下心隨己，危疑之道，故凶。

王船山：五陽得位而四隨之，必獲其心。隨時競隨陰，四獨守貞依主，孔融所以爲操害也，雖貞而凶矣！

折中：尊疑於君，又獲天下隨，守貞則凶。又引龔煥曰：三四相比，然三上從陽，四下爲陰，理正固守則凶。

李光地：為三所係，上得下隨是有獲，正也。與卦義相反，是以凶也。

毛奇齡：九四巽中利有獲，必將凶。

李塨：九四親承九五，隨正，四不惟獲三，並獲初二，豐盛難居，雖貞亦凶。

姚配中：自正則凶。

吳汝綸：隨有獲，獲三也。

馬通伯引：其義凶，有凶之理也。

薛嘉穎：三隨四，四不距，四因有得。三四無正應，以相比隨，近君，未免功高震主，守此常凶。

星野恒：大臣順君而得寵任者，居大臣位無臣救益，雖貞自守，豈能免凶哉！

劉次源：以陽隨五，獲必鉅，正亦凶。況以詭遇！

李郁：四失正，化得位是隨有獲，不化則失，故貞凶。

胡樸安：軍隊之行，中途田獵，雖有獲，其事至凶。

高亨：獲當讀為擭，逐而有獲，不徒不能捕物，為人所捕。

徐世大：獲不正當收入，久敗露則凶。

李鏡池：商人利益衝突，故貞凶。

屈萬里：隨又獲，言己已逃，又追獲，故凶。

金景芳引：四五兩爻相比，初四應，三系丈夫，我隨人，人亦隨我，有獲象，固守得凶。人都隨臣，臣有凶。

汪忠長：重陰得民，故有獲，前遇敵故貞凶。

徐志銳：柔近君招嫌，近君大臣不以正道得民，豈能无凶。

傅隸樸：九四陽剛近君，得二三兩爻是有獲，擅君威福，有不臣之嫌，凶徵。

右卅四家言獲有：

三求係不距則獲。取非其有也。

下據二陰，三求不距有獲。

陽處臣極，若隨有獲，無臣救益。

四得三並初二。

九四以爲己獲衆心如此。

天下隨己是有獲。功高震主。

近五，求五无不獲。

尊疑於君，又獲天下隨。

爲三所係，上得下隨是有獲。

九四巽中利有獲。

四失正，化得位有獲。
軍隊中途田獵有獲。
爲人所捕獲。
獲不正當收入。
己逃，又追獲。
四五比，初四應，三系丈夫，有獲象。
重陰得民，故有獲。
近君大臣不以正道得民。

易傳大家欲加九四之罪，觀上十八說又再約爲十說：

四不拒三。四得三又並二。四得三又獲初二。四尊疑君，又獲天下隨。四失正。四五比，初四應，三系丈夫。四近五無不獲。九四被俘後逃，又追獲。獲不正當收入。爲人所捕獲。

四獲三，獲二，獲初，比五，獲天下隨。獲不正當收入。被俘，逃被追獲。然則何爲貞凶？貞卜凶？抑貞正其行獲凶？

傅隸樸言「擅君威福，有不臣之嫌。」一可斬！何事凶徵！傅公之審判嚴矣！金景芳之一把抓，比五應初系三，固守得凶，九四情何以堪！李塨謂豐盛難居也。屈萬里、高亨之俘虜脫逃截獲，是大凶，然則隨卦乃作戰紀錄，故有軍隊行進中擅自打獵，雖有獲，其事至凶！吾人深信易經非俘虜紀錄，則高亨、屈萬里、胡樸安之說不能成立。折中謂尊疑於君，又獲天下隨。亦死罪。若眞獲天下隨，架空皇上矣，皇上成傀儡皇上矣，皇上祇能在趙飛燕姐妹身上獲得一絲英雄氣慨矣！人臣有此霸行，何得而凶？況守正矣！凌五，有君之民，失臣道，皆得判大不敬罪夷九族矣！是加罪者恐其不死也，故重之其罪。其次四與五爭三，爲一女子，臣不讓君，確然臣雖正亦凶，此崔杼之弒其君，申公巫臣之所以逃晉也。再其次處臣極，順君得寵任，居其位一旦有過咎，無人救益。此或係君之窮極貪得前日賞臣之貨回籠，故意加罪於臣也，有人亦不得救，蓋遇貪狠之主乎？姚配中言自正則凶，蓋貪主之欲壑難塡，爾正亦凶，不正亦凶也！馬通伯之「其義凶，有凶之理。」是九四必凶之判，廣蒐罪證，先判後審也。象祇言獲義凶。經言獲貞凶，易傳家依此判而加之罪證所以不能服人口也。所以人言多殊也。漢仕於是以爲九四隨時有獲，蓋遭人妒嫉、垂涎，故卜凶而身正亦凶。重心在一獲字耳，有所獲即遭人忌，汝身之正，不正非關鍵所在，不正則堂而皇之號召征討之文，正則藉他名目入其於罪，是九四時段所遇環境也。如何脫獲遭猜讒之罪？聖人賜以「有孚在道，以明何咎！」易家又從而尋覓脫罪之徵。蘇軾言：「四當道不忘信，使二五得配，有功足以自明，其誰咎之！」蘇軾意，將六二讓五爲有功，九四誰咎！上爻蘇以六二配初九，本爻九四讓出六二，六二眞大淫婦矣！九四之讓，爲九五者德九四乎哉！如此遊戲規則荒謬無則也。「有孚在道。」口碑在道也。路人皆曰可愛、可信，然後察之，是有孚而后察道路之言也，據此而明己心己行，何咎之有！程子、朱子之明誠，使上安下各安於隨，明又可破一切愚暗也夫！

九四隨有獲，遭猜嫉雖正行亦凶，靠長期修養培植信譽，使道路之人皆知之而蒙上察，因以明事理始末，如此何咎之有！

九五，孚于嘉，吉。

象：孚于嘉，吉，位正中也。

王弼：履正居中，盡隨時之宜，得物之誠，故嘉吉也。

孔疏：嘉，善也。履中居正，處隨世，隨時之義，得誠信故獲美善之吉也。

張載：處隨之世而剛正，善爲衆信，故吉。或曰孚二則吉。

程頤：居尊得正，嘉，善也，隨善應二，隨道之吉也。

蘇軾：嘉謂二。傳曰嘉偶曰配。昏禮爲嘉，故易言嘉，其配也。隨之時，陰急於隨陽者也。陰不苟隨，陽不疑叛己，則初不敢有，二不敢叛，故吉。

吳園易解：從諫咈咈之謂。傳象：以剛下柔，惟正之聽，此興王之事。

紫巖易傳：中德日修，賢者肯來，曰孚于嘉。嘉指二，二柔順中正，在隨爲嘉，二居震中，嘉會之爲嘉，相應提以孚。

復齋易說：受人之隨，當擇賢也。孚于九四，天下隨之矣。民隨臣，小臣隨大臣，大臣隨君，其義具此卦。

朱震：陽爲美，九五正中，美无以加，故曰嘉。誠信孚于二而吉矣。隨道之吉惟在隨善而已。

楊簡：孚信也，嘉吉美也。九五所孚嘉，九五之德亦嘉，一本乎德之正中，得專位，又有中正之德也。聖知聖，賢知賢，孚信亦有隨義。

李衡引陸：不私應，信乎美德，是以吉。引牧：四有善而信專，不忌其僭，俾成其功也。引胡：得位處中，天下莫不鼓舞，當虛心信任大才嘉善之人，共成天下之治。引介：六二柔順應上，嘉而宜孚者也。引陳：推誠信接天下之所歸。

朱熹：陽剛中正，下應中正，是信于善也，吉宜矣。

梁寅：陽剛中正，隨之主，與二正應，二亦中正，乃嘉善之人，故曰孚于嘉吉也，言能信於中正之應則吉也。

來知德：兌在六乃爻之嘉美者，上六嘉遯，故曰孚于嘉。

王夫之：五隨上，陰陽翕合以成嘉禮。四隨己相孚上，嘉會成矣！故吉。傳象當位得中，隨人非屈。

周易折中引楊萬里曰：剛居兌，隨主，此聖君樂從天下之善者也，吉孰大焉。孚誠，嘉善。王氏應麟曰信，君子治之原，信小人亂之機。隨，九五孚于嘉，吉。

李光地：以中正之德，居尊位，兼統群爻，蓋兼上六之比，六二之應在其中也。

毛奇齡：上大坎下大離，得負陰向明之治。位當正中而上下應焉，隨之主也。

李塨：嘉，善也，九四以親近而隨，固孚其善矣。位正中，惟善是信，所謂大亨利貞而天下隨時也。

焦循：嘉會合禮，亨也，在道以明則孚于嘉矣。

姚配中：嘉會足以合禮，二五正中，故孚于嘉，吉。

吳汝綸：孚于嘉者孚于四也。

丁壽昌案：虞仲翔注坎爲孚，陽爲嘉，位五正故吉。蘇蒿坪曰嘉有說意，兌象也。

馬其昶：陰陽相亨故嘉。隨九五陰陽相隨。易例六五比上九，取尚賢養賢象。九五比上六則尊寵小人爲累。隨九五孚上六吉，此五爻之變例。

薛嘉穎：五具中正之德，至誠無私，樂從天下之善者也。嘉，善也。所孚善則非詭隨矣。王應麟信君子者治之原，隨九五孚于嘉。信小人者亂之機，兌九五孚于剝有厲。

星野恒：此賢主信用善人，所以得吉也。

曹爲霖：唐太宗惟魏徵馬周之言是從。九五爲一卦說隨之主，應六二中正之臣，此聖主樂從天下之善者。堯舍己從人，舜之聞一善，高祖從諫轉圜，太宗導人使諫次也。

劉次源：嘉善，下四爻從上，五爲人從，陽剛得位，能以誠信感孚善類，萬衆一心則吉備也。

李郁：五中正求二，相悅而動，嘉禮乃成，故孚于嘉，吉也。

胡樸安：言上下交孚，陳樂以會而吉也。主帥正而居中，上下孚之，故象位正中也。

高亨：孚罰，飲酒之罰。喜慶爲嘉。在行嘉禮時失儀被罰，不失爲吉。

徐世大：好名之官爲名所俘，嘉獎，歌功。好的。

李鏡池：有嘉，古代國家名稱前加一有字，如有夏、有殷。有嘉侵周，周人反擊，俘不少嘉人，嘉國从此滅亡。

屈萬里：于古或作有，孚于嘉即有嘉，嘉其有所俘獲也。孚與符通，作付，讀爲符。嘉，善美。

金景芳：五君位，天下人都隨它。它陽剛中正。孚于嘉，孚于美。折中引王應麟語「信君子治之原。信小人亂之機。」

汪忠長：易林每以震爲嘉，蓋本此也。嘉指二，五孚二，二震體，故曰孚于嘉。

徐志鋭：隨卦以剛下柔爲義，九五居上六之下，是剛下于柔，君主禮下賢人，尙賢而天下隨之，故言孚于嘉。孚是誠實信守，嘉會合禮。此爻義隨卦義而變，馬其昶按五爻之變例。

傅隸樸：九五陽爻居陽位，居中履正，符合大公至正條件，誠信所孚，人誰不樂隨？憑此獲致嘉善吉祥。

林漢仕案：西方神話將人生分四腳，兩腳，三腳三階段，代表幼長老之歷程。易卦六爻，亦當代表一卜之下六歷程。或人生六階段。人皆有起伏漲落，或操之趙孟貴賤我，或操之在環境，人之因生老病死貧窮得志，平凡騰達，皆各有其高低潮，是卦之六爻可表徵，人生境遇之升降亦在其中。皇帝，乞人其得意時，正九五飛龍在天也，煩惱時則入悔吝有咎厲之文。明乎此，卜得乾卦，非汝之終將爲天下主也！隨卦九五孚于嘉。屈萬里謂孚與符通，作付，讀爲符。符合于善美也。

初九宣布變渝，行正得吉，初出門與六二交，健康寶寶來矣。六二係情初戀，失配九五丈夫，憧憬小情人也。六三舍愛情，取麵包，成長經驗決舍下取上，隨所求而有得，利自身今後之堅貞事夫，不再懵懂兼攝初與二也。九四獲三遭猜忌，雖行正仍不免遭打擊。靠長期修養，培植信譽，使路人皆知而蒙上察，因以明事理始末，無任何悔吝之有也。九五符合嘉偶之配，吉何如之也！隨之至五始安定矣夫。

九五因行正位正而獲嘉美果報。吉也。

九五孚，嘉之義，專家之見依次剝析如后：

張載謂孚二則吉。

復齋易說謂孚于九四。

楊簡：孚，信也。孚信亦有隨義。

李衡引：四有善而信專，不忌僭。

朱熹：信于善。

梁寅：信於中正之應則吉也。

王夫之：五隨上，陰陽翕合以成嘉禮。四隨己相孚隨上。

折中：孚誠。

李光地：兼上六之比，六二之應在其中也。

毛奇齡：位當中正而上下應焉，隨之主也。
李塨：惟善是信。
吳汝綸：孚于嘉者孚于四也。
丁壽昌引：坎爲孚。
馬其昶：易例六五比上九取尙賢，九五比上六則寵小人。此九五孚上六，陰陽相亨，變例。
星野恒：此賢主信用善人。
劉次源：下四爻從上，五誠信感孚善類。
胡樸安：上下交孚。主帥正而居中，上下孚之。
高亨：孚，罰。失儀被罰。
屈萬里：于古或作有。孚，俘獲。孚與符通。作付，讀爲符。
徐志銳：孚是誠實信守。
傅隸樸：居中履正，符合大公至正條件，誠信所孚。
上二十一說中，有孚二，孚九四，孚上六，孚下四爻，上下交孚，孚罰，孚俘獲（俘虜），讀爲符通。孚是誠實信守。孚作信，俘，符三義。此外孚可作卵化孵也。孚猶務躁也。
嘉義亦有下列數說：
嘉善。嘉偶曰配，昏禮爲嘉，易言嘉，其配也。嘉指二，嘉會之嘉。美無以加故曰嘉。嘉吉美。與二正應，二中正乃嘉善之人。兌在六乃爻之嘉美。嘉禮嘉會。陽爲嘉，嘉有說意。陰陽相亨故嘉。喜慶爲嘉。嘉獎。嘉國。（方國名）有嘉，嘉其俘獲也。震爲嘉。嘉善吉祥。是嘉義可輯爲：

嘉善吉祥。

嘉偶曰配，昏禮爲嘉，易言嘉，其配也。嘉指二。

嘉會。嘉禮。喜慶。

美無以加。

陽爲嘉，嘉有說意。

陰陽相亨曰嘉。

嘉獎。嘉獲俘。

嘉國。

震爲嘉。

上九說中，與上二十一說孚配對：「符合嘉偶曰配。」「俘獲嘉偶。」「由于嘉善而獲孚信。」「孵化嘉美善行，即培育嘉美善行。」「俘獲有嘉國人。」

依上四爻之義，九五中正行善而獲嘉美果報，吉事也。

上六，拘係之，乃從維之，王用享于西山。

象：拘係之，上窮也。

京房：享，祭也。（漢魏二十一家易注）

陸績：亨，祭也。（孫堂案經典享多作亨，古音二字通用。）

王弼：隨之爲體，陰順陽也。上極不從，故拘係之乃從，率土之濱，莫非王臣。王之所討，兌西，山險，故王用通于西山。

孔穎達：上極不隨，隨道成而特不從，故拘係之始從。王用兵通于西山難之處，乃得拘係也。非意在好刑。

程頤：極乎隨者也。隨之拘持縻係固然如此，故能亨威其王業於西山，岐山也。得民心之隨與隨善之固如此。

蘇軾：居上无應而不下隨，故拘係之而後從，其從不固。西山，西戎也，當如文王待其自服，不强以從也。

吳園易解：所謂三分天下有其二，以服事商，其見困於羑里，所以爲亨歟！隨之時義大矣哉！惟文王盡之。

紫巖易傳：既拘係之，又維之，人之說從，有不能自解也，太王去邠，周業以昌。窮者，事之以皮幣、犬馬，不得免焉也。太王事窮道通。互體巽爲繩。陰在上，志未行於隨曰上窮。

復齋易說：上无位，義取隨之，極至。

朱震：上六隨之窮，窮則變，變則不隨。非禮義拘係之，又從而維持之不能也。周太王亨于西山，杖策而去，隨之者如歸市，非得民豈能窮而更隨至不可解乎！

楊簡：隨之拘天下靡不悅，猶有未聽，不可置之不問，如周公遷殷頑民於洛邑，即拘係之謂也。寬以養之也。

李衡引子：六无所附，可拘之乃從，維之以力後至。引陸：悅主，心无所係。有來求，不得已而後應，猶拘係之然後從，終來從我，維持不棄，用此道，所以亨于西山。引牧：不得已而隨則志不固，聖人垂誡，防臣道之過盛。引介：不從則威執，拘係之。從則懷之維之。西，陰所。山，君德。引代：上三无應，衆爻各有所隨，已獨无可隨，是逆時違衆之人。

朱熹：隨固結不可解者，誠意可通神明，占爲王用亨于西山，亨亦作祭享，以周言，岐山在西，誠如是則吉也。

梁寅：柔居上，悅極，以柔順之德，在人上，爲人心所悅者，然九五剛强，上六觀之，五爲暴君，以文德勝之，必見疾，故拘係之，如紂惡文王修德，囚于羑里也。德如文王可通神明，宜祭亨西山焉。西山，岐山，兌西方。

來知德：維亦係也。言五孚于六，係維相隨之心固結不可解也。變乾王象，指五，兌西，兌錯艮山，六不隨世人，則必歸山。王亨西山求通也。亨，通也。窮者卦終也。

王船山：維謂上六爲五所聯係不使離也。五至尊，更處其上者天神，故爲王者享帝之象。用此道以事天，禮因名山告成於天，兌正西，上處高，故曰西山。

周易折中引呂祖謙曰：有客詩言授之縶，以縶其馬。白駒詩縶之維也，以永今朝。正合此爻。又案：九五剛下於上柔，有尙賢之義。近上六則有比匪之義。卦以剛下柔，五上相隨，非不正也。所係者王，亨山川上帝也，非爻爲王。

李光地：上六不與人相隨，九五下柔，上爲拘係不能去。上下賢則逸遯無不羅致。神明所以享，王業所以興也。

毛奇齡：此陰見係于五者也。凡隨，皆以後從前。係則後隨，上之係五，猶三係丈夫也。乾鑿度云上六、九五拘繫之，又維持之。（上窮也）內動外悅，天下皆隨。告名山升享祀，一如周肇西土，其時非王而何！

李塨：紂拘係文王，文王內文明外柔順，亨西山求神祐，豈尋常之隨從哉！窮極，時也。王九五，兌西艮山，即岐山，與帝乙歸妹事，易兩用之正同。

焦循：艮爲拘。維邪交也。

姚配中：否上无位无民，衆陰不順，故拘維之，迫之使去故王者得用之以亨于西山，言人歸則神亨也。此言否上窮而反下成隨，天下歸，興王之象也。

吳汝綸：二月卦，萬物隨陽出。拘係，維持，陰被陽化欲隨之也。乃讀爲仍，又也。王用亨取神人感孚，維繫不解之義，乃別一事，其詞與上不相屬也。

丁壽昌：釋文亨，陸許兩反，云祭也。輔嗣以亨爲通，尤爲不識字義。古文亨即享，俗師不識古字。

王謂五，上六居隨極，乘剛無應，上窮是其義。呂東萊曰拘係而不可解，隨之極者也。蘇蒿坪西山兌方，說言兌，取人神相說義。

馬其昶引乾鑿度：隨，二月卦，拘維被陽化陰隨也。引呂祖謙曰拘係不可解，詩云縶之維之。自案阮逸謂易著人事皆主商周。此爻文王哀思苦通之辭。殷王享西山，王季受圭瓚之賜。周禮九牧之維。

隨上九見縻於五，是變例，隨之時義大矣哉。

薛嘉穎：陰係於陽者也。上六以陰處卦之窮，必待五之拘而係之，又從而維之，五孚於上，上係於五，固不可解矣，此以剛下柔，收得人之效。西山，岐山也，兌酉互艮山。

星野恒：亨古享字，殷衰周盛，天下無思不服，文王祭封內山川，不僭郊禘之禮，故曰王用亨于西山，非君位而言王。

曹爲霖：來氏曰相隨之心固結不可解也。如七十子之從孔子，五百人從田橫。容庵謂豳人隨太王遷岐。王用，用此道也。岐山在西故曰西山。

劉次源：上卦處窮，白駒既逝，歲不我與，既拘係又維之，兌西，享帝于此，誠可通神，或邀眷顧，泰可重睹。

李郁：乘五，頑嚚不服，六三柔无助，九五剛係柔，遂拘維之。兌西，王獻俘于西山，告功于天也。

胡樸安：征邑國拘係之衆，或有不服者，乃從而維之也。大會西山而稱王也。西山未能確指何地。

高亨：從讀爲縱，維疑讀爲遺，紂拘囚文王於羑里，從維放歸於周，文王歸周後賴神庇祐得免國難，因享祀於西山以報之也。

徐世大：拘束牽掣他們，又從而網羅他們，王可以在西山宴會了，維訓羅，非享祀西山。

李鏡池：之指俘虜。維指心，維繫戰俘的心。抓住俘虜後用說服使甘心當奴隸。有俘作人牲，文王用來祭于西山。

屈萬里：亨享古通用，陸績亨祭也。獻俘於岐山也。維繫也。

金景芳：這個王有人說是九五，五對上誠，象西山祭祀似的。「拘系之」言授之縶，以縶其焉。正與此爻意合。

汪忠長：伏艮爲拘爲山，兌西故西山。兌口亨，王五，三至上正反巽爲繩故係維。五恐上去，拘維之，或即其隱居處宴享之，言六无所隨，五必隨之也。

徐志銳：拘禁，維系，乃从又从。窮則變，變則轉向離散，九五尙賢强挽留，拘禁之又維繫捆綁之，之指上六，此足見九五尙賢心切固結之甚。手段近于粗暴。

傅隸樸：爻至九五，隨道完成，上六化外自居，不肯隨從之象，對此獨立不臣不化之民，惟有用武力征討，拘繫之使從，故王用兵打通西山之地，平其險阻，使來相隨。

林漢仕案：魯宣公夫人，齊侯之女，聰慧而行亂，通叔孫僑如。成公十六年僑如奔齊，魯擯夫人於東宮，筮得艮之隨。史解卦隨其出也。夫人曰隨无咎，元亨利貞也。今我與於亂而無四德，豈隨也哉！必死於此，卒薨東宮。君子惜穆姜聰慧不掩淫亂之罪。是隨果陰隨陽而有倫序矣？苟隨心所欲而失倫次於未婚嫁之前，及婚嫁后夫子知之，辱必及乃父之失敎而銜此終身不解也。行之婚嫁后，罪不可綰矣，夫子椎心之痛，必滅之而后已。上六所謂「拘係之，乃從維之。」正因前日之失行被拘係也。追咎及前日之衍行，何以无咎？而又有人爵之享，誠如穆姜云：「必有元亨利貞四德，雖有過衍而終必无咎也。觀上六之被拘係，維之，終於王用亨于西山，是有四德幸其未失而免乎過咎者也。是隨卦也者，序卦「豫必有隨。」皆未瞻及後果之可畏，「只要我歡喜，有何不可」「我倆沒有明日」皆豫隨之短視也。雜卦云：「隨无故也。」韓注「隨時之宜，不繫於故。」善補過矣，何咎之有？上之被拘係，又從而維之。終得西山之亨，有德者矣夫？善補過者矣夫？有德者也。善補過者也。象云拘係之，上窮也。王用亨于西山，非是「乃別一事，其詞與上不相屬。」乃隨不繫於故而積善德，善補過之結果。隨之元亨利貞未著元吉，而謂无咎者，如是乎？

䷒臨卦（地澤）

臨，元亨利貞，至于八月，有凶。

初九，咸臨，貞吉。

九二，咸臨，吉。无不利。

六三，甘臨，无攸利，既憂之，无咎。

六四，至臨，无咎。

六五，知臨，大君之宜，吉。

上六，敦臨，吉。无咎。

䷒ 臨，元亨利貞，至于八月，有凶。

彖：臨，剛浸而長，說而順，剛中而應，大亨以正天之道也。至于八月有凶，消不久也。

象：澤上有地，臨，君子以教思无窮，容保民无疆。

荀爽：兌爲八月。傳象：澤卑地高，高下相臨之象也。

鄭玄傳彖：臨大也。陽氣至此浸而長大，陽浸長矣而有四德，齊功於乾，盛之極也。人之情，盛則奢淫，奢淫將亡，故戒以凶也。臨卦斗建丑而用事，殷之正月也。當文王之時，紂爲无道，故于是卦爲殷家著興衰之戒，以見周改殷正之數，云臨自周二月用事訖，其七月至八月而遯卦受之，此終而復始，王命然矣。（集解）

蜀才傳彖：此本坤卦，剛長而柔消，故大亨利正也。案臨十二月卦也。自建丑之月至建申之月，凡歷八月則成否也，否則天地不交，萬物不通，是至于八月有凶，斯之謂也。（集解）

陸績：建丑至未，至于八月入遯。（京氏易傳注）

王弼：陽長陰消，君子日長，小人日憂，大亨以正。八月陽衰陰長，君子道消，故曰有凶。

孔穎達：序卦臨，大也。陽壯長其德，可以監臨於下也。陽剛居中，有應於外，大得亨通利正也。至于八月有凶者，小人道長，君子道消，聖人作易戒盛不可終保也。

司馬光：周八月。陽生于復，長于臨；陰生于姤，長于遯。遯與臨反。聖人于陽長之初，著陰之戒，防微杜漸也。

張載：臨言有凶者，大抵易之於爻，至二便爲之戒，恐有過滿之萌，履霜堅冰未過中，无平不陂，過中之戒也。

程頤：如卦才則大亨而正。大率聖人爲戒於方盛之時，可以防滿而圖永久。既衰後戒則无及矣。盛而不戒，狃安富則驕侈生，綱紀壞，釁糵萌，侵淫不知亂之至也。

蘇東坡：復而陽生，凡八月而二陰至，臨二陽盡，方長而慮消者，戒其速也。

鄭汝諧：序卦臨者大也。余疑序卦非作於聖人。臨者上臨其下，二陽爲四陰所臨覆。上順下說。利貞者戒之也。

張根：君臨之道，當具四德。八月者當制於未亂。

張浚：二陽生於下，剛德內充，足以有臨。元亨利貞乾四德也，臨有復乾之道而未備，大亨以正而已。八月有凶，戒也，戒陰生，聖人知幾，堯咨舜，舜咨禹，懼有凶也。

朱震：浸浸長大，進爲兌澤，進不已，以大臨小，此臨之時也。兌說坤順，九二剛中，六五外應，大亨矣。初正，九二大者亨以正，萬物亦正，故元亨利貞，天之道也。八月卦爲遯，小人道長，君子道消，有凶之道，戒臨民之初也。

項安世：臨訓涖，不訓大。能臨物必大，元亨利貞指六陽之卦，八月有凶指二陰之卦。二陽方長已有乾德，八月有凶，消不久也，撫消息盈虛者不勉而防其將及哉！

楊簡：二剛浸長，君子道長出臨小人，說，順，剛，中應之，即大亨以正之道。八月指二陰長之月，陰月陽日，陰小人，陽君子，陰長，小人道長，君子遯，故有凶。

李衡引陸：十二月爲臨，五月爲姤，自子至未，歷八月有凶，言有而未至也。引逢：一陽復可以修身，二陽浸長可以臨人，臨天下不有四德可乎！引句：諸儒謂周正建子一陽生，未二陰生爲八月，月錯。復卦八月建酉爲觀，所以云至于八月有凶。引坦：諸儒以建子數之，未得遯。豈文王未王先傳正朔？建丑得其密，仁於商而寄萬世之戒！

朱熹：臨進迫物，二陽迫陰故爲臨，十二月之卦。九二剛中上應，占者大亨而利正。八月復一陽之月，至遯二陰之月，陰長陽遯之時。或曰八月謂夏正八月，於卦爲觀，臨反對，因占而戒之。

趙彥肅：陽下臨陰，天地交際，君道體此，得民情也。臨親而下，所以保民；觀尊而上，所以率民。至于八月，陰消不久，退又息也。教防民情，猶岸蓄水。

吳澄：二陽長而消二陰，夏正十二月卦，臨者居上蒞下，二陽長，陰居上俟其進。八月遯臨正對，陰消陽，占凶。

梁寅：二陽浸長臨陰，方盛言有凶，先慮衰，爲君子謀也。一陽復二陽臨，一陰生姤二陰遯，歷八爻，丑至未，八月後爲否，此所謂八月凶。聖人豫戒，其意深矣！

來知德：臨者，進而臨逼于陰也。自復一陽生，臨陽漸長，內說外順，和順相應。至建酉二陽在上，陰迫陽失，至于八月，建酉爲觀，陰長而凶矣。

王夫之：爲卦二陽出于地興起人事，將有事焉。至建未遯，建酉觀說，非文周孔子所有也。八月者，秋也。兌正西於時爲秋，六三兌主，剛長治陰，陽消陰未久又悅從陰，言有凶，既憂之，无咎也。

周易折中引朱子語類：不特上臨下，凡進逼近者皆謂之臨。程氏迥曰陽極九，少陰生於八，陰配月。

王氏應麟曰：八月說三，丑至申爲否；子至未爲遯；寅至酉爲觀。胡氏炳文曰：諸家臨訓近，大，上臨下，不見剛臨柔，本義臨淵之臨，二陽迫陰，二陽浸盛，易至於肆，故戒之也。

李光地：物滿則衰，過中已衰，故二陽爲主居內勢盛，爲主則物從，盛大則物下，臨之義也。臨義不專主乎君，故居下浸長，理足服物。陽剛盛大亶正。勢不可恃。少陰生於八，七八者陰陽始生之數，陽日陰月。以卦氣推者多鑿。

毛大可：內說外順，剛中而應，陽長不可恃，消長循環，故取象臨。（左傳邲戰知莊子不行謂臨。）

李塨：二陽漸長以臨乎陰，二剛中，五柔相應，大亨以正，非行健之天道乎，臨卦象夏正十二月爲二陽之月，八月四陰，正合觀卦，陰長陽消，凶矣，爲時豈久也哉！

焦循：與遯旁通，二之五爲元，遯上來之三應之爲亨，元由利而生，貞由亨而成。兌正秋八月。

姚配中案：元乾元，以陽通陰，故元亨，息至三成泰，二五易位，六爻正，故利貞。又荀爽以兌爲八月。當謂相去八月，不必指定秋八月，所謂凶，消不久成否也。

孫星衍：集解何氏曰，從建子陽生至建未爲八月。疏，褚氏曰，自建寅至建酉爲八月。

吳汝綸：臨者大而不行之義。至于八月者，臨觀二卦以反對取象，臨卦四陰，合之觀卦四陰爲八月也。利貞定。

丁壽昌：序卦臨者大也。韓康伯二陽方長而盛大，故爲臨。本義謂臨進而凌逼于物。似非經義。八月，程傳陽生于復建子至遯建未。鄭唐成建丑用事，殷正月，周二月用事。虞仲翔臨消于遯，六月卦，于周爲八月。李資州臨十二月卦，建丑至建申歷八月成否。漢唐說八月有三，以三統言之，當以商正爲最確。

馬其昶引褚仲都曰自建寅至建酉爲八月。引程迥曰少陰八配月，少陽七配日。引李舜臣曰自臨數至觀，陰陽反對，消長之常理。引王子申曰六三八變至觀，爲八月卦。引楊名時曰觀陰盛宜凶，於此見之，爲治亂之戒。引秦蕙田曰古三正並用。自案：二剛將消，要其終始言，六爻皆舉四德終始。

薛嘉穎引何氏楷曰：先儒謂臨遯反。然卦主臨，距遯僅七月，若以復卦言，何遽改從周正？又謂夏正八月觀，建酉，臨觀反對，未免附會！鄭元蜀才謂自丑至申成否，始展然。自案自姤至復陽息，故言日，臨至否陰消故言月。

星野恒：上臨下也，凡事之將然曰臨，二陽在下漸長，說順可以臨人。二五應得君故元亨利貞，夏正八月建酉之月，剛消不久也。君子其可不及善道浸盛之時，圖所以扶植保護之方！消欲救則无及。

曹爲霖：臨是泰前一卦，自十二月二陽復生至七月二陰浸長凡八月。臨變否，是君子道不久而消，如孔子攝相事，魯大治，不久齊歸女樂，孔子行。故曰消不久也。

劉次源：二陽臨坤，二陽取象重明，如日月照臨，應孔子惟天下至聖爲能聰明睿知足以有臨，與天同運，元亨利貞。八月有凶，二陽臨坤而三蔽之，故有凶。

李郁：元謂乾元，乾四交坤初，故日元亨。初爲卦主，不宜變動，故曰利貞。八月陽消過半，聖人居安思危預誡之。

于省吾：李過西谿易說引歸藏臨作林禍。臨林雙聲疊韻字。其曰林禍者以臨彖八月有凶一語也。古人凶每稱禍。

楊樹達：左傳宣十二年知莊子曰此師殆哉，周易有之，在師之臨。……不行之謂臨，有帥而不從，臨孰甚焉。（見師初六）

胡樸安：臨已登君位，事繁，吉凶殊不可知。八月有凶，防患之意。言八月者，莫知其故。

高亨：元大，亨享。古人大享之祭，曾筮遇此卦故記之曰元亨。利貞，利占也。但利八月內，不利八月之外。

徐世大：君臨，最普遍，宜永久。到了八月有凶險。

李鏡池：从高視下，臣是目的隸變，金文从目。臨有治義。卦中講治民之術。八月有凶，當是旱占。以旱之望雲霓，喻民之望治。元亨。利貞當屬另占之貞兆辭。

屈萬里：爾雅臨，視也。論語臨，以高視下也。詩皇矣疏臨者，上臨下之名。

金景芳：臨大也。地澤臨是二陽，到八月成天山遯，二陰生，所以有凶。

汪忠長釋彖：天道剛居中而下應地，物大得亨而利正，故云天之道也。臨建丑至否建申爲八月，小人道長也。

徐志銳：陽剛本居上以尊降卑居四柔之下，故稱臨。兌說坤順，上下親近而相臨，二五剛柔相得，合天道故大亨以正。八月有二說，一按卦氣論陰陽消息，另一說爲八月指少陰，陽爲日，月爲陰象。二說均可通。

傅隸樸：監臨下民，必得大通元亨，九二剛中不失，自无過正之憂，故曰利貞。八月有凶乃盛極將衰的警告。就陰陽消長計，依十二辟卦推算爲觀。王弼指遯卦，兩說都通。

林漢仕案：臨之義言臨之狀態。而臨義爲蒞，來也。其餘臨義有視、大、照、治、哭、守、伐，皆不得一義貫六爻，是臨爲蒞臨，來臨之義。卦名臨，具四德元亨利貞，與乾、坤、屯、隨、无妄、革同有。而乾有勿用之潛龍與亢龍有悔，二无咎。坤之利貞特定牝馬之貞，一吉，无咎无譽。屯二吉而大貞凶，泣血漣如。隨亦二吉而失丈夫，失小子。无妄一吉，有无妄之災，无妄之疾等四无咎，一无咎，一无攸利。革三吉，一无咎，二征凶。本卦臨四吉，三无咎，一无不利。一无攸利。從而知乾卦未必占得者身分屬龍頭，而終日乾乾打拼，冀順此有所淬厲奮發。臨四吉未必天眷我，守此以待天瑞。初繼九二之來，陽復，續剝陰而群陰大悅，戒宜出於正。九二亦以感性來臨，少年得志，難免跋扈，然无妨整體之吉。六三之甘臨調和上下知我者謂我心憂，不知我者謂我何求，以緩衝轉型恣態應世，修忍辱仙人，忍辱菩薩戒行。謗我者謂我以甘美邪媚之臨，平心思之，過在天，於我何有焉，是以无咎。六四之守其本分，如師之不行爲臨，雖保位之譏。「君何如令祖？視我何如蕭何？」蕭規曹隨，有何不可！其所謂至臨也。六五時勢之利我，宜去好去素，韓非子所謂大君不蔽矣。蓋人臣有五姦，人主不知也。人主不恃百僚之不我欺，恃吾不可欺也。能去好去素，无爲於上，大君心性大徹之臨，雖不當位而應剛執中，行此大君之義乎？吉固必然矣！上六敦臨，「時過權謝。」遲鈍，殿後，團縮，惇厚之蒞臨，蓋亦一長者乎，吉，无咎是順此而成者也。卦之得元、亨、利、貞者，猶之今人賀生子，賀新婚：「熊夢徵祥。」「堂構增輝。」「五世其昌。」「鸞鳳和鳴。」小子長大未必眞如夢熊，无災无疾到公卿，握兵符，箕裘克紹，肯堂肯構。也未必五世之後大興於此邦。如鸞如鳳和鳴將將。然人人生子望聰明，人人娶妻娶德才乃世所同心。苟得其養，三害之一之周處果爲世用。梁鴻舉案齊眉，冀缺薅，其妻饁之，敬相如賓之景可以一而再現，所謂神仙眷屬，唱隨諧樂也。孟子謂人人可爲堯舜。正乃元亨利貞之謂。投資多寡而賜其優劣耳，非天賜也，乃自賜也。苟得其養，无物不長；苟失其養，无物不消。盼天下之人皆承伊尹之任，操之在我也。天官賜福，必在人事之不齊後加減乘除，如女所修也。是上七卦之著元亨利貞之卦辭而吉凶各異者也。

卦辭「八月有凶。」八月如何定？

荀爽：兌爲八月。

鄭玄：建丑，殷正月。臨自周二月。用事訖其七月至八月而遯卦受之，此終而復始，王命然矣。

蜀才：臨十二月卦，自建丑至建申八月成否，是有凶。

陸績：建丑至未，八月入遯。

王弼：八月陽衰陰長，君子道消，故有凶。

司馬光：周八月，陽生于復，陰生于姤，著陰戒，防微也。

張載：大抵易至二爻便戒，恐有過滿之萌。

程頤：大率聖人爲戒於方盛之時，防滿而圖永久。

蘇東坡：復陽生，八月二陰至。方長慮消，戒其速也。

張根：八月者當制於未亂。

張浚：八月有凶，戒也，戒陰生，聖人知幾，懼有凶也。

朱震：八月卦爲遯，小人道長，戒臨民之初也。

項安世：八月有凶指二陰之卦，二陽方長，撫消息盈虛者可不勉而防其將及哉！

楊簡：八月指二陰長，陰月陽日，陰小人，故有凶。

李衡引陸：十二月臨，五月姤，自子入未八月有凶。引勾二陰生爲八月。復卦八月建酉爲觀。引坦：諸儒以建子未得遯，建丑得其密。

朱熹：二陽迫陰爲臨，八月復一陽之月，至遯陰長陽遯。或曰八月謂夏正八月爲觀，臨反對。因占而戒。

吳澄：夏正十二月卦，八月遯臨正對，陰消陽，占凶。

梁寅：歷八爻，丑至未，八月後爲否。聖人豫戒。

來知德：至建酉一陽在上，陰迫陽失，八月爲觀。

王夫之：八月秋也。兌正西於時爲秋。六三兌主。

折中：少陰生於八。王應麟云：八月三說：丑至申爲否；子至未爲遯；寅至酉爲觀。

李光地：少陰生於八。以卦氣推者多鑿。

李堞：夏正十二月二陽之月，八月四陰正合觀。

焦循：兌正秋八月。

姚配中：荀以兌爲八月。當謂相去八月，不必指定秋八月。

孫星衍：集解建子至建未。疏褚氏自建寅至酉八月。

吳汝綸：臨四陰合觀四陰爲八月。

丁壽昌：程子建子至未。鄭康成建丑殷正月，周二月。虞仲翔臨六月卦，于周爲八月。李資州十二月卦，建丑至申成否。以三統言之，當以商正爲正確。

馬通伯：引褚建寅至建酉爲八月。引程迥：少陰八配月。李舜臣自敦數至觀爲八月。引秦蕙田古三正並用。

薛嘉穎：何楷謂臨遯僅距七月。夏正八月觀建酉，臨反對，未免附會。鄭玄丑至申成否。臨至否陰消，言月。

星野恒：夏正八月建酉之月，剛消不久。

曹爲霖：臨十二月至七月二陰生凡八月。臨變否。

劉次源：二陽臨坤而三蔽之，故有凶。

胡樸安：言八月者莫知其故。

高亨：利八月內，不利八月之外。

徐世大：到了八月有凶險。

李鏡池：八月有凶，當是旱占。

金景芳：八月成天山遯，二陰生所以有凶。

汪忠長：建丑至否建申爲八月，小人道長也。

徐志銳：八月有二說：卦氣論陰陽消息。另一指少陰，均通。

傅隸樸：依十二辟卦算爲觀，王弼指遯，兩說都通。

右四十一家彙爲十三說：

1. 兌爲八月。六三兌主。

2. 建丑，殷正月臨，周二月，建申八月成否。

3. 建丑至未，八月入遯。

4. 八月陽衰陰長，君子道消。周八月陰生于姤。

5.建子入未八月。

6.建寅八月夏正爲觀。

7.臨四陰合觀四陰爲八月。

8.當謂相去八月，不必指定秋八月。

9.二陽臨坤而三蔽之。

10.言八月者莫知其故。

11.利八月內。不利八月外。

12.・到了八月有凶。

13.・少陰八配月。

依卦氣總圖（含六日七分圖）見林漢仕箸乾坤傳識四十八頁，配以夏正，啇正，周正，一索即得：

周正者建子，以十一月爲歲首，則其八月爲未，遯卦。（農曆六月）

啇正者建丑，以十二月爲歲首，則其八月爲申，否卦。（農曆七月）

夏正者建寅，以正月爲歲首，則其八月爲酉，觀卦。（農曆八月）

所謂三統曆是也，黑統水德，白統金，赤統火，相克相互取代。

諸儒所爭者，所用之曆正耳，故爲遯，爲否，爲觀，臨與天山遯是正對，風地觀反對。言建丑得其密。言卦氣多鑿，其以遯否觀，六七八月爲八月者，果然多鑿也。未免附會也。然皆準卦氣圖批判是非。

少陰生於八者：易中陽爻稱九，陰爻稱六，陽得兼陰，故陽數九；陰不得兼陽，故陰數六。少陽稱七，少陰稱八。天風姤，依卦氣圖在地支午，五月，節候有芒種，夏至。依馬通伯八卦方位圖巽木方位，地支辰巳，注明巳陰始。午陰生。而其陰陽進退圖則謂秋分少陰八。依卦氣圖秋分爲地支酉夏八月。依京房世卦一世卦陰主五月，一陰在午。兌爲少女，少陰生於八者，其爲夏曆五月乎？抑秋分少陰八爲夏正八月？依陽極陰生，陰極陽生說，宜五月之謂也。是臨至于八月有凶者爲夏正五月。十二辟卦爲姤。遯否觀外更加一姤。折中，李光地，程迥，徐志銳以爲通者。

第三說即直指八月有凶。或謂不利八月外。拒絕卦氣圖與八卦方位圖之判定，依經文作註者也。

第四說胡樸安逕謂「言八月者莫知其故。」即放棄猜迷，蓋吾不知也，知之爲知之也。

五說二陽臨坤而三薇之。以六三爲八月，六三有凶。大原則言兌秋亦以六三爲兌主，與六說同。六說兌，兌爲八月，依文王八卦方位圖，兌西也。若以伏羲八卦方位圖言，則兌爲東南矣。地支辰巳間。占事學者多依文王方位。若夫大兌，包三四五六爻爲大兌主，則三四五六爻皆主八，月有凶也。特別四五爻爲兌中，三六爻爲初秋與季秋。五爲君，有功歸己，有過臣擔，然則六四宜乎保位，守分，蕭規曹隨也，則其至臨，由後天自修，戰戰兢兢而免乎凶進而獲元吉也。（注所謂凶者其或傷人，或有咎也夫。）

初九，咸臨，貞吉。

象：咸臨，貞吉，志行正也。

荀爽傳象：陽始咸升，以剛臨柔，得其正位而居是吉，故曰志行正。（集解）

王弼：咸，感也。感，應也。應四，四履正位而應，以剛感順，志行其正，以斯臨物，正而獲吉也。

孔穎達：應四感而臨，志行得正，故貞吉也。

司馬光：君子所以能自大者，學充于內，則志氣夷懌矣！長于外，人化順，所以大也。有應化之象，道以正心爲本。初九志行正所以能感物而大。

張載：臨爲剛長，己志應上，故雖感而行正。

程頤：咸，感也。陽長時感動陰，四應初，感之者也。獲乎上得行正道，是以吉。

蘇東坡：有應爲咸臨，咸，感也。感以臨則其爲臨也易。咸臨所以行正。

鄭汝諧：咸，感也，感之而進故進而陰不忌，斯能行其志矣！初猶有戒意，初未得中也。

張浚：蓋公其志，虛其心，以道感通上者，初九陽必先貞而吉，初陽一志專應四求比五，陽感陰，其誠易通。

朱震：臨道，以大臨小，臨位，以上臨下。初之五成艮，山澤相感，咸遍感也，无心相感故曰咸臨。初九正，四正應，四不正，五感之，動上行則正，萬物正，有心不正皆凶，故貞吉。

項安世：以陽臨陰，有男下女象。初正，六四又正，固守其正，志可然不周於用，吉在自守而已。

楊簡：咸，感也。初，二位下，德足以感人而臨之。初德不及九二之中，故象止曰志行正。而已非有他也。

李衡引薄：居下臨上，名不順也，故變云咸臨。引虞：四當臨初，陽升陰降，初感四，相與行正，四順其欲。

朱熹：二陽偏臨四陰，故二爻皆有咸臨之象，初九剛得正占爲貞吉。

吳澄：初二之陽長於下，四五陰臨其上，民豈可以臨君！陽上陰下，尊卑定分，夫婦恒是，陽下陰上，往來交感，咸感也。君民上下志通亦若男女交感。九四下降初九。

梁寅：陽感動於陰也。初四應，初陽得正，四陰亦正，吉也。

來知德：咸，皆也，同也。初九，九二臨乎四陰也。上三爻臨乎其下。彼此皆同乎臨。以上臨下似未是。二陽咸臨，大臨小似妥。

王夫之：咸，感。陽消陰，初四應，以德感其心使受治焉，各當位得正，吉莫尙矣。屬本正而自吉。

周易折中引李氏舜臣曰：山澤通氣，故山上有澤，其卦爲咸，初二爻亦謂咸者，陰陽之氣相感也。

李光地：咸有周遍義，又有感通義。二義一也。初剛正，是能以德感物，得臨之正，臨人如是則吉。

毛大可：以陽臨陰，初與二皆臨也。咸，皆也。夫二爲正，臨初與偕，則志行正矣。

李塨：陽居陽位臨陰，感使應，志行正吉矣。咸象曰感也。

姚配中：志在應四，動不失正。臨者大也，陽息故感。

吳汝綸：太玄注臨者進貌。初二皆進故皆曰咸臨，進而不遽大也，故曰貞吉，必貞定而後吉也。

丁壽昌案：虞仲翔咸感也，得正應四故貞吉。蘇蒿坪：咸卦柔上剛下，此二陽下，四陰上，故初二兩爻亦取咸義。

馬其昶引李舜臣曰：初二爻亦謂之咸者，陰陽氣相感也。自案咸者乾元之氣，通者初九陽發於黃泉，即貫萬物，各正性命，志行正，明不可化陰而失正也。

薛嘉穎：初以陽剛周遍臨四陰，有咸臨象。志在行其陽剛正道。

星野恒：咸感古字通，相感以臨，初陽剛與四應，賢獲乎上，行正道而吉。

曹爲霖：初比二，望咸臨。本義謂正氣臨物，群邪自息，蓋理足服人也。

劉次源：陽剛初出，旭日東升，大地咸被照臨。素王出世，天下皆春，其吉也以其貞。

李郁：咸感也。初二剛應坤，初當位故曰貞。爲政必有實，以實心行實事，則民感其誠矣。

于省吾按：虞氏訓咸爲感是也。初二皆有應與。又孟氏逸象兌爲通。惟感則通。故繫辭感而遂通天下之故。初二體兌，故曰感臨。

胡樸安：咸皆也。登位禮始，民皆來也。貞行登位而吉也。

高亨：君子志行正方可以感人。咸本斬傷義，感義。本爻正借爲感，又愚借爲誠，和也。正己感下，誠和臨民俱通。

徐世大：初以情感臨民者，久後通故曰貞吉。

李鏡池：咸借為感。以感化政策治民。吉，貞吉是說明語。

屈萬里：咸彖傳：「咸感也。」雜卦傳：「咸速也。」高晉生先生曰：咸疑借為誠。說文誠和也。以上臨下曰臨。詩：「上帝臨女。」

金景芳：咸臨就是感臨，初四應，稱感臨，初九居正故貞吉。

汪忠長：初二爻皆有應，故皆曰咸臨，貞問卜也。

徐志銳：臨卦初二兩爻是陽剛屈尊，降下以臨四柔，四柔莫不和悅順从以相應，初九雖无心于感而六四自然相感，故稱咸臨，即臨咸倒文。貞吉是以剛居陽得位且吉。

傅隸樸：初四正位相感，純正无心，自然感人，民之從化也必出於自然。老子「太上，下不知有之。」一擊壤歌「日出而作，日入而息……帝力何有於我哉！」正是咸臨貞吉。

林漢仕案：咸臨。咸字義作感也；皆也；和也；同也；僉也；引也；速也。易傳作者即以咸感，或咸皆立說。屈萬里引雜卦咸速，高亨咸疑借為誠，訓和。而咸，詩經棠棣序箋周公弔二叔之不咸疏，咸和也，何必「疑借為誠，說文誠，和也。」轉大彎解字。臨義高視下；上臨下；臨，視也；臨大也；蒞也；十二月為臨。此外經傳臨尚有：哭也；照也；監也；治也；猶守也；猶伐也；以尊適卑曰臨。師不行之謂臨。卦名臨，爻有咸臨、甘臨、至臨、知臨、敦臨，是臨之狀態有咸、甘、至、知、敦五類。咸臨，附加條件為貞，結果可獲吉。茲誌各家要義如后：

象：志行正也。

荀爽：剛臨柔，得其正位而居，是吉。

王弼：咸，感也，應也。應四，剛感順，志行正。

司馬光：志行正，所以能感物而大。

張載：剛長，志應上，雖感而行正。

程頤：咸，感也。陽長感陰，四應，感之者也。

蘇軾：感以臨則其爲臨也易。

鄭汝諧：感進陰不忌。

張浚：公志虛心，以道感通上者，初應四求比五，其誠易通。

朱震：以大臨小，以上臨下。遍感，无心相感故曰咸臨。

項安世：陽臨陰，男下女。初四正，固守正，吉在自守。

楊簡：初德不及九二之中，故志行正非有他也。

李衡引薄：下臨上名不順，故變曰咸臨。

朱熹：二陽偏臨四陰，故二爻皆有咸臨象。

吳澄：民豈可臨君！陽下陰上，往來交感，九四下降初。

梁寅：陽感陰。初得正，四陰亦正，吉也。

來知德：咸，皆也。同也。初二臨四陰，大臨小似妥。

王夫之：陽消陰，德感使受治。

折中：山澤通氣，初二爻咸者，陰陽之氣相感也。

李光地：咸有周遍義，又有感通義。初剛正，得臨之正。

毛奇齡：咸皆也。初二皆臨也。

李塨：陽臨陰，感使應。

姚配中：志應四，動正。臨，大也，陽息故感。

吳汝綸：太玄注臨，進貌。初二皆進故皆曰咸臨。

馬其昶：乾元初陽發黃泉，貫萬物，各正性命。

薛嘉穎：初以陽剛周遍臨四陰，有咸臨象。

星野恒：相感以臨，初四應四，賢獲上。

曹爲霖：初比二望咸臨。理足服人也。

劉次源：陽剛初出，大地咸照。素王出天下皆春。

李郁：初二剛應坤，爲政實心行實事，民感其誠矣。

于省吾：咸感，兌通，感則通，初二體兌，故曰感臨。

胡樸安：登位始，民皆來。

高亨：咸本斬傷義，感義。借爲誠，和也。正己感下，誠和臨民俱通。
徐世大：初以情感臨民者。
李鏡池：以感化政策治民。
屈萬里：雜卦咸，速也。上臨下曰臨。
汪忠長：初二爻皆有應，故皆曰咸臨。
徐志銳：初二陽屈尊，降下臨四柔，四柔悅順。即臨咸倒文。
傅隸樸：初四正位相感，无心自然，民從化必出於自然。

易傳作家，皆難逃作文之誚。初无位无民，易家仍可著文曰「下臨四柔。」「上臨下曰臨。」「民從化必出自然。」「以大臨小，以上臨下。」「乾元初陽發黃泉，貫萬物，各正性命。」「初以陽剛遍臨四陰。」吳澄曰：「民豈可臨君？」即乾卦，初處潛龍，不得曰初陽貫萬物！亦不得曰上臨下，或下臨柔？張載謂「志應上。」張浚云：「以道感通上者。」吳澄曰：「往來交感。」是从時位言知，「下臨上，名不順。」（李衡引薄）者也。至曰陽大陰小，陽動陰靜，陽剛陰柔，而命初九臨四陰，不亦曰有女王，公主亦可以大，可以剛矣，英女王維多利亞、唐武則天皇帝、清慈禧老佛爺，不必柔弱勝剛强，可以剛折剛矣！況柔又可克剛耶？陽大而幼，柔小而實壯，未及發育之小龍何如對抗成熟之弱女？雖然此爻仍宜以咸感初之蒞臨解爻爲上。蓋初陽之來，實繼九二陽之蒞臨續剝陰也。久處群陰邪穢，是大卦看爲大兌，大悅也，初陽繼九二之來，卦成大悅，不祇初四感，即三五六亦感而說也乎？是初爻之義爲咸感初陽之來到而心說和順也，故卜得吉。故宜一出於正之培育初九爲吉，初九咸臨貞吉者此也乎？

九二，咸臨，吉，无不利。

象：咸臨，吉，无不利，未順命也。

荀爽：陽感至二當升居五，群陰相承，故无不利。陽當居五，陰當順從，今尚在二，故曰未順命也。

王弼：應五，感臨者。剛勝則柔危。順五則剛德不長，全相違則失感應。臨吉无不利，必未順命也。

孔穎達：咸，感也。應五是感以臨而得吉也。二剛五柔，雖感其志不同，必須商量事宜，有從有否乃得无不利也。

司馬光：二在下體而不當位，故小人未肯盡受命也。

張載：非咸則有上下之疑，有所不利。

程頤：陽長而漸盛，感動六五中順之君，故見信任得行其志，所臨吉而无不利也。將然於所施爲无所不利也。

蘇軾：二在下方長而未盛而臨衆陰，陰未順命，攻則危矣，而陽不能无損，故九二以咸臨之而後吉。陽得其欲，陰免於害，故无不利。

鄭汝諧：二雖說體，剛陽豈以兌說而感人哉！未順命，程子以未字古用與不字同，不順上命，則感之以其道矣！二居中也。

張根傳象：初應四者也，故正則吉。二應五者也，苟能審其所，有何不利之有。

張浚：事君而感之以中道，利孰大焉，陽進陰伏，君臣同德，致君為堯舜，使君有臨也。

朱震：二剛中應五，動正，吉，无不利。五感二成艮，故亦曰咸臨，九二有應未順命，待時者也。樂，王天下不與存焉！臨非君子所樂也。

項安世：九二不主貞，主中，以中感彼以中應，不獨身吉，行之世亦无不利。

楊簡：九二德足以感人，又得中道，故咸臨吉无不利，足以大有為矣。象曰未順命，猶違補過者矣。

李衡引子：履位得中，有德感五，五順二，二未盡順。引荀：當升五，今尚在二，故曰未順命也。引陸：剛臣柔主，有陽消陰長之戒，思防微之理，未全順其命。引牧：剛長應體說，順五，求剛為用，未當為求。引介：二陽欲變柔，故曰志行正。未順者君受教，非君所教。引逢：二與初感而不應五，故曰未順命。引薄：以道感上，上悅而未必能行。

朱熹：剛得中而勢上進，故其占吉而无不利。

吳澄：二五應咸，九五下降為九二也。初九、九二以陽臨陰，反在陰下，有下女之象，故皆為咸臨。

梁寅：二感動五，二剛中，五柔中，感道大於初九也。

來知德：未順五之命也。五君位故曰命。二有剛中之德，陽勢上進。四陰方盛，未順陽之命，二陽咸臨，堅二陽上進之心，堅二陽合德之心。孔子尚不能一陽服群陰！

王夫之：九二以感道臨六五，六五虛中以應二，居之安而行无不利矣。

周易折中引蔡氏清曰：初九剛得正吉。九二剛中吉，剛中則貞无待於言也。剛中最易之所善。

李光地：當浸長之位，剛中而應，正不必言，占吉无不利。

毛大可：巽近市利三倍，二與初同，居倒巽之剛，二剛中，陽臨陰，上臨諸陰，利市有矣，言順命則未也。

李塨：有剛中之德，感更切于初。四陰在上，初感行其志，此感必獲利。未順命者，終可順命之辭。

姚配中：陽息之卦，二雖失位，息而未已，終升至五，故吉无不利。

吳汝綸：二則內愈强，外長勢未已，故吉无不利。卦以不行爲義，而我志在行，故象以爲未順命也。

丁壽昌：朱子以象傳爲未詳。胡先生云未字羨文。荀慈明曰陽當居五，陰當順從，今尙在二，故曰未順命。是漢易舊本有未字。

馬其昶引晏斯盛曰未順命，對八月有凶言。兌說坤順，疑於順也。聖人之意深矣。自案：卦陽方長，爻有陽老將變之虞，二保持不變，必轉禍爲福，以人順天之道。

薛嘉穎：與初之咸臨同。

星野恒：剛中應五，得其信任以臨民則吉无不利。見知行其志，此咸臨之所以吉也。

曹爲霖：誠齋傳曰君臣非盡禮，道合志同，不足有爲。故武王一聖，太公伯夷異顯晦，九二與六五何必汲汲於合哉！九二不以容悅順君命也。

劉次源：二與初象重明，勢浸長，遍臨全坤，吉无不利，居中而應五也。

李郁：二應坤故亦曰咸，剛中故吉。進三得位，升五得正，故无不利也。

胡樸安：登位後希望无所不利也。

高亨：一卦筮辭相同，旨趣必異，疑爻咸當作威，形近而譌。以威臨民，故臨之以威，有威則萬民服，吉无不利。

徐世大：情感既通，得百姓愛戴，自然无不相宜。

李鏡池：與上爻辭同義異。本爻是以溫和政策治民。咸同於誠。咸臨即誠臨，咸和于民，无不利。

金景芳：九二與六五相應，剛中而應，也是咸臨吉无不利。

汪忠長：陽遇陰則通，故曰无不利。

徐志銳：二應五是剛中而應，陽降尊臨柔，剛中又得柔應，其咸之速，吉无不利自然可知。象未順命，晏斯盛說對「八月有凶」言也。這個看法是對的。

傅隸樸：剛與五柔相感應，故亦曰咸臨，二剛居陰位，五柔居陽位，都非正位，卻居中，故仍言吉。无不利即可能不利，君柔感臣，臣剛應君，未免有不順命不嫌。孔子「勿欺也而犯之。」狄仁傑傳贊：「犯顏忤旨，返政扶危」正是爻意。

林漢仕案：本爲群陰，受陽剝迎陽而復，而臨，再進三陽開泰矣！故由復至臨九二，應六五而爲之用，二之不當位而六五亦不當位而大說，是說不以其道而說也。九二感六五之勢而說也。九二少年得志，咸皆感而來臨親九二，九二之吉无不利，是想當然耳。惟少壯之時，戒之在色，眼前无色衰力微之慮而无有任何不利也。九二之不著戒，戒在其中矣。衆先進之見言如是：

象曰：九二未順命也。

荀爽：當升居五，群陰相承，今尙在二，故未順命也。

王弼：順五則剛德不長，全違則失感應，必未順命也。

孔穎達：應五感臨，其志不同，必須商量事宜，有從有否乃得无不利也。

司馬光：二不當位。

程頤：感動六五中順之君，見信任得行其志，將然所施爲无所不利也。

蘇軾：二方長未盛而臨衆陰，陰未順命，攻則陽危，咸臨後吉。陽得其欲，陰免於害。

鄭汝諧：程子以未，不古用同，不順上命，感以其道矣。

張浚：事君感之以中道，陽進陰伏，君臣同德，致君爲堯舜，使君有臨也。

朱震：剛中應五，動正。九二未順命，待時者也。臨非君子所樂也。

項安世：不主貞主中，中感中應，不獨身吉，行世亦无不利。

楊簡：德足感人，又得中道，足以大有爲矣。

李衡引子：五順二，二未盡順。引陸：剛臣柔主，陽消陰長之戒，思防微未全順其命。引牧：求剛爲用，未當爲求。引逢：二與初感而不應五，故曰未順命。引薄：以道感上，上悅而未必能行。

吳澄：以陽臨陰，反在臨下，有下女之象。

梁寅：感道大於初九也。

來知德：未順五命。五君故曰命。陽進四陰未順陽命。

王夫之：六五虛中應二，居之安而行无不利矣。

折中：剛中最易之所善。

毛奇齡：二剛中，陽臨陰，利市有矣，言順命則未也。

李塨：感更切於初。未順命者，終可順命之辭。

姚配中：陽息二失位，終升五，故吉无不利。

吳汝綸：卦以不行爲義，而我志在行，故象以爲未順命也。

丁壽昌：朱子以象傳爲未詳。胡氏以未羨文。荀慈明曰陽當居五，今尚在二，故曰未順命。

馬其昶：陽方長，二保持不變，轉禍爲福。

曹爲霖引：君臣道合志同，不足有爲。二五何必汲汲合？九二不以容悅順君命也。

高亨：疑咸當作威，以咸臨民，吉无不利。

徐世大：情感既通得百姓愛戴，自然无不相宜。

李鏡池：咸臨即誠臨，咸和于民，與上爻辭同義異。

汪忠長：陽遇陰則通，故曰无不利。

徐志銳：剛中而應，陽降尊臨柔，咸速，未順命乃對「八月有凶」言。

傳隸樸：二五都非正位，卻居中，故仍言吉。无不利即可能不利，臣剛應君，未免有不順命不嫌。孔子「勿欺也而犯之。」狄仁傑傳贊：「犯顏忤旨，返政扶危」是也。「无不利」說者多謂无所不利，張載云「非感則有上下之疑，有所不利。」僅傳隸樸操觚謂「无不利即可能不利。」蓋剛臣犯顏而諫，隨時有遭不測之虞。本爻明曰咸臨感臨，則感之矣。九二柔位剛居，要來者聯袂而來，皆來矣，柔不能拒，不敢拒，亦不忍拒，見卦之大說可知也，九二之吉，无不利，應是在涵容，見包之情意下无所不利。非是王弼之剛勝柔危，順五剛不長，全違失感應，洎孔疏有從有否乃得无不利之謂。爻著吉，即涵蓋无不利，增无不利之文，乃二五不能正位而應，有所感喟，其吉之來，无附加條件也。无不利者，无所不利也。象有「未順命也。」之傳。易家從之覓「未順命」之所在：

二當升五，今尚在二，故未順命。（荀爽）

順與全違皆不宜，必有未順命也。（王弼）

雖感而志不同。

二下體不當位，小人未肯受命。（司馬光）

陰未順命。（蘇軾）

不順上命。（鄭汝諧）

九二未順命。待時者也。（朱震）

二與初感不應五，故曰未順命。（李衡引逢）

未順五命。（來知德）

言順命則未也。（毛奇齡）

未順命者，終可順命之辭。（李塨）

卦不行而我志在行，故象曰未順命。（吳汝綸）

朱子以象傳未詳，胡氏以未羨文。（丁壽昌）

君臣道合志同，九二不以容悅順君。（曹爲霖）

「未順命」乃對「八月有凶言。」（徐志銳）

臣剛未免有不順命之嫌。（傅隸樸）

象傳爻之吉无不利，而疑既吉矣，加著无不利之文，即忖度爻意爲「未順命」故，百家易傳於是蠭起說「未順命」之大旨何在，如：二當升五，今尚在二，故未順命。是指二之命運未能順利升五也。王弼則改爲二順五與否，全是全違皆有所不是。孔疏遂逕謂「志不同。」不知志不同則不能感，不能感而臨，猶今言未來電，倆倆仍是陌路人也，如何有吉字之文？曹爲霖持君臣道合志同，九二不以容悅事君。其見勝孔穎達之傳疏也。司馬光之「小人未肯順命」，指二不當位爲小人耶？抑下四爻陰爲小人？蘇軾陰未順命，是四陰在抗陽來也。鄭汝諧謂「不順上命。」九二叛逆性仍在也乎？朱震之待時者也與荀慈明之二當升五之命運之命應同。李衡引逄之「二與初感不應五。」似在胡亂配對，初二倆陽交感而拒正應天倫之配，往后陽再升如何三陽交泰？「未順五命。」仍指九二之未順。來知德又謂「四陰未順陽命。」指四陰仍拒陽也。毛奇齡泛謂「順命則未。」丁壽昌引謂朱子「象傳未順命也」未詳，胡氏以「未」爲羨文。李塨未順終可順命之辭。吳汝綸謂卦不行我行爲未順命。徐志銳見群傳无一準的可循，另闢蹊徑爲對「八月有凶」言。八月有凶乃卦辭，加爻八月有凶，然則何如吉无不利之大前提？傅公隸樸之臣剛，即二剛，未免有不順命之嫌，是二不順五君之命，非荀爽之命運之命矣。揆諸群傳經者，「九二不以容悅事君，未免有不順命之嫌」爲尙。則爻意應是：九二以感性之蒞臨，四陰大說而迎之，二柔位剛居，少年得志，猶有野性未順，然无妨整體之吉，无所不利也。

六三，甘臨，无攸利，既憂之，无咎。

象：甘臨，位不當也。既憂之，咎不長也。

王弼：甘者佞，邪說，媚不正之名也。履非其位，居剛長之，而以邪說臨物，宜其无攸利也。若能憂危改脩，剛不害正，故咎不長。

孔穎達：甘美諂佞也，履非其位，居剛長而邪說臨物，故无攸利，既，盡也，盡憂其危，剛不害正，故无咎。

張載：體說乘剛，故甘邪說求容而以臨物，安有所利？能自憂懼庶可免咎。

程頤：居下之上，臨人者也。陰柔而說體，又不中正，以甘說臨人，失德之甚。知危懼而持謙自處則无咎。

蘇軾：樂而受之謂之甘，陽進而陰莫逆，甘臨也。居不爭之地而後可，今居陽，居之過也，位不當而已，憂懼可免。

鄭汝諧：兌主質柔，居非正，甘說二陽，故无所利。二陽方亨，三乘之，宜不安而憂，憂則无咎者。

張浚：位不中，以柔順之資求說二陽，是謂甘臨，君子不以道不說也，在臨无攸利矣。六三互位有坤順震動艮止之象，動能止為既憂，誠順君子，可以无咎。知遷善功足格天，患為之不力耳。

朱震：六三有位无德，柔不當位，以口說人，甘臨也。處不當，上不應，无修利也。六三降尊接卑，相易成坎，坎為憂，正則无咎，二至四有伏巽，變坎，咎不長也。

項安世：陰不中，以口說人，以甘媚臨而无攸利。君子易事難說，處己嚴故不受不正之媚。

楊簡：甘說臨人，終无所利。六居三，陰陽雜焉，有不安象。不安則憂，憂則改，故无咎。六三位高不以德，殊不當也。

李衡引胡：以不正之行說民，違道干譽者也。引介：比於浸長之剛而能變，是以无咎。

朱熹：柔不中正而居下上，以甘說臨人，其占固无所利，能憂改則无咎，勉人遷善，為教深矣。

趙彥肅：以柔順剛，妄以為美，故无攸利。既能憂懼，不敢為美則无咎也。

吳澄：互坤下畫，坤土味甘兌口柔，說以言媚人，陰不正，臨浸長之剛，逼己甘言媚說之，故曰甘臨。不以賤臨貴，斂藏退避以俟剛上則可无咎。

梁寅：不中正，懼二陽迫，乃甘言臨之取說，以佞悅臨人，无所利矣！憂而變所爲則亦无咎也。

來知德：三居下之上臨人者，陰柔悅體，又不中正，故有以甘悅臨人之象。能憂而改之，斯无咎矣。

王夫之：與二陽相比，居非其位，戀不舍，柔悅幸陽之我容，能知憂懼退聽陽臨，可免咎。三進爻，終必往，柔居剛，與陽爲內卦之體，故可施教戒，望其能憂。

周易折中引胡氏炳文曰：彖取剛臨柔，爻上臨下，三兌臨人不中正故无攸利，能憂而改則无咎矣。又案六三說主德不中正，以勢爲樂，故曰甘臨，恣情勢位，何利之有！說極有憂，知勢位非樂，咎不長矣。

李光地：三不中正爲說主，居下上，以勢臨爲甘，何利之有！能憂懼則不以臨爲甘，咎可免矣。

毛大可：兌未承坤土。（洪範土爰稼穡故味甘）處陰不能下臨二陽，又難臨上，居位兩不當，甘心臨人，何所利！兌上半坎，坎爲憂，反甘爲苦，反說爲憂，位非正何咎之有。

李塨：六三陰何能臨陰？欲以甘言甘貌臨上陰，豈有利焉？必變乾九三之惕若是能憂矣。與二陽同德无咎矣。

焦循：甘，緩也。憂亦思也，失道而知憂則可以改過矣，故既憂則无咎。

姚配中：臨大也。失位而以爲甘，故无所利。憂之則不甘，化之正矣，故无咎。管仲曰厚於味薄於德，沈於樂反於憂，壯而怠則失時，老而解无名。

吳汝綸：有帥不從之恉，甘於不從陽也。憂之則終當變陽。

丁壽昌案虞仲翔兌口，坤土，土爰稼穡作甘，兌口銜坤故曰甘臨。失位乘陽故无攸利。動成泰故咎不可長。解故曰說文甘，美也，从口含一，一，道也。甘對苦言。

馬其昶引胡炳文：三不中正爲甘。引張文虎：說文甘美，从口含一。兌爲口爲說，恐𡛷一陰，故无攸利，憂八月有凶也。自案兌正八月，甘溺於利即有不利，能悔故能變。

薛嘉穎：恣情勢位，何利之有？甘苦之介，一念之間，苟知憂懼，則不以臨爲甘而咎可免矣。

星野恒：柔不中正，處說體，甘說臨人者也，何利之有！然志尚剛，知非而改則无咎。蓋爲上不剛不能鎮物，不正不能服人，徒欲以煦嫗軟熟籠絡人心，其可得乎？憂之庶其无咎。

曹爲霖：甘言媚詞，詩謂盜言孔甘。李林甫口蜜腹劍，明皇寵之成亂，人主憂其利口覆邦家則无咎。

劉次源：三與坤比，邪說誣民，非惟无利，敗德亂經。八月有凶，聖人憂之，反身修德，感之至誠，經正庶民興也。

李郁：三兌口，甘言无實，不可以爲政，故无攸利，既憂，去虛求實，變柔爲剛，可以无咎矣。

胡樸安：登位後，官吏中有佞邪說媚之人，故无攸利也。

高亨：甘猶嚴，音亦相近。甘臨猶嚴臨。憂優古通，優，和也。以嚴臨民則民困而怨上，上无利。若能易之以寬和亦可无咎，故曰甘臨，无攸利，既憂之，无咎。

徐世大：好居人上者甘酒嗜音臨民，沒什麼好處，能憂慮故无咎。

李鏡池：用拑制壓迫的政策治民。甘借爲拑。攸所。既若。无所利，若憂民之所憂，關心百姓疾苦，才可无咎。

屈萬里：正義「甘美諂佞也。」左傳幣重而言甘。誘我也。甘臨謂取容悅以臨人。

金景芳：兌爲口舌，用口舌臨人，叫甘臨。无攸利。若憂之則无咎。

汪忠長：甘美，三獨近二，陰順陽，言甘於順二也。然位不當无應故无所利。坤憂，知无所利而憂之，故无咎也。

徐志銳：二剛浸長近三，三口出美言取悅于二剛，即謂之甘臨。六三位不當，无法阻擋陽長。何楷變其媚態斂藏退避，竣剛上進則可无咎。惠棟動成泰故咎不長也。

傅隸樸：甘臨即用誘惑手段去臨政治民。身不正，雖令不行。三陽位六居之，是悅媚臨物之象，上六不與應，故曰无攸利，三陰乘初二兩陽，是憂危之象，能憂可免咎戾。

林漢仕案：臨，依例仍當爲來臨，涖臨，到臨。甘，說文目美也。从口含一，一道也。經傳甘義有：含，美，土味，厭足，緩，佞邪說媚不正之名，不苦之名，五味之本。經傳家以六三履非其位，陰不中，柔居漸長之剛位由位不當而斥之爲佞邪不正，甘說二陽，故无所利，憂則无咎也。以吾觀之，未必全是，其責之也擇其一義而略其他也。茲輯眾說以爲比較：

象：甘臨，位不當也。

王弼：甘佞邪說媚不正之名，邪說臨物，宜无攸利也。
孔穎達：甘美謟佞也。居剛長而邪說臨物，故无攸利。
張載：乘剛，甘說求容以臨物，安有所利？
程頤：下上，柔說不正，甘說失德。
蘇軾：樂而受之謂甘，陽進而陰莫逆，甘臨也。
鄭汝諧：兌主柔非正，甘說二陽。
張浚：柔順求說二陽，是謂甘臨。
朱震：有位无德，柔不當位，以口說人，甘臨也。上不應，无攸利。
項安世：陰不中，以甘媚臨而无攸利。
楊簡：甘說臨人，終无所利，陰陽雜而不安。
李衡引：不正之行說民，違道干譽也。比浸長剛能變无咎。
朱熹：柔不中居下上，甘說臨人，其占无所利。
趙彥肅：柔順剛，妄以爲美，故无攸利。
吳澄：坤土味甘，兌口柔，以言媚人，陰不正，迫己甘害也。
梁寅：不中正，懼二陽迫，以佞悅臨人，无所利矣。
來知德：居下上，陰柔悅體，不中正，故有甘悅臨人象。

王夫之：與二陽比，非其位，柔悅幸陽之我容。
折中：兌主德不正，以勢爲樂，恣情勢位，何利之有？
毛奇齡：不能下臨陽，又難臨上，居位兩不當，甘心臨人，何所利？
李塨：陰何能臨陰？欲以甘言甘貌臨上陰，豈有利焉？
焦循：甘，緩也。失道。
姚配中：臨大。失位而以爲甘，故无所利。
吳汝綸：有帥不從，甘於不從陽。
丁壽昌：失位乘陽故无攸利。
馬其昶引曰：三不中正爲甘，兌正八月甘溺利即有不利。
薛嘉穎：恣情勢位，何利之有？
星野恒：柔不中正，處說體，甘說臨人者也。
曹爲霖：甘言媚詞，詩盜言孔甘。李林甫口蜜腹劍。
劉次源：三與坤比，邪說誣民，非惟无利，敗德亂經。
李郁：兌口，甘言无實，不可以爲政，故无攸利。
高亨：甘猶嚴，音亦相近。甘臨猶嚴臨，民困怨上，上无利。
徐世大：好居人上者甘酒嗜音臨民，沒什麼好處。

李鏡池：甘借爲拑，拑制壓迫政策治民，无所利。
屈萬里：甘美諂佞也。甘臨謂取容悅以臨人。
金景芳：兌爲口舌，用口舌臨人叫甘臨。无攸利。
汪忠長：甘美，近二，甘於順二也。位不當无應故无所利。
徐志銳：二剛長近三，三口出美言取悅二，即謂之甘臨。
傅隸樸：用誘惑手段去臨政治民。身不正上六不應故无利。

六三位不當，剛位柔居，不中乘剛，居下上不正，失位乘陽，兌口甘美无實，與二陽比，三與坤比，失位而以爲甘。易傳大家欲加之於臨六三者大抵由此而逕判決六三之邪媚諂佞。好事者更以甘猶嚴，甘借拑，下體兌，六三兌口舌臨人，李林甫口蜜腹劍視六三，似有欠公允，蓋初陽之復至二陽來臨，卦成大悅，不祇初四咸，即三五六亦哈哈大說，互戒一出於正爲尙。初陽往上推成九二，仍以感性莅臨，四陰大說迎陽，少年得志，猶有野性未順，然无妨整體之吉。再往上引爲六三，是陽仍停於二，三以上舊物也，六三之从口含一嘗帶有野性未順之甘味，厭足之情，不言而喻。食於人者嘴軟，故六三調和上下，甘於二陽，亦甘於坤陰，甘草之爲五味本，六三所扮演之時位角色乎，緩衝於陽之剛猛，陰之柔韌之間。无李林甫之權與口（笑臉殺人），亦未握嚴拑之政，用誘惑手段去臨政治民，恣情勢位。六三祇爲一緩衝轉型之姿態處世，於上下交之間作一調和、平衡。六三此時，宜愛惜自己，一切甘媚邪諂之名受之甘如飴可也。借用吟周公王莽詩：「

倘若當時身便死，一生忠奸有誰知。」待浸長之剛來，三陽開泰矣夫！是六三處人生之低潮，宜修忍辱仙人，忍辱菩薩之戒行也。是以甘美邪媚之臨相責，雖无所利而不爲動，本非其過也，「既憂之」，高亨言憂優古通，優和也，焦循言憂亦思也。既，盡也，若也。若盡以平和心態思之，其過在天也，非我也，何過咎之有？

六四，至臨，无咎。

象：至臨无咎，位當也。

荀爽：四與二同功，欲升二至五，已得承順之，故曰至臨也。陽雖未乘，處位居正，故得无咎，是位當也。（集解）

王弼：處順應陽，不忌剛長。柔不失位乃得无咎也。

孔穎達：履順應陽，不畏剛長，履得其位，盡其至極之善而爲臨，故云至臨，以柔不失正，故无咎。

司馬光：六四進升上，體至大之境，已得其位，故无咎也。

張載：以陰居陰，體順應正，盡臨之道，雖在剛長，可以无咎。

程頤：四居正位而下應，近君、守正、任賢，是以无咎。

蘇軾：以陰居陰而應初，陽至遂順之，故曰至臨。

鄭汝諧：位在上下之際，臨之切至也。四近下，位當，是以无咎。

張根傳象：至誠與賢，无所媢忌，異夫竊位者矣，夫如是而後可以免。

張浚：四以順德臨下順賢，臨之至也。互體坤，上順於君，下說於民，臣德至矣！何所可咎！象謂與初正應，位當。

朱震：四爲五所任，得君近民者也。臨道尚近，四得正處順，與初相應，下賢、得君、近民，兼此三者所以无咎。

項安世：四爲大臣不中，柔在高位，當斥去，四以順應陽，故得无咎，此保位之臣，位當而已。上卦臨下，四最先，與下卦至相迫，故爲至臨。

楊簡：不得中，又无陽明之德，臨下无過尤可指，故人亦不咎，故曰至臨无咎。

李衡引陸：含洪博厚，待賢不忌，體柔居正，德之至也。引胡：應初有剛援。引介：至誠順乎剛。引代：四初得位正應，美善之至極。引陳皐：陰臨剛，剛必不服，當位可无咎。引薄：臨民以正，以公不以私。

朱熹：處得其位，下應初九，相臨之宜，无咎者也。

吳澄：四五二爻以剛臨柔，至，鳥飛自上而極地，剛居四降初，初爲九所謂至臨，四爲六民情上達，非六本居四。

梁寅：非臨之至善也。與初相臨之情最切，陰柔唯以私情相臨，得免咎可矣，豈能大有爲乎！

來知德：坤兌交，地澤比，蓋臨親切之至者，以陰臨陽，宜有咎，然相應之至，故无咎。

王夫之：至，猶來也。陰待治於陽者也。與初應，初自來臨，所謂輕千里而來告以善也，陰无咎矣。

周易折中引王氏宗傳：四以上臨下，其於下體最相親，故曰至臨。以言上下二體莫親於此也。

李光地：凡臨物，切近而能周至，故臨有逼義。四以柔正與下體相切近，臨之周至者也。非卦主，非尊位，故僅无咎。

毛大可：陰居陰，四應初。至此八月，其至者也。二陽外消亦至此見消，時實爲之，又誰咎焉！

李塨：六四在外卦爲陰初，與初九相應，陽感陰至，安柔位從陽者也。无咎也。

姚配中：陽息之卦，陽息則陰上升，下退而上故至臨。至四也。四非下，中亦得位，故无咎。

孫星衍傳象引按李氏本作當位實也。

吳汝綸：至者下也。下就而不上行，故无咎。

丁壽昌：虞仲翔至下也。謂下至初應，當位有實，故无咎。

馬其昶：至實也，生意已實，是由利向貞之候，繫辭厚之至也。虞注坤爲至。

薛嘉穎引：至從一，一地也，初爲地在下，故至謂下說本此。以陰居陰應方長之初陽，當其位也。

星野恒：至臨者，臨之切至也。居上之下與下體相比，處正應初，才柔不足以長人，正身貇臨則人心悅服，所以无咎。

曹爲霖：至即朋至，朋友之交，卦雖二陽方長，然至八月消成否，非八元八愷同升之世，以位當故不罹朋黨之禍而已，故僅稱无咎。

劉次源：陽欲臨阻于三，今竟至臨。无咎者，聖人雖得竟其志，僅免于咎，奚功之足云。

李郁：以陰居位，是當位也。

胡樸安：六四兢兢業業，盡其至極之善，賢者在位，故象位當也。

高亨：至疑讀爲質，質有誠信之義，至臨即質臨，謂以誠信臨民，自无咎，故曰至臨无咎。

徐世大：時至臨民如太子即位，水至渠成的繼承，沒有害處。

李鏡池：躬親政治，要親自處理國事則可无咎。

屈萬里：至，致也。招致。謂被招致而臨也。

金景芳：四與初正應，陰爻居陰位，故曰至臨。王宗傳說四以上臨下，與下體最相親，故曰至臨，言上下二體親也。

汪忠長：虞氏曰至下也。謂下應初，當位有實，故无咎。

徐志銳：至臨是說六四下至初九以相應而爲相臨近。无咎，言位當。

傅隸樸：六四承上接下應物，莫不盡其柔德，故曰至臨无咎。世局變幻，人情多端，問心无愧，何禍咎之堪慮？

林漢仕案：六四至臨，无咎。小象判以位當，遂有正位近君守正任賢之許；得君近民之任；履得其位，盡其至極之善而爲臨之譽。而爻文有无咎，傳經者則又以四不中；无陽明之德；才柔不足長人。如之何如之何則无咎。是傳易者不祇觀圖識意，亦須片言透意，往往一卦之中，一體之間，起伏高低不定。以生活層面言，李登輝能貴賤你我，然李登輝不能貴賤汝我之人格。一卦之間，位可以有起伏，人格不當小人君子之遽變如閃電也。蓋人格乃汝生平行事之總和，豈能以一層面遽以升降？有，是亦斷章取義也乎？

六四之至臨，至字有到，至極之善，至大之境，盡臨之道，至誠與賢，德之至也，鳥飛極地，至猶來也，周至，至此，至下，至四，朋至，切至，疑讀爲質，誠信之義，致也，招致，時至。六四之至臨，至四乎？至地下一，初乎？「時至臨民如太子即位。」易不爲史學作註腳，亦不當爲政治哲學作註腳。然易不離生活，故六經註我，我註六經。徐世大之六四「時至臨民」之說，確然如毛奇齡之謂「夢囈」！易之占如是，解說層面如輻之四射，在讀易者之心領神會而已！全收全斥皆非中庸之道也。

至臨，各家釋文如是：

象曰位當。荀爽處位居正是位當。王弼柔不失位。孔穎達盡其至極之善而爲臨。司馬光六四升上，體至大之境。張載盡臨之道。程頤近君守正任賢。蘇軾陽至遂順之。鄭汝諧臨之切至也。張根至誠與賢，无所娼忌。張浚四順德臨下，臨之至也。朱震得君近民也。項安世爲大臣不中，柔在高位，保位之臣，與下卦至相迫，故爲至臨。楊簡：不中又无陽明之德，无過尤可指。李衡引陸含洪博厚，待賢不忌，德之至也。朱熹處得其位應初，相臨之宜。梁寅非臨之至善，唯私情相臨。吳澄至鳥飛極地，剛四降初爲九所謂至臨。來知德臨親切之至。王夫之至猶來，初自來臨。折中上臨下，上下二體莫親於此。李光地臨有逼義，臨之周至者也。毛奇齡至此八月，其至者也，時實爲之，誰咎！李堪陽感陰至，安柔位從陽。姚配中陽息陰升，下退而上故曰至臨。吳汝綸至者下也。下就而不上行。馬其昶至實，虞坤爲至。薛嘉穎至謂下，陰居陰應方長初陽，當位。星野恒臨之切至，與下體比，應初。曹爲霖至即朋至。劉次源陽臨阻于三，今竟至臨。胡樸安六四兢兢業業盡至極之善，賢者在位。高亨至疑讀爲質，質有誠信之義。徐世大時至臨民如太子即位。屈萬里至致也，謂被招至而臨也。金景芳四與初應，故曰至臨。徐志銳四下初相應而爲相臨近。傳隸樸四承上接下應物，盡柔德，故曰至臨。

譬六四者，愛之欲加諸膝，「含洪博厚，待賢不忌，德之至也。」貶者又惡之欲乘落井再下石，不中正，爲大臣不中无陽明之德。唯私情相臨。上下兩卦之中爻爲中，六四在上之下，自然不中，又爲六，自然无陽，猶之責備武則天，維多利亞女王，含洪博厚，惜不帶把爲女兒身，攻其生就之生理條件以爲短，非所以爲說卦之正。臨仍以來臨，莅臨解六四之至臨。至爲鳥飛極地。坤爲地，地高於澤，是六四之至臨也者，守坤也，即守六四之本分如楊守達引左傳宣十二年師之臨……不行之謂臨，臨爲師不行，鳥飛至地，之四，六五，上六，坤地也。非謂至初九爲一爲地，蓋一者初九陽爻也。鳥飛至地不行，即守六四本位，如柔居柔當位，近君輔君，如項安世謂「柔在高位，保位之臣。」庶近六四角色，六四之至臨，无咎者蓋如斯乎。

（註：李登輝者，繼蔣介石、蔣經國後在台灣之中華民國平民總統，執政後四易宰輔，重用前宰臣所冷落、擱置、不甚

得意之臣，遂握固政權而聽任免。孟子曰趙孟能貴賤你，林漢仕故曰李登輝能貴賤你，其意一也。）

六五，知臨，大君之宜，吉。

象：大君之宜，行中之謂也。

荀爽：五者帝位，大君謂二也，宜升上居五位吉，故曰知臨大君之宜也。二者處中，行升居五，五亦處中，故曰行中之謂也。（集解）

王弼：處尊履中，能納剛以禮用，委物以能，則聰明者竭其視聽，知力者盡其謀能，不為而成，不行而至矣！

孔穎達：能納剛以禮用，建其正，不忌剛長，聰明知力者竭盡其視聽謀能，是知為臨之道，大君之所宜以吉也。

張載：順命行中，天子之宜。

程頤：柔中順體居尊位，而下應剛中之臣，不勞而治，以知臨下者也。若區區自任，適足為不知。

蘇軾：見於未然之謂知。六五以柔居尊應二，使懷吾德。天子以知服天下之强者可，小人以是畜君子則不可，惟大君為宜。

鄭汝諧：五臨主，五柔君，明不足察，慮不足固，下應二陽則惑矣！能行吾中，謂之知。五必以知臨，乃大君所宜。

張根：舍己從人，堯舜之事。傳象：惟行中可爲大。

張浚：內有剛德而用之以柔，知臨也。周成任周公爲知臨。六五居坤順中，虛己下賢，是以有大君之稱云。

朱震：兼九二明而不自用其明，用天下之明以臨天下。行中也，五兼二上下行中道也。

項安世：五不當位反吉者，君也。大君宜用剛，剛則與陽相知，不疑其臨己，故曰知臨。五知二，二中道得行於上，故曰行中之謂。用中，擇中，守中，行中大君之宜也。

楊簡：五得中爲大智，不爲大君之至乎！得中道爲知，以是臨民爲知臨。臨民之具禮樂刑政四而已。

李衡引介：知柔知剛，用晦而明，委物以能行中，非如六四，一乎柔而已。引胡：坤順履尊，得大中之道，有九二剛明之才，誠信之，天下之賢樂爲之用。

朱熹：以柔居中應二，不自用而任人，乃知之事，大君之宜，吉之道也。

趙彥肅：以柔居剛，得中道也。臨下之道，剛柔皆備，惟行也可。

吳澄：剛智柔愚，五柔接二剛，二剛即五剛，五剛下二，君智下燭民間也，所謂睿智足以有臨者，故曰知臨。二柔升五，五柔即二柔，是民情上達君所，此堯舜鰥寡无蓋也。六五非大君，六五本九五大君也。六民而在五位，民之上達於君也，君民一體，上下志通，大君臨民宜如是。

梁寅：外柔內剛，得中道，居位臨人，大君所宜也。宜者義也。能隨時處中則智明，義合亦可見矣。

來知德：知音智。變坎通智之象。知臨者不自用而任人。應乾陽故曰大君。柔居尊，下任九二剛中之賢，兼衆智以臨天下，得大君之宜者，吉可知矣。占有是德如是吉。

王夫之：居貞下聽九二之臨，知治我者之善我而不拒之，君道得矣。虛中體順，曲喩忠愛，能受其臨不以爲侮，君道得則吉莫尙焉。

周易折中引王氏申子曰：中庸唯天下至聖爲能聰明睿知，足以有臨也。故知臨爲大君之宜，六五柔中任九二剛中，不自用其知而兼衆知，是宜獲吉也。引胡氏炳文曰：以已臨人，五虛中應九二，任人所以爲知，所以爲大君之宜。

李光地：六五虛中，有知之象。居上之道，莫大乎知，知則明，行无不當矣，聰明睿知足以有臨，占如此則吉。

毛大可：上柔應下剛，五中，君位，中庸惟天下至聖足以有臨。此大君之宜也。五居坎中，五德屬智，故有是象。

李塨：坤居中，九二感，六五即知之。此道也，大君以之賢才感于下，君即知于上，取善用中，誰曰不宜？五君位故言大君。

焦循：知崇禮卑知謂能變通。宜猶儀也。

吳汝綸：五有文明含章之象，故曰知，曰宜。大君謂二也。象曰行中，自二而上進於五也。

丁壽昌：正義知讀如本字。王注讀智。蘇蒿坪曰陽實仁，陰虛知，變坎水，水行无滯，有知象。五變剛爲大君。案九五，六五皆君位，五爲天子，荀謂二升五爲大君非也。

馬通伯引乾鑿度云：大君者君人之盛者，處王位施大化爲大君。自案坤五含章伏乾中，光明而行，知也，貞也。

薛嘉穎：五倚任剛中之賢而爲大君之所宜，行其中德。

星野恒：智以臨之也。柔君能知任剛以臨天下，大君之宜所以吉也。明主勞於求賢而逸於賢，舉賢任事，庶績咸熙，其成功歸君，不其大乎！

曹爲霖：李德裕曰人君之德莫大於明，明以照奸，百邪不能蔽，上官桀譖霍光是也。周公流言而東，成王有慚德矣。

劉次源：戴二居五位，世界大同，无須君制，吉也全世之利也。

李郁：乾爲知，指九二，宜之五故曰知臨。九五君臨天下，故曰大君之宜，中正故吉。

胡樸安：君知臣下賢不肖曰知臨，故曰大君之宜。能行中道，不爲臣下所蔽，故象曰行中之謂也。

高亨：知讀爲智，以智臨民也。禮記中庸：惟天下至聖爲能聰明睿知，足以有臨也。即此意。大君當如此，始克明察萬幾，曲應咸當，故曰知臨大君之宜，吉。

徐世大：智慧臨民，大君的應有事。好。結果必佳。

李鏡池：知同智。宜，應該具備的。統治者具備聰明睿智用以治民則吉。中庸：唯天下至聖爲能聰明睿知，足以有臨也。與此爻觀點一脈相承。

金景芳：六五是君位，居君位而臨天下。任天下之聰明，爲大君之宜。

汪忠長：知音智，言宜知幾也。易林曰震爲大君，九二震主應五，皆當位，故曰大君之宜，言二宜升五也。

徐志銳：五柔居尊應二的剛中，五睿智大君，下任九二剛中賢臣輔己，此乃大君之宜，非明察何能行中隨時取宜。

傳隸樸：位尊，體柔履中，應九二，知人善任。中庸「惟天下至聖爲能聰明睿知，足以有臨也。」像是本爻作注的。

林漢仕案：初陽之來咸感心說和順，宜出於正培育爲吉。九二亦感性而來，四陰大說歡迎，惟二野性未除，然无妨整體氣氛之融洽，故无所不利。六三爲緩衝期，宜忍辱自戒，雖无利而不動，盡思其過，過在天，非我也，其過自然消失。六四宜固守本位，必无過咎。六五之知臨，應是性識之臨，心徹爲知之臨。王先謙注徹，通也。官能通而未言大小，六五知臨，大君之宜。大君，泰君也。曾經艱難自律忍辱，固守本位之大君，舒泰之君也，則其知臨之知必爲大知之臨，爲公不爲私之臨。又卦辭元亨利貞四德俱備，其爲大知也幾可確定。官能大通，爲公不爲私之知性自來，身爲舒泰之君，百事迪吉可不卜而知其果。易家之說，大抵如是：

象：行中。

荀爽：大君謂二，升五吉。二中五亦中，故曰行中。

王弼：處尊履中，聰明知力者竭其視聽謀能，不爲而成也。

孔疏：不忌剛長，知爲臨之道，大君所宜以吉也。

張載：順命行中，天子之宜。

程頤：柔中應剛中之臣，不勞而治，以知臨下者也。

蘇軾：見於未然之謂知。天子以知服天下之强者可，小人以是畜君子則不可。

鄭汝諧：臨主，柔君，明不足察，應二陽則惑！行吾中謂知。

張根：舍己從人堯舜之事。行中可爲大。

張浚：內剛德用柔，知臨也。順中下賢，有大君之稱。

朱震：兼九二明以臨天下。行中。

項安世：不當位反吉者君也。大君用剛不疑其臨己。用中，擇中，守中，行中，大君之宜也。

楊簡：得中爲大智，以是臨民爲知臨。

李衡引胡：得大中之道，天下之賢樂爲之用。

朱熹：不自用而任人乃知之事。大君之宜。

趙彥肅：臨下之道，剛柔皆備，惟行也可。

吳澄：六五非大君，六民在五位，君民一體，大君臨民宜如是。

梁寅：外柔內剛，得中道，處中智明，義合可見。

來知德：不自用而任二剛賢人。應乾故曰大君。

王夫之：柔居貞下聽九二之臨不以爲侮。

折中：中庸唯天下至聖爲能聰明睿智足以有臨也。

李光地：虛中知象。知則明，行无不當矣。

毛奇齡：中庸惟天下至聖足以有臨。此大君之宜也。

李塨：五君位故言大君。

焦循：知能變通。宜猶儀也。

吳汝綸：五有文明含章象故知。大君謂二。二進五也。

丁壽昌：五變剛爲大君。荀謂二升五爲大君，非也。

馬通伯引乾鑿度：大君者，君人之盛者。案五知也貞也。

薛嘉穎：倚任剛中之賢爲大君所宜。

星野恒：舉賢任事，庶績咸熙，成功歸君，不其大乎！

曹爲霖：君德莫大於明。明照奸，百邪不能蔽。

劉次源：二居五位，世界大同，无須君制。

李郁：乾爲知。九二。之五曰知臨。九五君臨天下。

胡樸安：君知臣下賢不肖曰知臨，曰大君之宜。

高亨：讀爲智。以智臨民也。

李鏡池：統治者具備聰明睿智用以治民則吉。

汪忠長：智知幾。震爲大君，九二震主，二宜升五。

上卅七說中，有褒六五舍己從人，堯舜之事；有貶六五柔君，明不足以察。六五非爲大君；五變剛爲大君；有謂二爲大君，二升五爲大君；下聽九二之臨，倚任剛中之賢爲大君所宜；五君位故言大君。上六說應爻文「大君之宜。」而群起覓大君之象。爲大君定位也。昏黯爲愚，一切病根罪惡之原，昏昧非罪惡，昏昧自用乃是罪惡，加上權勢則自用自專。疑其不當疑，懼其不足懼。過當防衛，危及萬物矣！愚即不明，心中常有罣礙，心中常存恐怖，顛倒夢想，无明之害也。小知拳拳，自用自專尤甚。今六五舒泰之君，曾經滄海之君，兼卦辭元亨利貞四德，用九二剛中之臣，王弼所謂處尊履中，能納剛以禮用，委物以能，則聰明者竭其視聽，知力者盡其謀能，不爲而成，不行而至矣！非是一己專以逞其睿知，至聖以臨天下也。五乃人生最成熟期，處顛峰狀態，借力爲治，孰不順成！故六五性識心徹大通之臨，是古代一切大君聖王之儀，之義兼而有之也，不卜而知吉矣。荀子之「智明而行无過」說，觀南郭處士吹竽，鄭袖借刀劓情敵鼻，驪姬之殺太子申生。斯齊王、楚王、晉公之无明有過也。燕王、秦王、漢武皆求不死之道，人果能无死乎？韓非子云：「上明見，人備之；不明見，人惑之。有知見，人匿女；无知見，人意女。」爲君上者恃智，其智不能盡物。韓非子又故云：「明主之道，法而不求智，法不敗，群官无姦詐矣。」六五柔君，明不足以察者以其剛位柔居也。能倚剛中之臣而潛御之，雖賢者多才有時乘賢劫君，五君有恃其不可欺之資也，其飾行要君之不效也必矣！六五雖柔，去好去素，其爲大君也不蔽矣。韓非子主道：「去智而有明，去賢而有功。明君无爲於上，群臣竦懼乎下，明君之道，使智者盡其慮，而君因以斷事，故君不窮於智。賢者敕其材，君因而任之，故君不窮於能。有功則君有其賢，有過則臣任其罪，故君不窮於名。」六五柔君，鄭汝諧謂「臨主，柔君，明不足以察者。」能去好去素无爲於上，六五大君性識心徹大通之臨，愚不當位而執中，其爲大君也不蔽矣！

上六，敦臨，吉，无咎。

象：敦臨之吉，志在內也。

荀爽：上應於三，欲因三升，二過應於陽，敦厚之意，故曰敦臨吉，无咎。（集解）

九家易傳象：志在升二也。陰以陽爲主，故志在內也。（集解）

王弼：處坤極，敦而臨，志在助賢，以敦爲德。剛長不害厚，故无咎。

孔穎達：敦，厚也。敦厚而爲臨，雖在剛長，剛不害故无咎也。

張載：體順則无所違，極上則无所進，不以无應而志在於臨，故曰敦臨，志在內也。

程頤：坤之極順之至，敦厚於臨，志從二陽，尊應卑，高從下，尊賢取善，敦厚之至，故曰敦臨所以吉而无咎。

蘇東坡：敦，益也。內，下也。六五應九二，上六附益之，謂之敦臨；復之六四應初九，六五從而附益，謂之敦復。

鄭汝諧：敦復臨上，遠二陽，若无所臨。敦，厚也。二陽雖非應，志則在焉。

張根傳象：乃心罔不在王室之謂。

張浚：不以勢位臨下，惟賢之順，厚賢爲志，進泰天下說歸，吉可得矣！

朱震：極窮，變通。陰求陽，志在內，尊賢取善，以剛益柔，厚之至也，故曰敦臨。上二相易，得九二助，吉无咎。

項安世：上當位亦无咎。上卦臨下卦，上最後，與下卦隔四陰，故爲敦臨。敦者積厚之名。吉，志在內，即九二，明二合志。上二有相交之理。又上與二无交，从當位之例，无咎可也。

楊簡：敦厚不動。厚則善，不失其本性。臨民應物心未遷動，是謂敦臨，故吉无咎。上居一卦之表，有不墮於事物之象，上與六皆陰，又有至靜之象。

李衡引子：四五應陽，上亦從之，順時知幾。引陸：雖无應陽而志順之。引胡：以敦厚之德附二陽，三陰同志，皆樂下復，志在內也。

朱熹：居卦上臨終，敦厚於臨，吉无咎之道，故其象占如此。

吳澄：敦，厚也。坤之上畫，地之最厚。柔居高臨下，坤厚載物之德臨俟二陽，非敢以柔臨剛，不以高自居，厚之至也。

梁寅：坤以厚德載物，上六坤終，德厚可知，以臨人，人无不懷服，固爲吉，又何咎哉！

來知德：敦厚也。坤土變艮土，敦厚象。初二雖非正應，然志在二陽，尊應卑，高從下，敦厚之至。

王夫之：坤順處卦上，陰將逝，時過權謝，順受陽臨，敦厚者也，不與陽亢，終履安吉，義亦正。

周易折中引朱子語類云：上六敦臨，自是積累至極處，有敦篤之義。引楊氏啓新曰：處臨終，有厚道焉，敎思无窮，容保无疆者也。德厚而物无不載，道久而化无不成。

李光地：坤體至厚，居臨終，敦厚於臨者也。臨道，有終爲難。凡言吉无咎者，皆吉而後得无咎也。

毛大可：敦如覆敦，地之高者也。上坤至高，以高臨深，高正臨本分，志在五，上在五外，五在上，詩如臨于谷。

李塨：敦厚也。有重遲之意焉。衛風頓丘即敦丘。賈誼莫邪爲頓。漢芒刃不頓。頓即鈍，故敦者遲鈍也。陽浸長，陰終從下之二陽，再進泰三陰來矣。此吉无咎也。

焦循：敦厚也，厚則不輕蔑。

姚配中：志在升二，本得位故吉无咎。坤厚載物故敦。

吳汝綸：二陽取大義，四陰皆取不行爲義。

丁壽昌：蘇蒿坪曰坤與變艮，皆有敦象。

馬通伯引語類：積累至極處，有敦篤之志。引李舜臣曰說而順，剛中而應，陰陽兩不相傷。自案上六坤終靜極，翕志在內，厚之至也，造化之妙如此。

薛嘉穎：志在內卦之二陽也。

星野恒：敦臨，敦厚而臨也。仲弓所謂居敬行簡，以臨其民。中庸所云篤恭而天下平。殆其是乎！

曹爲霖：知道義，識安危，別賢否，辨是非，此人君之明，故知臨要焉。敦臨者敦其知臨也，陸宣公云以一人之聽覽，欲窮宇宙之變態，役智彌精，失道彌遠也。

劉次源：上居坤終，敦其大也。未可言功，僅免于咎也。

李郁：敦厚也。二陽俱上，厚成其終，臨轉爲觀故吉无咎。

胡樸安：登位注意內治，敦，惇厚也，大君之知治內，治道加厚故吉无咎。

高亨：按敦借爲惇，說文惇，厚也。以敦厚臨民吉无咎。

徐世大：以仁厚臨民，好而无害。

李鏡池：敦同惇。惇厚誠實，才能得民心，吉而无咎。

屈萬里：敦，迫。逸周書「一卒居後曰敦。」朱右曾云：「敦厚，即殿。」爾雅敦，勉也。

金景芳：敦厚于臨。敦篤，敦厚的意思。

汪忠長：陽息至三，上稍止即有應，故曰敦臨。敦屯頓通，有止待意。內謂三。

徐志銳：尙秉和敦與屯，頓通有止，待意，言稍待即有應。較舊說爲優。上六與四敵應，六三變泰才得應，尙秉和又說易道貴將來，將來有應故吉。志在內外皆爲應爻。

傅隸樸：敦義爲厚，居坤極是坤厚之象。不應三而順初九，九二兩陽，俯就賢能之徵，故曰吉无咎。聖人知臨之後，保護功臣，志在惜賢，以臣比股肱。

林漢仕案：敦之義：怒也，詆也，一曰誰何也。盂也。惇厚，厚大，信、勉、致、迫逼、投擲，古文惇，猶殿，聚也，專也。

上六，敦臨，依卦辭八月有凶。兌為秋，七八九月也。六三兌主，六四、六五、上六為大兌，是八月有凶者，言六三至上六皆由二陽生臨，時為十二月，預言八月有悔吝之事也。六三至上六次第因陽生為泰，大壯，夬，乾變卦，變卦者，所謂凶也。上六仍在大兌內，亦處變卦之最前端，雖盡己力於臨主，大君性識心徹大通之臨，執中不蔽，扮演柔君，去好去素，无為於上角色。六五不窮於知。然六五仍在秋中，作為陰主者，天下不興「大丈夫當如是者。」「彼可取而奪之。」之志，則无時可弛鬆六五執中之知臨也。上六則在八月中秋之外，蓋秋杪矣，該來，必來者皆已來臨，化夷无事矣。敦臨者，是殿臨，惇厚臨，詩「敦彼獨宿」之敦臨。殿，惇厚，團，皆可見上六戰戰兢兢之一面。怒拳不擊笑臉人。上六行所无事矣。著一吉外，更補充无咎，平和易過其餘年矣！雖然，百家之見仍須依慣例敦而比較之，以為公信：

象：敦臨之吉，志在內也。

荀爽：敦厚之意。

九家易：陰以陽為主，故志在內。

王弼：志在助賢，以敦為德。

孔穎達：敦，厚也。剛不害。

張載：无所違，无所進，无應而志在臨。
程頤：志從二陽，尊賢取善，敦厚之至。
蘇軾：敦，益。內，下也。
鄭汝諧：遠二陽，二陽雖非應，志則在焉。敦，厚也。
張浚：厚賢爲志，進泰，天下說歸。
朱震：變通。陰求陽，志在內。
項安世：上當位无咎。敦者積厚之名。上二有相交之理。
楊簡：敦厚不動，不失本性。
李衡引胡：附二陽，三陰同志樂下復。
朱熹：臨終，敦厚於臨，吉无咎之道。
吳澄：坤上畫地之最厚，載物俟二陽，不以高居，厚之至也。
梁寅：坤厚德載物，坤終德厚可知。
來知德：敦厚也，尊應卑，高從下，敦厚之至。
王船山：時過權謝，順受陽臨，不與陽亢。
折中：朱子云敦篤，楊啓新曰德厚无不載。
李光地：臨道有終爲難。

毛奇齡：敦如覆敦，地之高者。以高臨深，如臨深谷。

李塨：敦厚。頓丘即敦丘。頓即鈍，敦，遲鈍也。

馬通伯：上六坤終靜極，翕志內，厚之至也。

曹爲霖：敦其知臨也。

劉次源：敦其大也。

高亨：敦借爲惇，說文厚也。敦厚臨民吉无咎。

徐世大：以仁厚臨民，好而无害。

李鏡池：惇厚誠實，才能得民心。

屈萬里：敦，迫。朱右曾云：敦厚即殿也。爾雅敦，勉也。

汪忠長：敦屯頓通，有止待意。內謂三。

徐志銳：尙秉和敦屯頓通，有止待意，稍待即有應。

傅隸樸：不應三而順初九，九二兩陽，志在惜賢。

許以敦厚者古今一氣。敦益，敦篤，敦覆、覆敦，地之高者。敦其知臨，敦大，借爲惇厚誠實。敦迫。敦厚即殿也。敦勉。敦屯頓通。敦即鈍，遲鈍。爲敦字找註腳，上六之所以敦者，待二陽之復臨，此爲衆易家所愛，故雖无應，强以象「志在內也。」配雙。俟二陽爲敦厚！三陰同志樂下，大男性主義之澎漲陶醉。泛政治主義者則以高從下，尊應卑，尊賢取善，敦厚臨民，惇厚誠實才能得民心。上六乃「時過權謝。」（王船山）如何又再作「馮婦」？言上六鈍（遲鈍），殿（後），團（蜷縮貌），惇厚以臨，以所面對者之境界，庶近上六敦臨吉之景。上六吉，无咎矣！

䷓觀卦（風地）

觀，盥而不薦，有孚，顒若。

初六，童觀，小人无咎，君子吝。

六二，闚觀，利女貞。

六三，觀我生進退。

六四、觀國之光，利用賓于王。

九五，觀我生，君子无咎。

上九，觀其生，君子无咎。

☷☴ 觀，盥而不薦，有孚，顒若。

彖：大觀在上，順而巽，中正以觀天下，觀盥而不薦，有孚，顒若，下觀而化也。觀天之神道而四時不忒，聖人以神道設教而天下服矣。

象：風行地上，觀，先王以省方觀民設教。

馬融：盥者進爵灌地以降神也。此是祭祀盛時及神降薦牲，其禮簡略不足觀也。國之大事，唯祀與戎，王道可觀，在於祭祀，祭祀之盛，莫過初盥降神，故孔子曰禘自既灌而往者，吾不欲觀之矣。此言及薦簡略則不足觀也，以下觀上，見其至盛之禮，萬民信敬，故云有孚顒，若孚信顒敬也。（集解）

鄭玄：坤爲地，爲衆。巽爲木，爲風。九五天子之爻。互體有艮，艮爲鬼門，又爲宮闕。地上有木而爲鬼門宮闕者，天子宗廟之象也。諸侯貢士於天子，鄉大夫貢士於其君，必以禮賓之，唯主人盥而獻賓，賓盥而酢主人，設薦俎則弟子也。

王肅：觀盥而觀薦。（釋文）（孫堂案疑衍一不字）

蜀才：大觀在上，此本乾卦，案柔小浸長，剛大在上，其德可觀，故曰大觀在上也。（集解）

九家易傳象：風行地上……先王謂五，應天順民，受命之王也。風行地上，草木必偃，枯槁朽腐，獨不從風，謂應外之爻，天地氣絕，陰陽所去，象不化之民，五刑所加，故以省察四方，觀視民俗而設其教也。言先王德化，光被四表，有不賓之民，不從法令，以五刑加之，以齊德教也。

陸績傳象：君子之德風，小人之德草也。（京氏易傳注）

王弼：王道可觀，莫盛乎宗廟之盥，故觀至盥則有孚顒若也。

孔穎達：可觀之事莫過宗廟之祭盥，其禮盛。孚信也。是觀其大不觀其細，上因觀而下效。顒是嚴正貌。容貌儼然也。

司馬光：觀者上以德示人，使人觀而化之也。盥潔德，薦備物。顒人君有德之容也。傳象：先王省方考禮樂，協時日，飭法度，以示人爲觀之象。

張載：盥求神而薦褻也。內順外巽，祭所以爲教之本，大觀在上謂五，觀我生亦謂五。凡教化設施，皆是用感，作於此化於彼，聖人以神道設教是也。

程頤：予聞胡益之先生曰，君子居上爲天下表儀，必極其莊敬則下觀仰而化也。觀當如宗廟之祭始，盥手酌鬱鬯於地，求神之時也。精誠嚴肅。薦謂獻腥熟之時也。禮繁心散。

蘇軾：聖人以神道設教，則賞刑設而不用。寄之宗廟則盥而不薦者也。盥者以誠薦者以味。

鄭汝諧：二陽在上，四陰在下，下順上巽，下順觀仰陽，上巽觀陰，陰陽巽順相與，无迫陽之義。（東谷易翼傳）

張根：化人之道，誠爲本。所謂不言而信。（吳園周易解）

張浚：陰長陽消，其卦多凶。四陰迺有觀象。聖人憂陰之起，思有以止而化之。觀自臨來。爲八月卦。卦詞謂祭祀之禮，先盥後薦，盥誠薦怠，人之通情。始終如一，足以感格，其孚顒若，觀道於是盛矣。舜恭己南面顒若也。

朱震：九五剛大，四陰觀之。大在上，下小之所觀。上宗廟，沃盥手薦。九五孚信。敬順顒若也。明宗廟之禮焉，下之觀上，在誠不在物，觀盥而不觀薦。聖人設教，一而已矣。

項安世：觀，平聲，下觀上，四陰盛，二陽為大。盥，祭初盥手於洗。薦，祭禮之最盛，美味无不陳也。盥而不薦，象恭已而无為，非重盥輕薦也。

楊簡：二陽在上為下所觀謂之觀。盥手為潔，祭之初也，純誠不意度。薦則意動，不動則民自觀感而孚化矣，顒若信服之狀也。

李衡引胡：天子始入廟盥手，酌鬱鬯之時禮簡，誠敬盡之；薦腥熟禮煩，雖強力，倦怠矣。聖人在上，至誠如始盥，天下仰化，皆孚信顒顒然恭應上也。引平：上觀天道，下觀民俗為觀。

朱熹：九五居上，四陰仰之，內順外巽，九五中正示天下，所以為觀。盥，將祭潔手。薦，奉酒食以祭。顒，尊嚴貌，言致潔清，孚信在中，顒然可仰。或曰有孚顒若謂在下之人信而仰之也。四陰長，二陽消，正為八月卦，繫辭更取它義，亦扶陽抑陰之意。

趙彥肅：示之以盥而民孚，言化速也。聖人之誠，自盥至薦，純一无間，民信之深，自不待薦爾。

梁寅：九五巽順中正觀下，四陰觀仰之，天下自化。盥手致其潔敬。不薦，設辭潔清不輕自用。聖人政教未施，所以化民者，有不言之妙。蓋恭極如臨大祭，顒然之容見於外，民望之，信化不其然矣，至誠能化，觀見之矣！

來知德：盥者，將祭潔手。薦者奉酒食以薦。有孚，信也。顒，大頭也，仰也。爾雅顒顒君之德。大頭在上仰觀君德之意。言祭祀潔手未薦，人信仰之矣！觀者當如是。自上示下曰觀，去聲。下觀上，平聲。

王夫之：以儀象示人而爲人所觀也。闕門懸法之樓曰觀，可瞻不可玩，飭己不瀆人之謂。盥者將獻灌手，薦者已奠爵後薦俎。陽接陰，明臨函，人事鬼之道。盡誠敬不與鬼相瀆。自立矩範，顒若其大正，可仗陰潛消其侵陵，君子處亂世，存仁存禮，不憂橫逆，率其素履，遠恥遠辱。

御纂周易折中引朱子語類：卦名觀，去聲，自上示卜。六爻觀，平聲，自下觀上。又盥只是浣手，不是灌鬯。薦是用事了，盥是未用事。一說下之人信而仰之可從。引林氏希元曰：盥而不薦，明敬常在之意。有孚顒若亦就祭祀上說同。

李光地：陽爲陰觀，古人門闕謂之觀。取爲人所觀。下觀上爲義。又取上觀下爲義。然上觀下，下愈得所觀矣！又下觀上，理也。有爲觀之德，可以稱觀之義。凡祭盥手，孚誠內存，顒然可仰。心齋於密，未動而敬，至誠中形外爲觀德，舉祭時一端言之。

毛大可：大艮，三五又互艮，艮爲門闕，故曰觀，巋然高峙之鬼門，宗廟之象，故卦詞盥而不薦。馬融王肅謂灌地降神，此是正旨。裸薦大禮，上下皆觀。上顒顒（君德）下顒顒（仰也）上大觀，下觀化，此聖人人神道設教天下服也。

李塨傳象：來註觀民者觀民俗也，如陳詩以觀民風，納價以觀好惡而示之教也。風行地上有歷覽周遍之象。

焦循：盥澡手也。薦猶藉也。孚謂旁通大壯，興則不薦亦薦則不盥也，猶云不宜上宜下爲凡卦通例。

姚配中：宗廟之祭，初獻灌，二獻牲腥，三獻薦朝事之豆籩，四薦熟，五薦饋食之豆籩，七獻薦加事之豆籩。禮莫重於祭，祭莫重於灌，將灌先盥。觀人者舍禮无以知人。觀禮樂治亂可知。

李富孫：釋文不薦，王肅本作觀薦，當有不字，誤脫。

孫星衍引釋文觀，官喚反，下大觀在上以觀天下，風行地上，觀同。王作麌，同戔練反。王肅本作而觀薦。陸希聲曰盥手酌鬯，祭之始薦進熟，祭末灌鬯之時，誠敬內克齊莊之容，與祭者皆觀感而化矣。（羅苹路史注）

吳汝綸：盥灌通借。灌地以降神也。言盥而不觀其薦，感應神速也。王肅本薦上多一觀字，句讀。

丁壽昌：釋文觀，示也。薦，王作麌，王肅本作不觀薦，加添觀字非也。盥者進爵灌地以降神也。祭祀之盛，莫過初盥降神。孔子曰禘自既灌而往者，吾不欲觀之矣！此言薦簡略不足觀也。盛禮，萬民信敬，故有孚顒若。

馬通伯引李綱曰卦體坤地，巽入有裸鬯之象，入地求神於陰，所謂臭陰達於淵泉者也。案盥者將以灌鬯薦牲，不薦者，極形其遲重敬慎之意。

星野恒：觀視，盥澡手，或曰灌同。方祭灌地降神也。薦獻腥熟。孚信。顒若，瞻仰貌。五中正有中

實之德，爲天下所瞻仰之象。傳曰

曹爲霖傳下觀而化：馬廖曰元帝罷服官，哀帝去樂府，然侈不息，至衰亂，百姓從行不從言也。

吳王好劍客，百姓多創瘢，楚王好細腰，宮中多餓死，此下觀而化淺見者。

劉次源：重明麗天，天下仰觀，不薦儀式簡明，儒教主孚，存心養性以事天，盡性達天，天自祐之。

李郁：觀，有廟宇之象。教化所自出。盥沃手，不薦者，設教之地不陳牲醴也。顒若尊敬貌。觀自艮來，艮三晉五而應乎二故有孚。

楊樹達：漢書五行志上說，木，東方也，易地上之木爲觀，基於王事，威儀容貌，亦可觀者也。又中論唐堯允恭克讓，成湯不敢怠遑，文王祇畏而造彼區夏。下觀而化也。

胡樸安：澡手行祭祀之禮，邊豆未進也。有孚信孚於民衆也。顒若有儀可象。惟祭與戎，楊時曰盥而不薦，初未嘗進物，威儀度數未舉，而已有孚顒若。

高亨：馬讀盥爲祼，字亦作灌，盥祼灌古通用字。薦爲薦牲，古禮先灌後薦。盥而不薦，是祭不終禮。好讀爲浮，罰也，顒大，祭不終禮慢鬼神，鬼神將大（重）罰之。

徐世大：觀察，推理，分析，綜合成經驗，積累成文明。觀說滌了而不上供，俘虜脫烹之險，泰然无吉凶可言。

李鏡池：政治專卦，談如何觀察和觀察什麼。盥同祼。薦獻牲。孚俘虜。顒大頭，指俘虜頭打得腫腫的。頭青臉腫不宜獻神。犧牲不完好，不得不停薦，可見觀察的重要性。

屈萬里：王肅本作而觀薦。毛西河按盥祼通字，與瓘，灌同，謂酌鬯降神也。馬鄭虞荀皆无異義。顒謂神人和。下觀而化，化即德博而化之化，謂教行也。方謂方國。

金景芳：盥，祭祀前洗手，荐是進獻。洗了手尚未進獻祭品，心中誠敬已表現出來。顒是仰望，下信而仰之，你不說話便受到感化。

汪忠長：五臨萬民，艮爲廟堂，萬民瞻仰，故曰觀。禮可觀莫盛於宗廟之祭祀，灌地降神，顒敬。薦則簡略，謂禮不宜過於繁褥也。

徐志銳引蔡濂：盥者將祭潔手，荐奉酒，顒仰望。按古禮大祭先洗手，然後酌酒獻祭品。从洗手開始就嚴肅專一，在下群臣（四陰）信脲被其感化。此不言之教，不言而信之妙。

傅隸樸：有兩重意思，一觀，音貫，讀斷，在上示民以風範，嚴肅虔誠，慎終如始。二觀，音官，動辭，連讀，也是終始不懈來繫人民的觀瞻，人民顒若儼然望而敬畏之。

沙少海：孚同俘，指俘虜。顒若，頭大的樣子。俘虜頭被打腫。祭祀先灌酒降神，俘虜被打傷了，顯得不完整，所以停薦（獻牲）

林漢仕案：折中謂盥只是浣手，不是灌鬯。稱盥爲灌鬯或稱權地降神者，洋洋焉，如：

馬融：盥者進爵灌地降神也。

程頤：盥手酌鬱鬯於地也。

李衡引胡：天子入廟盥手，酌鬱鬯時禮簡……。

毛奇齡：馬融王肅謂灌地降神，此是正旨。

姚配中：將灌先盥。

孫星衍引陸希聲：盥手酌鬯。

吳汝綸：盥、灌通借。灌地降神也。

丁壽昌：盥者進爵灌地以降神也。

馬通伯：盥者將以灌鬯薦牲。

星野恒：或曰灌同，方祭灌地降神也。

高亨：馬讀盥爲祼，字亦作灌，盥祼灌古通用字。

李鏡池：盥同祼。

屈萬里：毛西河按盥祼通字，與瓘，灌同。謂酌鬯降神也。

汪長忠：灌地降神。

所謂灌地降神，方祭用鬱鬯之酒灌地以降神。趙順孫云：「灌以圭璋玉器，灌後迎牲致陰氣。周之祭先以鬱鬯灌地求神，奠後取血合黍稷實於蕭以燔之以求神於陽也。」查禮記諸侯相朝灌，用鬱鬯，无籩豆之薦。」注「灌獻也，天子祭天不用鬱鬯……天子无鬱鬯，諸侯相朝則設鬱鬯，欲見卑者禮多，故特舉諸侯相朝也。」是從程子鬱鬯，則其爲諸侯相見禮也。查盥古文作浣，洗也，說文澡乎也。禮記少儀謂與尊長洗手。大多數易家於是乎只取濯手義，如：

朱震：沃盥手薦。

項安世：祭初盥手於水。

楊簡：盥手爲潔。

朱熹：將祭潔手。

果寅：盥手致其潔。

來知德：盥者，將祭潔手。

王夫之：盥者將獻濯手。

折中：盥只是浣手，不是灌鬯。

李光地：凡祭，盥手，孚誠內存，顒然可仰。

焦循：盥，澡手也。

李郁：盥，沃手。

胡樸安：澡手行祭祀之禮。

徐世大：觀洗滌了而不上供。

金景芳：盥，祭祀前洗手。

徐志銳：盥者將祭潔手。

勢均力敵。盥，只是洗手，祭前潔齋身體之局部。灌地降神，酌鬱鬯薦牲，是祭之已發。司馬光云盥，潔德，薦，備物。今一切祭之前澡手習俗猶存，蓋不欲以污濁之手薦物持香，合十拜神祈福也。求者潔已以告，是盡其在我者，亦愚誠之一例，神來格思與否，操之在彼，在我者時祀盡敬耳已！

不薦之文，諸易傳大家駁雜之論，亦見其辭平易而其俗年遠，各以本朝所見，史書就一灌祭爲主說耳，文獻不足故也。各家之見如下：

馬融謂薦牲。不薦爲薦簡略不足觀。

鄭玄云盥而獻賓，賓盥酢主人。設薦俎則弟子也。

孔穎達謂觀其大不觀其細，然則盥大，薦細歟？

司馬光：薦，備物。

張載：盥求神而薦褻。

程頤：薦謂獻腥熟之時也。禮繁心散。

蘇軾：薦者以味。

張浚：盥誠薦怠，人之通情。

項安世：薦，祭禮之最盛，美味无不陳也。盥而不薦，象恭已无爲，非重盥輕薦也。

楊間：薦則意動。

李衡引胡：薦腥熟禮煩，雖勉力，倦怠矣！

朱熹：薦，奉酒食以祭。

趙彥肅：自盥至薦，純一无簡。

梁寅：不薦，設辭潔清，不輕自用。

來知德：薦者奉酒食以薦。

王夫之：薦者已奠爵後薦俎。

折中：薦是用事了。

毛大可：裸薦大禮，上下皆觀。

焦德：薦猶藉也。盥則不薦，薦則不盥。

李富豫：王肅本觀薦，當有不字。誤脫。

孫星衍引陸希聲：祭始薦進熟，未灌鬯。

馬通伯：盥者以讙鬯薦牲，不薦，極形其遲重敬慎之意。

劉次源：不薦儀式簡明。

李郁：不薦者，設教之地不陳牲醴也。

胡樸安：籩豆未進。

高亨：古禮灌後薦。薦爲薦牲。

徐世大：不上供，脫烹險。

李鏡池：犧牲不完好，不得不停薦。

汪忠長：薦則簡略。

徐志銳：薦奉酒，酌酒獻祭品。

「盥而不薦。」從盥字大作古唯祀與戎，時祀盡敬之文，不薦有云禮繁，有云禮簡。有云始盥降神，薦爲進熟，是用事了；有云始薦進物，末灌鬯。有謂不薦象恭已无爲，非重盥輕薦；有謂裸薦大禮，上下皆觀；有謂設教化之地不陳牲醴。薦以獻腥熟至美味无不陳，奉酒貧爵，至薦俘虜（以人爲犧牲。）有以薦爲藉，故盥則不薦，薦則不盥。有引王肅本无「不」字，則是觀盥而薦矣今日佛教，基督教大祭，獻花可矣，酒腥熟乃大忌。司馬光謂薦，備物。圓融无瑕。試讀觀卦六爻進程：

初六童觀，如潛龍之勿用，用天眞稚子之情，人將加護我全天候加持不疲，如以岐嶷觀示人，則小時了了大器，必不能免乎悔吝。

六二之時位无往不利，自示，視人，人視一之以貞正則利。

六三不當位，不中，居可進退之處，未可魯莽從事，多斟酌，未可逕進，亦未可輕言退縮，暫且按兵不動可也。

六四臣位，候爵，王者賓禮對象，處光輝滿朝廷之盛世，皇路當清夷之時也。國家綱常有序，君待臣如手足，君使臣以禮，六四之仕也，此其時矣。

九五有可觀之德供民模仿，身教也，有治民之德使全民蒙其惠，德教也。天視自我民視中无求備于一人，人之有技若已有之之大胸襟治事才得无咎。

上九一切施爲，雖下剝上，下觀上，雖基業稍見鬆動，然上九有君子風度，其時，其地，其人皆能保有傳統規模，不至有憂虞之患。

顒，君德有威容貌。若，順也。敬順嚴正有威德之君，敬順大頭，應是正解。李鏡池之「浮虜頭被打腫。」高亨之祭不終禮慢神，鬼神將大罰（孚）。是異辭。蓋對不薦」二字有所交代。猶之治國者高唱「尊重民意，重視民意。」以周公一飯一沐吐哺握髮之行形諸外，而民不得飢飽，空有盥敬而不薦實也。王肅本无「不」字，是王肅注意到空言孚信而愈實質之不足恃也。又不字，爾雅釋邱注「不發聲。」金文常見「不顯文武」，爲大顯文武，不丕也。今不或當聲辭，或不，丕也。則不必曲爲辯說薦之禮繁，找不薦之歪理也。夫如是，觀，先盥手潔意，進而大薦神明，春蒐夏，禘嘗之義，神來格思，神人共孚，敬順君德之有容可大也。觀乎六爻進程，觀，盥而不薦，有孚顒若，其如是乎！

初六，童觀，小人无咎，君子吝。

象：初六童觀，小人道也。

馬融：童猶獨也。（釋文）

鄭玄：童，稚也。（釋文）

王弼：處最遠德美，陰柔不能自進，无所鑒見，故曰童觀，順而已，无所能爲，小人之道也。君子處大觀而爲童觀，不亦鄙乎！

孔穎達：童觀者，最遠朝廷之美觀，柔弱不能自進，如童稚之子而觀之，爲小人无咎，君子之行順從而已則鄙吝。

張載：所觀者末，小人之道施於君子則吝。

程頤：初遠陽，觀見者淺近如童稚然。小人下民也，不能識君子之道乃常分，不足謂之過咎，若君子則可鄙吝也。

蘇軾：初六童而未仕者，急於用以自衒賣，惟器小而夙成者爲无咎，君子則吝矣。

張根：君子，人之所觀者也。（吳園周易解）

張浚：初以陰處坤下，爲童智不足以有觀，若童之无知曰童觀。民可使由之，使由吾化，不可强以知也。（紫巖易傳）

朱震：初不正觀五，小人觀君子也。猶童稚觀成人，不足以知君子。動正，不動焉吝！故小人无吝。

項安世：初六爲下民，故曰童觀。如童子之未有知識也。君子而不著不察則可羞矣。故曰小人无咎，君小吝。

楊簡：初陰居下，不應陽，童觀之象，童幼不爲姦雄，故无咎。在小人得其宜，故小人道也。

李衡引陸：初守卦下，无應於上，不見郊廟之美，所觀者淺，故心未化。

朱熹：卦以觀示爲義，九五爲主。爻觀瞻爲義，觀九五，初六柔在下，童觀象，小人无咎，君子得之則可羞矣。

梁寅：九五尊位，四陰以相去遠近爲所見明闇，初六最遠，如童稚之觀，不能明見，在小人无咎，君子則可羞。

來知德：平聲，童稚也。觀九五也。艮少男，初陽，童象。小人下民休。百姓日用而不知，所以无咎也。若君子豈无咎哉！亦羞吝矣。

王夫之：四陰仰觀，幸群陰有所推戴而獎之。以仰觀推戴爲義。故近陽得，遠陽失。初六柔弱，安於卑疏，守其鄙瑣，不信君子遠大之規，小人終身於過咎之塗，言其无咎者，自謂然也。易不爲小人謀。

御纂周易折中引王弼：近尊爲尙，遠之爲吝。

李光地：正應爲重，常也。因時義變，主近不主應，如隨，相隨；觀，相觀。皆近取義，遠則不及。初去五上遠，童觀之象，小人所見，宜其淺近，君子則可羞矣。

毛大可：宗廟之中，未必容童豎婦女窺伺；人卑地遠，遙望不及，有斯象焉。艮爲少男，初則尤穉矣，小人也，小人作是觀，亦曰道在，固无足咎，君子出此不其吝乎！

李塨：童之觀所見幾何？苟名爲大人君子者若此，不其吝乎！

焦循：由童蒙而成觀，小人謂蒙，君子謂觀。

姚配中：言其失位得无咎者消卦也，陰消陽初不及五。

吳汝綸：王弼云處大觀之時而爲童觀，不亦鄙乎！

丁壽昌：語類：上示下觀，去聲；下觀上，平聲。卦名去聲。龍仁夫以爲六十四卦无此例，合依卦名去聲。魏了翁以爲皆平聲。案古无四聲，釋文强分，非也。初六陰爻在下，故小人无咎；變陽爲君子則咎矣。

馬其昶引馮椅曰初位陽爲童，二位陰爲女。

星野恒：陰初遠陽，所見淺暗如童稚然。君子長衆人而无經遠宏見，吝也！其可不親炙賢德以宏其所觀哉。

曹爲霖：馬援見朱勃而自失，兄慰曰朱器小速成，勿畏，後援封侯而勃早逝。王仲任曰燕飛輕於鳳凰，兔走疾於麒麟，呂望白首乃顯，沈重難進，故童觀爲吝。

劉次源：儒教欲化小人爲君小。初遠于上故陷于小人，童時有良心，冀其覺悟，有悔心可免于罪罟。

李郁：柔居初曰童，言幼稺也。處下觀上，非君子所爲，故吝，小人下觀化，故无咎。

胡樸安：童，同之借字，見列子黃帝篇張湛注。民衆同來觀。小人非知識階級秩序不整齊，小人常態，在小則无咎，君子謂知識階級則吝矣。

高亨：童觀所見者淺鮮，小人如此无害於事，君子則難有成。

徐世大：未受教育庶人比兒童知識所加无幾，不足怪，若受過教育之君子觀察事物如童稚，則可笑。

李鏡池：愚昧幼稚的觀察。童指奴隸，貴族把奴隸看作愚蠢无知的。對負政治重任的君子就會遇到困難了。

屈萬里：童觀意謂觀之不莊。

金景芳：初離五最遠故爲童觀，象兒童看不清楚似的。童觀，對小人說无咎，對君子說則有咎。

汪忠長：馬云童猶獨，鄭云穉，虞艮爲童，太玄童寡有。陰遇陰孤寡極矣。獨行踽踽，在小人尚可无咎，若君子則狹隘爲病，故吝。童象不在艮而在坤。初何以孤寡上无應而行失類也。

徐志銳：上觀示下，下視上，主位九五，初六距九五最遠，象幼稚蒙童，難受九五君化了，不足怪，君子則鄙吝。

傅隸樸：人民觀神道向風而化，今初六遠離王教，不見盥禮之盛，初陽位陰居，自我菲薄，童稚之觀禮，視而不見，小人道也，士君子如此就未免鄙吝了。

沙少海：看問題幼稚，對負政治責任小人說无所謂，君子就會遇到困難。

林漢仕案：童，經籍纂詁引：

童，使也。（廣雅釋詁一）

童猶獨也。（易觀）

童，寡有。（太元衝）

童，无知。（大元錯）

山无草木曰童。（釋名釋長幼）

童，未成人也。（禮記曲禮下）

童子隸子弟若內豎寺人之屬。（儀禮既夕）

女子之未笄者稱童。（釋名釋長幼）

童、妾也。（易大畜）

牛羊无角者曰童。（釋名釋長幼）

艮爲童。（易觀）

童當作同。（列子黃帝）

字書作僮。（禮記曲禮）昏疾也。

作憧。（廣蒼作憧）

童，男有罪曰奴，奴曰童。童，稚也。昏闇无知。（詩褰裳傳）「童觀」爲本爻重點討論所在，故易家著力在童義和覓童象上加工。馬融謂童猶獨，鄭玄謂稚也，胡樸安童同之借字。在童義上扣緊其義。虞翻則以艮爲童，汪忠長童象在坤。爻已明言童觀猶在找童象。艮爲少男，能无頭上安頭相上取相？再以艮坤爲童，聲援爻辭童確然有象外，山地爲觀之童象曲折，李道平疏虞翻艮爲童云：「應在四，四互艮爲少男，又全體象艮。愚案艮少男又爲閽寺，童而陰，小人之象。」所謂互，孔疏「二至四，三至五兩體交互各成一卦，先儒謂之互體」是一卦含四卦。上卦巽變乾，二三四互庶有艮象，初六仍爲坤，理路之不容也，无怪王弼不取，朱子亦不用互卦。

易本平實，☴☷風地觀，經過十二消息卦，可以用他卦立說，舍本卦取義矣，加之互體，爻變，世應，遊魂，飛伏，升降，半象，兩象易，旁通，反卦，卦變，錯綜，用斯法讀易，解易，猶之注釋「林漢仕」其人，儘可依女立場角度去臆測，堅信其雖不中亦不遠矣可也：林漢仕是：

1.六道中輪迴人。（確認他是生物）

2.以大小方圓長短輕重本體形態上界定其外在形色值。

3.質之界定，非金石草木可以確定。蓋血肉之軀也。

4.壽夭窮通著論。（存在空間與逆順入題）

5.交遊廣狹正直邪曲面。從而反證其人之心地廣狹正直邪曲。

6.從其平生言行摭擷片斷以包括全體。從而論定其人小器，中器，上……。

7.思想背景，妻孥成就，宗教色彩，鄉土國別去論定其人生觀是君子？是小人？

8.以歡喜心，瞋慢心，審判心去褒貶他，預設立場。

9.若從其構成元素上探討則尤其奇特，可從有機體（物）中漸論構成之原子、分子、質子、中子、電子、夸克，頂夸克，氧、氮、蛋白、醣份……。

恕冒味套用金剛經之句子云：「衆說林漢仕，即非林漢仕，是名林漢仕。」蓋林漢仕也者：「其爲人也，發憤忘食，樂以忘憂，不知老之將至云爾。庶近矣夫！是以易家之論易，各顯神通，毛奇齡評之曰「如夢如囈，滋悵惘而罕歸宿……按之无定旨，析之无實情，强辨曲釋，一往鶻突，其所謂不易者安在！」丁壽昌亦云：「其高者馳騖空虛入于異端而不知，卑者沈溺象數，入于小道而不悟，易學之榛蕪極矣。」即朱熹亦有圖要作文，强說不通處，不貼文義，百般生疑批評伊川易傳。王弼摧陷廓清，一掃象數，范寧斥之「罪浮桀紂」。易家愛輔嗣得意忘象，亦有後傑造象忘意，貂尾紹續支象學以顯「頂夸克」之名勝「夸克」，更无論「電子、質子、原子」矣！佛家謂有「我」乃大，大則煩惱，著相則癡想橫生，愛染不息，不能破我執，如何使十二因緣无明成空？否則以任何成分分析林漢仕，皆非林漢仕，是名林漢仕。（林漢仕其名可換您、我，他洎任何偉大人物。）

佛在中國有華嚴、淨土、天臺、法相、禪宗、密宗等十大派別，有人顯、密雙修，有人由小乘入大乘，即星雲大師，也有「對白聖法師把持教會，排除異己，我（星雲）抗爭到底，至今不悔」，之報導，更无論「我修正法，彼爲外道。」彼此揶揄。耶蘇會各目尤烦，浸信，長老，眞耶蘇會，可以「愛你的敵人」，可以講「冤親平等」，不能包容同修同聲讚美佛陀、耶蘇眞主。這種分別心，在佛陀、耶蘇看來，就是做弟子信徒者不能精進。同理，研究易學之前修，各抒所見，可以兼容並蓄，古人出迷題未授迷底，百代子孫，不論地隔南北東西，時差古今上下，殊途同歸，同獲尊重爲易傳大家，任由自衒賈以譁百代衆也。茲聚「童觀」之異說，約汝同賞析何如？

象：童觀，小人道也。

馬融：獨也。

鄭玄：稚也。

王弼：處最遠，柔不能進，无所鑒見。

孔疏：如童稚之子而觀之。

張載：所觀者末。

程頤：觀見者淺近如童稚然。小人下民也。

蘇軾：初六童未仕者。

張浚：若童之无知曰童觀。（童智不足以有觀。）

朱震：初不正小人，猶童稚觀成人。

項安世：初六下民，如童子未有知識。

來知德：艮少男，初陽童象。

毛奇齡：人卑地遠，艮少男，初則尤穉矣，小人也。

馬其昶：初位陽爲童。

曹爲霖：沈重難進。

胡樸安：童，同之借字。童觀，民衆同來觀。

李鏡池：童指奴隸。愚昧幼稚的觀察。

屈萬里：觀之不莊。

汪忠長：太玄童，寡有。童象不在艮而在坤。初孤寡。

以文字言！童有獨，稚，无知，同，奴隸，寡之義，以時位言，離五遠，陽位陰居，其象一爲幼穉非薄，一爲童穉有良心，沈重難進（大器晚成）之意。

童未必皆愚蒙稚昧，項槖七歲爲孔子師；舍利佛八歲作長老，孔文舉譏陳韙「想君小時必當了了。」時年十歲耳，其二子祇八、九歲，「覆巢之下復有完卵乎」之先見與從容；釋迦佛之甫生，行走七步，指天上地上，唯我獨尊，又豈止以童騃可以一槩其餘！甘羅十二爲秦丞相，童而大器早熟者，是眞車載斗量不盡矣，即君汝，其心識可有童耄之別？兒時所見與耄老至之見，佛曾詢波斯匿王觀河之見，言无異也，佛謂精性不變，元无生滅。（見楞嚴經卷二）知「後生可畏」也則宜給予相當之尊重，不得欺彼幼而愚蒙，是童有良心，大器晚成爲是。吾嘗謂六爻乃卜者歷程，非是自我矛盾，自我吞噬者，亦非離卦另覓他卦生象，解意，致六十四卦混沌一團，附會以圓其義者。童觀，即乾卦之潛龍勿用，乾初九之所以勿用，蓋有其時位之不可，鋒芒一露，「冤家債主」必然碰頭，老子之「合抱之木，生於毫末。」乘其毫末，其不得長矣，合抱之夢不得圓矣，不知處柔，處下，處弱者也。童字即其本義釋之可也，未成人也，胸无茅草也，觀，示也，睹也，觀人，人觀，處人群中莫不如是，若我爲小人矣，與稚齡身段同，予人觀即觀示人，或觀他人，人皆以我髫稚而護佑我，若我雖幼即展示岐嶷，展示器大之君子，人豈不防我也哉？人以我為岐嶷，言談謦欬皆莊嚴其事矣，小大人也，力有不足以自保，常制於人，故以君子姿態應世為吝。

六二，闚觀，利女貞。

象：闚觀，女貞，亦可醜也。

王弼：處內无所鑒，有應不為全蒙，所見者狹，故曰闚觀，居觀得位，柔順寡見，故利女貞。不能大觀廣鑒，可醜也。

孔穎達：陰爻，內卦，性柔弱，唯闚竊而觀，唯利女貞，非丈夫所為之事也。童，闚皆讀為去聲。

張載：得婦人之道，雖正可羞。

程頤：二觀於五，二陰暗柔弱，但為闚覘之觀耳，雖少見不能甚明，利女子之貞，二不能明見五，能如女子之順，則不失中正為利。

蘇軾：六二遠且弱，宜處未宜賓，譬女利貞不利行者也。女不待禮而闚，貞者所醜也。

張浚：闔戶謂之坤，居坤陰中曰闚。體互巽為闚。陰得中為利女貞，互巽兌為醜。屐柔守靜，順說從上，君子而知恥，能一日安於觀哉！又安肯枉己徇人！（紫巖易傳）

朱震：大觀在上，六二不往，闔戶觀之，所見狹，故曰闚觀。禮女不踰閾，女之貞。離女坤戶，陰為醜，為之則醜。

項安世：六二在中饋，故曰闚觀，言其觀如婦人之目，所闚者狹也。婦无公事、蠶織、酒食、女德不失爲貞，男子而寡見謏聞，則可醜矣，故曰利女貞，亦可醜也。

楊簡：闚觀爲小有知，重陰，非能知動中之妙者，故爲闚觀，爲不知道。女合道，士闚觀亦可醜也。

李衡引陸：二居內應外，以規爲觀，處內闚外，女子之醜行，處不失位，自守故利女貞。引牧：婦人有慕外之志，縱則情蕩，故利正。

朱熹：陰居內觀外，闚觀象，女子之正也，丈夫得則非利。

梁寅：坤闔戶，柔中乃女子，闚觀之義，非丈夫之事，乃婦人之道，故云利女貞也。

來知德：闚與窺同，門內窺視也。窺一隙之狹，居內而觀外，欲觀中正之道，不可得，女子則得其正，其占如此。

王夫之：六二中而當位，可謂貞，知有大觀在上，且信且疑，從門內竊視之，弗敢決於應，女子之貞而已，利者在是。

御纂周易折中引胡氏炳文：初陽故童，二陰故女。童觀茫然无所見，小人日用而不知者也，闚觀見者小，不見全體。

李光地：去五上遠，雖與五相應，闚觀之象。所見不出閨門之外，女之貞也，而非丈夫之道。

毛奇齡：六二以中女之目加之重門半闔之間，非闚觀乎？二陰小人，不必果皆女流。幸當大觀之世，僅以觀女自居，雖貞不亦羞乎！

李埰：此爲利女子之貞耳，彼何人斯，竟同婦女，可醜矣！

焦循：承上君子吝而言，闚小視也。

姚配中：二在坤中，初三未正，離象伏故闚，利初三之正，成離中女，故利女貞。

李富孫：闚觀，釋文亦作窺，今二字多通用。

吳汝綸：王云處大觀之時不能大觀廣覽可醜也，利女子之占。

丁壽昌：闚，本亦作窺。李資州曰六二離爻，又中女，互艮爲門闕，女目門，闚觀也。鄭氏坤六二離爻，此一畫互也。

馬其昶：陰得位不變，故利女貞。九五大觀天下，二乃獨專其應，以私見闚測，陋矣。其在學者則莊周所譏學一先生之言，暖暖姝姝，私自說者也。

星野恒：闚，傾頭門中邪視也。柔得位故利女子貞。學聖人之道而挾私意，持小見不能觀其大全者，亦闚觀之類。

曹爲霖傳象曰女貞能守身，未能從王，劣於尙賓者也。以管窺天，以蠡測海，闚觀之謂也。叔孫衛朝毀仲尼，尹士淳于髡譏孟子，不足深論。

劉次源：儒教欲化天下女子爲聖賢，二居內女子闚觀者，貞正也。

李郁：二在門內故曰闚觀。柔得正故利女貞。

胡樸安：說文闚閃也。字林閃，傾頭門內視也。同來觀之民衆，有傾頭在門內竊視者，竊視是女子行爲，故曰利女貞。貞、事也。若男子則不雅，故象亦可醜也。

高亨：此殆指婚媾之事，余疑周初女子嫁前窺觀男子，自決可否，後筮若遇此爻許嫁則利，故曰闚觀，利女貞。

徐世大：門縫裡張，古女子之習，以偏概全，毫无是處。

李鏡池：一孔之見。目光短淺。對婦女說還可以。

屈萬里：集解虞翻曰：「竊觀稱闚。」貞，常也。

金景芳：二陰暗柔弱，見不能甚明而能順从者，女子之道也，在女子爲貞。乃爲利也。

汪忠長：傾頭在門縫中窺視。乃妾婦之行故利女占。二應五，坤爲門，上窺九五，坤爲閑爲羞，不敢正視而闚觀。

徐志銳：闚觀，即在閨門內窺視九五，雖能看到一點威儀，但看不清楚。六二柔居陰位有女子之象。闚觀見者小也不莊重體面，是羞丑的，證明未受九五敎化。

傅隸樸：觀讀如貫，偶像之義。指九五言。六二陰居陰，守正不失婦道，是消極德行，故曰利女貞。

門縫中窺看，見狹小，知識份子不能奮發有爲正同此。

沙少海：目光短淺，要求婦女倒无所謂，但要求君子不行。

林漢仕案：童觀乃童子觀人或童子被人觀示，其吉凶休咎，看童子之造化。第二階段爲闚觀，同理，闚人與人闚。童子天眞易招人同情與接納，六二之闚觀……窺伺人與被人窺伺。前者羽毛漸豐，漸成長不能久處約困，有問世之志也。被人闚伺者，蓋有被考核，被臧否之意在，初出道，正則利，卜亦利，處柔如女子之貞正亦利，是六二无往不利之時也，宜多珍攝。不宜枉自菲薄也。各家之見，約說如下：

王弼：處內无所鑒，所見者狹也。

孔疏：性柔弱，唯闚竊而觀。

張載：得婦人之道，雖正可羞。

程頤：少見不能甚明，利女子之貞。

蘇軾：不待禮而闚，貞者所醜也。

朱震：六二不往五，闔戶觀之，所見狹，故曰闚觀。

項安世：六二在中饋，故曰闚觀，言如婦人目闚狹也。

楊簡：闚觀爲小有所知。

李衡引牧云：婦人有慕外之志，縱則情蕩。

朱熹：陰居內觀外，闚觀象。

來知德：闚與窺同，門內窺視，一隙之狹欲觀中正不可得。

王夫之：六二中當位，從門內竊觀，弗敢決於應。

折中：童觀茫然无所見，闚觀見者小，不見全體。

李塨：彼何人斯，竟同婦女，可醜也。

焦循：闚，小視也。

丁壽昌：互艮爲闕，女目門，闚觀也。

馬其昶：以私見闚測，陋矣。

星野恒，胡樸安：傾頭門內竊視也。

高亨：疑周初女子初嫁前窺觀男子，自決可否。

李鏡池：一孔之見，目光短淺。

眾口一辭，尟有例外，皆謂女子處內，處柔，從門隙中闚世界，見者狹小是想當然者，若夫窺視爲有慕外之志，使情蕩不貞，醜矣！羞矣！若夫男子，彼何人斯，竟同婦人，識小行醜，自當爲同類譏彈其短淺也。至若女子嫁前窺視，或不待禮而闚爲醜，其有未必然之訴也，古人有所謂「問迹不問心，問心天下无節婦」之讚。禮防故可使人心潔淨，然究竟之道，「吃人禮教」乃七十年前口號，社會風氣之反彈，徒禁止不如開導引流，無壅決之患也，闚觀與禮防無涉也明矣！至比女子之短視，蓋一時男性得逞之舊社會風俗，今日女權漸凌駕男子矣，以今御古又或有不然也，无關乎婦女之窺視亦明矣！然則六二闚觀，利女貞何義也？六二之時位无往不利，自示，視人，人視皆一出於貞正，利也。

六三，觀我生進退。

象：觀我生進退，未失道也。

荀爽：我謂五也。生者教化生也。三欲進觀於五，四既在前而三故退，未失道也。（集解）

陸績：我生即道也。（京氏易傳注）

王弼：居下體之極，處二卦之際，近不比尊，遠不童觀，觀風者也。居此時可觀我生進退也。

孔穎達：居下體之極是可進；居上體之下是可退，居可進退之處，可以自觀我之動出也。道得名生者也，道爲生。

張載：以陰居陽，於道未失，下卦之體而應上，故曰進退。

程頤：能順時進退者也。若居當其位，則无進退之義。觀我之所生，謂動作施爲出於己者，隨宜進退，所以處雖非正而未至失道也，故无悔吝，以能順也。

蘇軾：當自觀其生以進退。夫欲知其君則觀其民，故我生，君所爲也。知君所爲，進退決矣。進退在我，故未失道也。

鄭汝諧：三漸近上，進退不可輕也。可進則進，可退則退，亦不失其道矣！得失視其進退也。觀之時，陰觀陽也。

張浚：度己德業以爲進退。君子事業以生物爲本。六三雖不中，而進退之際，知所欽擇，臣道未失。

朱震：我謂九五，生，動也，五之三震爲動。巽爲進退，三不當位，不能自必其進退，九五動必正，在九五，三雖不當位，未爲失觀之道。

項安世：六三不正處陰，論其情狀，有進退之象。稱我，九五也。

楊簡：六三將升上卦，進退之際也。我生者，我日用之所爲也，善則進，未善，未可以進，聖人許之未失道也。

李衡引荀：我，五也，生者教化生也。三欲觀五，四在前，三退，未失道也。引陸：我所生出，謂言行也。三應上，所處不當，故觀所生以定所履，與時進退，不失其道。引牧：處下體未有位，自觀其道，應時則進，不應時則退。引胡：處下卦之上，爲衆長，風教號令皆自出，下觀於民，察己之道，使无過不及。

朱熹：居下之上，可進可退，不觀九五，獨觀己所行之通塞以爲進退，占者宜自審也。

趙彥肅：下卦主，退觀民以成大順。下仰上故進觀五，以望光華，必先觀我生者，下順從乃可進。六三進退非爲疑，尊上親下，義當竭盡，未失道也。

梁寅：三居下上，可以進，不得中正，疑非賢，必先自審以爲進退。生者，吾身之動作施爲也。觀我之所生，如善，時通，進可也；未善而時塞，退可也。用舍在時，進退在己。君子也。

來知德：明君在上，可出而仕矣！我生者，陰陽相生之正應，即上九也。進退不果，巽也。正應未失道，所當觀者。

王夫之：吉凶未審，存乎占者自審。坤體，退就陰其時也，三進爻，進就陽其志也。退不失時，進以遂志，道在觀我行，自修不疚，退不狎於不順，進不迫於違時，庶幾！

御纂周易折中引劉牧：自觀其道，應時進，不應則退。引朱子語類：事君言聽計從，治民政教可行，可見所施當否而爲進退。引王氏申子曰：君子進退觀時，今觀我生者，觀吾所有以爲進退。引胡氏炳文曰：六三處上下之間，可進可退，故不必觀五，但觀我所爲爲進退本義。

李光地：不觀我生以爲進退，則必有失道之事。觀我生猶言觀我平生，謂德行也。德行完後觀人而不失己焉，觀於人而民不失望焉。

毛奇齡：三與五同功，己升當饗薦之位，進爲薦，生亦薦，我爲進退，不特人觀我，我亦當自觀，自觀何失乎！

李塨：居人位應上九，與賓王相比，是抱道之人也。處下體之極，可進；居上體之下，可退。故酌道而行安有失！

焦德：我即童蒙求我之我，由我而生謂大壯二之五。

姚配中：三有復陽故未失道。

吳汝綸：我謂民也，觀民之治亂而爲進退也。京房以我爲賢人，我生謂賢人之性行，觀賢人之性行而進退之。

丁壽昌：蘇蒿坪曰坤爲物所資生，又巽在坤上，木得土則生，故此爻與五上皆取生象。

馬通伯：生讀爲性，謂性行也。三動之正，化離而明能自觀，故未失道。

星野恒：我生，我之所生也。爻在下之上，觀其功業治績自我所生者，隨其可否，爲之進退，不至失道也。易教處世也，故就出處示象。

曹爲霖：觀我生平出處之宜，不苟且以赴功名之會，雖進退不果，象以爲未失道也。殷浩（誤以）空函答桓溫，終身廢黜。

劉次源：欲度衆生，先度我生，我生亦衆生之一，一切妄念生于其心，是我生，反觀內照，我生退伏則德業進矣。

李郁：我謂五，生者合身心而言，退則反躬以自省，進則成教于天下，或進或退，未嘗違道也。

胡樸安：朱熹曰我生，我之行。民衆自觀行爲可醜，因之或進或退而不安矣。尚未甚失故象未失道。

高亨：生疑當讀爲姓，姓，官也，百姓即百官，百生即百姓，生姓古今字。觀我庶官將行黜陟。故觀我生進退，進謂陟，退謂黜之也。

徐世大：觀察自童稚至壯老一生的升沈。觀察得當而已。

李鏡池：我生即我姓，指親族。我姓是親族首領。進退指爲政措施。體察親族動向，竟見來決定爲政的措施。

屈萬里：觀有示義。生性古義通。孟子曰生之謂性。觀我生，謂以我之性行示於人也。三非中又不正故有躊躇進退之象。按生即百姓，書生生謂民衆。故九五象傳觀我生，觀民也。呂覽「牛之性不若羊」注性猶體。王注生猶動。

金景芳：孔穎達疏居進退之處，可以自觀，時可則進，不可則退。劉牧說自觀其道應時進，不應則退。胡炳文說，但觀我所爲而爲之進退。

汪忠長：凡我生皆謂應與。易陰陽相遇爲朋。三應上故觀我生。巽爲進退，謂三宜進上，上退居三各當位也。

徐志銳：項安世言，我皆指五說比較合適，體柔用剛易躁進，三處上下之地，必觀九五所爲才生或進或退，九五行不言之教，六三未失退守常的正道。

傅隸樸：觀我生即觀我進退之道。生，道也。三以陰居陽，陽亢進，陰怯退，故六三有進退之象。

沙少海：我生我姓，指親族。百姓是各族首領。我姓是親族首領。進退訓行動，指爲政措施。是說國君要體察親族動向，據他們意見決定爲政措施。

林漢仕案：六三之爻文爲觀我生進退。我，五耶？上九耶？六三本身耶？我謂民耶？我生，我之所生耶？即道（德行）耶？君所爲耶？動作施爲耶？生讀爲性？姓？官？教化生？言行？應與？

謂我爲五者有荀爽，朱震，項安世，李郁，徐志銳等。

謂我爲上九者有來知德，彼謂「我生者，正應上九也」。

六三爻文我，即視六三爲我者有：王弼，孔穎達，程頤，張浚，朱熹，梁寅，胡炳文，毛奇齡等。

以我爲九五者，九五君，生殺教化之所出，必觀九五所爲，然後生進退心也。
以上九爲我者謂明君在上可以仕矣，我生者，陰陽相生之正應，即上九也。
以六三爲我者蓋觀爻文即見其義焉，若以九五，上九爲我，爻文當謂「我君」。「我太君」。今省逕謂觀我生進退，是以我爲主，爻主我，非謂卦主九五。有據當然之理爲曲說，穎川有耳莫洗，首陽有粟莫食，堯帝，武王豈不夠聖明？蓋人各行其志以進退也。觀王，孔，程，朱之文：自觀我之動出。先自審以爲進退。不必觀五，但觀我所爲爲進退本義。不特人觀我，我亦當自觀。我之爲六三也似較合理。觀君所爲我謂民也，賢人也之說可休矣！生之謂教化生，生即道，我生君所爲也，生，動也，我日用所爲也，我所生出言行也，吾身之動作施爲也，我生者陰陽相生之正應謂應與，我生爲我所爲，我生猶觀我平生謂德行也，性行，我生爲功業治績自我生者，生讀爲性，讀爲姓，官也，我生即我姓指親族首領。

生有十數類異辭，約而言之：

生謂教化生，

視君所爲（我才生）。

我日用所爲（言行，動作，德行，性行）。

陰陽相生（上六）

生、姓、官、親族首領。

生即道。

又據爻意「生」字有關鍵性作用，觀我六三（教化生，五君所爲才生，言行動作，上九陰陽生，百官親屬首領），產生進退心？抑觀九五、上九、親族首領之進退？其句法宜「觀我，生進退。」抑「觀我生，進退。」今籠統「觀我生進退。」是我生進退爲主，影響我生進退者以六三時位言，不正處陰柔而據剛位，所謂不當位，不中，居可進退之處，處斯境難免有所躊躇。漸守斯位，未可進亦未可退，象言未失道也，六三宜按兵不動，待天時，地利，人和之可也。「觀我」可以人觀我，自觀，我觀人，前後上下左右斟酌而生一結論，蓋未可魯莽從事也。進退只作一義，如睡覺、生死、緩急同。

六四，觀國之光，利用賓于王。

象：觀國之光，尙賓也。

陸績：利用賓于王，臣道出于六四。（京氏易傳注）傳象，觀國之光上賓也。（音訓晁氏（補））。

不弼：近五，觀國之光者也。居近得位，明習國儀者也，故曰利用賓于王也。

孔正義：居在親近而得其位，明習國之禮儀，故曰利用賓于王庭也。

張載：體柔巽而以陰居下賓之必无過也，故利。

程頤：四切近之觀，見國之盛德光輝，天下政化，人君道德，四陰柔巽體，順從賓于王朝，輔君施澤天下。士之仕進於王朝則謂之賓。

蘇軾：三以下利退，三以上利進，四決不可退，故利用賓于王。

張浚：書稱堯曰光被四表。人君光明之德，率由禮義，天下將化而爲禮義，國其光矣！王有不召之臣，賓之弗臣，相與躬行。二陽得位，在坤上爲國光。

朱震：四觀五也。四侯，坤國，五王，六四上賓於五，五降而接成坎，離光，故曰觀國之光。易言賓位者乾也。

項安世：尙者配上之名，賓對主之稱。四陰與五敵，九五未失君道，四又履正，故其來爲賓。不正則爲敵矣！國有光則人賓之，无光可觀則爲敵可知。觀時聖人懼焉。

楊簡：六三退，六四有進象矣！進乃觀國之光輝而進。九五賢明中正，上九亦陽明，國多聖賢，貴尙賓賢，可以進也。重己所以重道也。若自賤，何以行其道！

李衡引子：利用爲王者之上賓。引崔憬：得位比尊，承于王者，故以進賢爲尙賓。引胡：以陰居陰，近九五，上附賢君，知禮儀，習禮樂，進觀國光，王者以之爲賓，如堯舜迭爲賓主。引佐：巽下居陰，如二王之後，作賓王家，助祭宗廟。

朱熹：近五，占爲利於朝覲進仕也。

梁寅：四最近五，柔居剛，才可用矣，利進，利爲王者所賓禮也。

來知德：觀平聲。九五陽明在上，光四方，四承五賓王之象。親炙其休光，仕而朝覲，君則賓禮之。

又六四柔正近五，有觀光之象。占者利用賓于王。

王夫之：三修身俟時，四可決於進矣！古鄉大夫進士於天子，賓於飲射以興之，四承五彌近，利受賓興之禮以進。

御纂周易折中：劉氏定之曰：九五觀己所爲以儀型天下，初陽去五遠，觀不明如童子，二陰觀不明如女子，惟四得正去五近，觀最明，故觀光賓王，諸爻就五取義。

李光地：四比九五近天子之光者也。處位已高，故又有作賓王家之象。

毛大可：近君加民上助祭賓也。詩休有烈光者。左傳陳敬仲初生，筮遇觀之否，太史以爲利用賓于王，代陳有國象。正以陳爲三恪之後爲賓，故云然。

李塨：人位，親承九五，九五王也，謂之賓者，古者朝覲之臣，則賓禮之，賢能之士則賓興之。

焦循：光廣也，國即爲依遷之國。

姚配中謂四上賓于五。

吳汝綸：四近于五，故有此象。

丁壽昌：古尚上通，上賓于五也。孔爲慕尙，非也。蘇蒿坪曰國坤象，互艮陽在外，光象。賓巽象，五月律曰蕤賓。上而賓于五也。

馬其昶：朝覲選舉，皆觀國之光，周官大司徒以鄉三物教萬民。三年大比，考其德行道藝，興賢者能者，獻書於王。即此知學校選舉之制通諸三代矣。

星野恒：古賢者王以賓禮之。爻近尊位，五陽剛中正，盛德光輝所出，故曰觀國之光。王賓禮升朝，施澤天下，故曰利用賓于王，天下士思效其用，況切近相應！

曹爲霖：左傳陳厲公生敬仲，筮遇觀之否曰觀國之光，利用賓於王，代陳有國，不在此，其在異國，非其身，在子孫。陳桓子大於齊，成子得政。

劉次源：近五爲賓，國有良教乃有良民，此國之光。

李郁：四最近五，親被文化，故能觀國之光。王五，王以賓禮待四，故利用賓于王也。

楊樹達：左傳莊二十二年陳厲公生敬仲，其少也……筮遇觀之否曰是謂觀之光，利用賓于王。此其代陳有國乎！

胡樸安：光，廣也。廣觀各國，賓，協服。利用祭祀之禮，廣觀各國，使協服于王也。故象曰尙賓。

高亨：觀國之光謂朝於王國也。筮遇此爻利於朝王。

徐世大：觀察國家朝庭光景爲喻，宜做王的賓客。

李鏡池：光明。賓聘，聯盟意。對外觀察那些光明國，跟它結盟，擁護王室。

屈萬里：晁氏云：「京陸作上。」按尙上古通用。

金景芳：折中引劉定之說：四得正去五近，所觀最明，故曰觀光賓王。朱子四近五，占利朝覲仕進。程傳古有賢德之人，則君賓禮之，士之仕進于王謂之賓。

汪忠長：艮爲國爲光。四獨近五，故觀國之光。言利初朝覲天子作王家之賓。巽爲旅客，故曰賓。

徐志銳：觀莫近于四，柔居陰得正，觀視到中正之君治國有方，故言觀國之光。六四已觀到國家政績的光輝，不敢近逼君，按時朝王，王以上賓相待，借賓主事明未敢逼二陽。

傅隸樸：觀國之光即觀國君所施禮樂刑政，觀含有明察之義。下不應初是不植私党，這樣的大臣宜受王賓禮。

沙少海：對外要觀察那些國家政治比較昌明，跟它建交，共同擁戴王室。

林漢仕案：爻文與爻位言，異辭較少，孰是人也，觀國之光？賓于王？

王弼以四近五，觀國之光者，明習國儀者。故利賓王也。

程頤亦以四近觀國盛德光輝，順從賓于王朝。

朱震：四侯五王，四上賓於五。說與衆同。易言賓位者乾也。說與衆異。

張浚：二陽得位，在坤上爲國光。

項安世：四來爲賓。

楊簡：六四進乃觀國之光輝而進。上九聖賢，貴尙賓賢。

李衡引謂得位比尊，上附賢君，進觀國光，王者以爲賓。

朱熹：近五，利於朝覲進仕。

梁寅：四近五，柔居剛，利進，利爲王者所賓禮也。

來知德：四承五賓王之象，仕而朝覲，君賓禮之，有觀光象，占者利用賓于王。

折中：四近五，觀最明，故觀光賓王，諸爻就五取義。

毛大可：近君加民上助祭賓也。

焦循：光，廣也。國即爲依遷之國。

馬其昶：朝覲選舉，皆觀國之光。

星野恒：五盛德光輝所出，賓禮升朝，施澤天下。

劉次源：近五爲賓，國有良教乃有良民，此國之光。

胡樸安：光廣，廣觀各國，利用賓祀之禮，使協服于王。

高亨：觀國之光謂朝於王國。筮此爻利於朝王。

李鏡池：光，明。賓聘，聯盟意，對外觀察那些光明國，跟它結盟。

徐志銳：觀視到中正之君治國有方，故曰觀國之光。六四按明朝王，王以上賓相待。

傅隸樸：觀國君所施禮樂利政爲觀國之光。

六四臣位，侯爵，近君，柔位陰居履正，去五近。五爲王，賢君也，盛德光輝之所出，四來則禮賓之，四親睹光輝滿朝之盛世也，所謂皇路當清夷，含和吐明庭之時也，來知德所謂「占者利用賓于王」之時也。然仍有少許異辭，如：

二陽得位，在坤上爲國光。

廣光也，即依遷之國廣大。（土地面積言）

廣爲廣觀各國，使協服于王。

光，明也，觀察光明國跟它結盟。

六四之親睹禮樂刑政之得當，朝王國者之悅服，內而君臣一體，澤及庶黎，外而番國來朝，賓禮四裔，送往迎來，綱常有序，必依規矩，君使臣以禮，王之待臣如手足，士之仕也，此其時矣，觀國之光爲六四，展示國之光者爲九五，上九。利用賓于王爲四賓于五上，五上賓禮待六四也。至賓禮爲上賓，助祭者，皆宜。楊簡之賓似指上九爲五所賓禮，郁郁乎吾從眾也。

九五，觀我生，君子无咎。

象：觀我生，觀民也。

王弼：五爲觀主，宣弘大化，光于四表。百姓有罪在予一人，君子風著己乃无咎。上爲觀主將欲自觀乃觀民也。

孔穎達：謂觀民以觀我，故觀我即觀民也。

張載：觀我所自出者。

程頤：時之治亂，俗之美惡，繫乎己，觀己之生，若俗皆君子，則政化善；若俗未合君子，則政治未善，不能免咎。

蘇軾：九五至顯，以我示民，故曰觀我生。讀如觀兵之觀。

鄭汝諧：觀我生，自觀也。

張杳：雖中正以觀天下，道未宏也，與知臨之義異矣，故无咎而已。（吳園周易解）

張浚：君臣事業在生物，人主生物之德，尤著於民。九五化民之心誠矣，故无咎。（紫巖易傳）

朱震：五君坤民，五動之二，動謂生。天動地應，天君地民，觀民知君，中庸君子之道本諸身，徵諸庶民。先王省方，命太師陳詩，觀民風，乃所以自觀也。

項安世：五爲卦主，爲天下所尊仰，凡言我者皆指五也。六三小人剛躁，將進逼陽，成四陰之勢，時九于中正，方觀九五所爲以爲進退，故曰觀我生，九五以爲休咎之決。

楊簡：五君位，治亂在己。人患不自知，聖人教欲觀我生，觀民而已。民治則我是，民樂則己正，一觀諸民足矣。

李衡引子：我之風化備於民，觀其民有君子之風，天下无所歸咎。引胡：五能察民修己，使未善者趨道，君子居之无咎。引佐：示民以生育之道。

朱熹：九五陽剛中正，君尊位，下四陰仰觀，君子之象也。戒居此位得此占者當觀己所行，必陽剛中正如是得无咎。

復齋易說：觀四爻君子也，變化之妙，非九五不可，九五觀民皆君子，乃得无咎。

梁寅：九五陽德巽順中正。觀之爲卦，四陰盛，二陽消，易扶陽抑陰，不言陰害陽，但言陰仰陽。然五不可不慎，故爻言觀我所行必君子之道，然及无咎，若失道，陰皆吾害也，能无咎乎！若聖人居九五則當如彖辭所言也。

來知德：觀，去聲。生，我相生之陰陽。觀我生者，觀示乎我所生之四陰也。即中正以觀天下也。四陰小人，二陽君子，小人當仰觀乎上，君子當觀示乎下，故无咎。

王夫之：言行皆身所生起之事，故曰生。畢其一生所有之事爲我生。九五不可恃位尊，謂人必己觀，必先自觀，必觀我生果爲君子而後无咎。

御纂周易折中：朱子語類云：九五觀我生，如觀風俗之媺惡，臣民之從違，見自家所施之善惡。又引王氏申子曰：五居尊位觀天下，天下皆仰觀之。在五又當觀己所行，必一出於君子之道，然後可以立身无過。故曰觀我生无咎。

李光地：五上二爻，所謂大觀在上，五中正以觀天下者也。當觀我之平生何如爾，君子无忝於爲觀之德，所以无咎。

毛大可：君在上觀，進薦之禮必觀，我所自觀，皆爲民之所觀化，觀我觀民也，君觀己示觀民，君子无咎。

李塨：觀我生者，自觀其身也。觀民之從違厚薄而身可知矣，此誠大觀在上之君子也，无咎決矣。

焦循：周賓于王則先已觀我生矣，異於闚觀，故不吝无咎。

姚配中：我，五也。生謂陰消，五正其位不使陰長，故君子无咎。使三初亦發之正，任四所貢賢能。

吳汝綸：我生亦謂民也。二陽在上將消，故但无咎而已。

丁壽昌：象傳以觀民釋觀我生。本義分爲二義，觀己所行又當觀民德之善。正義謂觀我即觀民。應在二，坤爲民故觀民。九五陽爻，故君子无咎。

馬通伯：君子陽也。五陽觀示坤民，孔子曰德義可尊，容止可觀，進退可度以臨其民。是以其民畏而愛之，則而象之。詩云敬愼威儀，惟民之則。觀民之謂也。

星野恒：陽剛中正，諸陰仰望爲法，常觀我所生得失以驗其爲君子則无咎也。蓋上行下效，欲觀其德，觀其民，此所以君子而无咎也。

曹爲霖：唐太宗以人之鑑，以古爲鑑，此觀我生之善法也。石勒北面事漢高，與光武並驅逐鹿中原，南燕王調姚仲，唐文宗何如周赧漢獻？王者觀民即所以觀我，觀民心之向背。故觀堯舜者以比屋，觀文武者以群黎。觀民有天視自我民視之意。

劉次源：五爲卦主，君子，不化盡衆生則我生之責任未盡，无功可言。

李郁：我謂五，五正己以正人，立己以立人，反觀則无咎。

胡樸安：君子自觀己行，行祭祀禮觀民。君子觀己行尙无不是，故君子无咎。君子觀民俗之美惡故象觀民也。

高亨：生亦官，觀我庶官則知其賢否，黜陟得宜，則庶績咸熙，故曰觀我生，君子无咎。

徐世大：觀察事物宜泯除主觀，觀察自我生活，佛陀誨人先以苦，空，无我，不淨，以主觀感覺醒悟其貪，嗔，癡三業，而終以常，樂，我，淨客觀存在，明自然界眞相，實可爲觀察人生之準則。老先生不要怨（天）。

李鏡池：體察親族的意見，就不會有困難。

屈萬里：廣雅姓，子也。禮記子姓謂衆子孫也。韓非子喻老「觀民」觀即示。

金景芳：九五是君，看我的嘛！孔穎達疏九五觀主，四海之內，由我而化。故觀民以察我道，有君子之風則无咎也。

汪忠長：我生爲二，五應二，二坤爲民故觀民，九五爲觀主，亦艮主，艮君子，觀萬民，撫卹教養，故无咎也。

徐志銳：五生爲生存之生，我指五，生存由民衆向背而定，所以象觀我生觀民也。民即下四柔爻。

傅隸樸：人君觀下民之善惡可察自己治道得失，故曰觀我生。九五剛正之君，君必具君德才可免咎。

沙少海：國君反復體察親族的意見，就不會出現休麼困難了。

林漢仕案：六三之「觀我生進退。」我，六三自我也。生爲生出，產生。與九五觀我生，逗，君子无咎。兩生字似不同。單一生字，可以是姓，始，出，動起養活寄造進性業，生熟，我生謂母（後漢書崔駰傳注）滋長，物化，父死子健曰生（公華莊公卅二年傳）教化。九五觀我生，試以上生字之義釋說，似无往而不適，如以物化，父死子繼曰生，兄死弟繼曰及。「觀我生。」觀我化，觀我繼承大統，君子得无咎。觀之道，明示富足於內，威望正隆於外，故君王大行，不足以動視聽，是前九五大行皇帝之甫去，子即位爲新主關鍵時刻也。坤剝乾，何爲不當？然文化之傳承，有其一貫之系統，十翼彖象至今日易傳大家之苦心孤詣之探索，必得賦予適當尊重。本爻異說尤少。雖然，仍宜緊縮舖敍一二，以昭公信：

象：觀我生，觀民也。以下傳者即天視自我民視與自觀二義發抒。

王弼：上爲觀主，欲自觀乃觀民也。（自我民視）

孔疏：觀我即觀民。觀民以觀我。（二者兼有）

張載：觀我所自出者。（自觀）

程頤：時之治亂，俗之美惡，繫乎己，觀政化善與未善。（自觀兼自我民視）

蘇軾：九五至顯，以我示民。（觀示）

鄭汝諧：觀我生，自觀也。（自我民視）

張浚：人主生物之德尤著於民。（自我民視）

朱震：觀民風，乃所以自觀也。（自我民視）

項安世：視我生，四陰觀九五（我也）爲進退，五以爲休咎之決。（自觀）

楊簡：聖人欲觀我生，觀民而已。（自我民視）

李衡引：察民修己，示民生育之道。（自觀兼自我民視）

朱熹：占者當觀己行。（自觀）

復齋易說：九五觀民皆君子，乃得无咎。（自我民視）

梁寅：觀我行必君子之道。（自觀）

來知德：觀示我生之四陰也。君子當觀示乎下（觀示）

王夫之：言行身所生，畢生所有事爲我生，果爲君子後无咎。（自觀）

折中：如觀風俗之媺惡，臣民之從違。又五當觀己所行。（自觀兼自我民視）

李光地：當觀我平生何如爾。（自觀）

毛奇齡：觀我，觀民也，君觀己示觀民。（自觀）

李塨：自觀其身，觀民從違厚薄。（自觀與自我民視）

姚配中：我，五也。生謂陰消。五正位不使陰長，故君子无咎。（天運流行，法輪常轉，陰消陽卦也。）

吳汝綸：我生亦謂民也。（自我民視）

丁壽昌：觀己所行，觀民德之善。（二者兼有）

曹爲霖：觀民有天視自我民視之意。觀民心向背。（自我心民視）

劉次源：不化盡衆生則我生之責未盡。（操之在我者亦屬自觀）

李郁：正己正人，立己立人。（自觀）

胡樸安：君子自觀己行，祭祀觀民，視民俗之美惡。（有自觀，自我民視與觀示三義在）

高亨：生亦官，視我庶官，知其賢否。（盡責）

徐世大：泯除主觀，觀察自我生活。（自觀）
李鏡池：體察親族意見。
屈萬里：觀民即觀示。姓，子也。子姓衆子孫也。（觀示）
金景芳：九五是君，看我的嘛！
汪忠長：九五觀主，二坤爲民故觀民，撫卹教養。（觀示）
徐志銳：生爲生存之生，我指九五。生存由民衆向背決定。（自我民視）
傅隸樸：人君觀下民善惡，可察自己治道得失。君必具君德才可免咎。（二者兼具）
从上敍列中可見：
九五必具有可觀之德供民模仿，身教也；必有治民之才德，使人蒙受其惠，从人民日常生活中發現政治得失隆汚，反映政府之施政方針得失何如？即所謂天視聽自我民視聽也，以上諸大家發抒不外乎是。姚配中要停法輪使不轉。五正位不使陰長，此始皇帝長生不老藥之難求也！操之在我者畢其力以營其是，則人終不我去。民終可得安樂。故自觀，觀示，自我民視，皆中九五爻辭。
我生爲我生存之道。
至若我生爲四陰，四陰爲我民，
我生爲畢生所有事，言行身所生。性行。
我生爲我生平何如爾？金景芳所謂「看我的嘛。」

我五消陰。生謂陰消。

我生爲我生之責任未盡。

我生爲百官，百姓，庶官。

體察親族首領。

子姓衆多子孫。

可爲聊備一說壯我易學研究之行列何如！

上九，觀其生，君子无咎。

象：觀其生，志未平也。

京房：言大臣之義，當觀賢人，知其性行，推而貢之。（漢書五行志。）

王弼：觀其生爲民所觀者也。不在其位，最處上極，高尙其志，爲天下所觀者也。可不愼乎！君子德見乃得无咎，生猶動出也。

孔穎達：生亦道也，爲天下觀其己之道。君子謹愼乃得无咎。生猶或動或出，是生長之義，於卦總明之也。

張載：剛陽極上之德，居不臣，不任之位以觀國家之政，志有所未平也。有君子循理之心則可免咎，俯視九五之爲，故曰觀其生。

程頤：剛愓之德處上，爲下所觀，不當位，觀其所生，謂出於己者德業行義也。若皆君子則无過咎，苟未君子，則何以使人觀仰矜式，是其咎也。

蘇軾：上九處至高，自民觀我，故曰觀其生。讀如觀魚之觀。

鄭汝諧：觀其生，觀五也。上觀五之所爲，未嘗釋於心。故曰志未平也。五上同得失，說者謂上爲師傅之位。

張根：道有餘而无其位，然不怨天，不尤人，自信而已！咎之所以免。（吳園周易解）

張浚：上九雖不當位，道德足爲天下觀。志未平，見君子憂君憂時心不少忘也。五上皆取坤陰生物爲義。（紫巖易傳）

朱震：上觀五，上之三仰觀五，觀其動之所自出，故曰觀其生。上九過剛有咎，忿世疾邪，矯激太過，豈能无咎！好譏議人而危其身。巽躁，故君子戒之。

項安世：上九當剝之時，无民无位，謹視其身，思自免咎而已，故但稱其生，即剝之君子觀象之時也。觀本小人迫君子之卦，君子方危，能履中正（九五），謹身在外（上九），僅可免爾。

楊簡：蘇子謂下民觀人主之崇高富貴。如漢高觀秦皇帝大丈夫當如此。居人上難哉！上未能以德化民，民志猶未平。孔子言聖人藏身之道，惟禮而已。

李衡引子：居无佔之地，乘五之上，憂悔之地，志不得平。引陸：處五上爲王者師，民之善惡，由我德化。志未平，憂民之未化也。引胡：居卦上非至尊之位，動爲天下法，言爲天下則，責望重，夕思晝行，志之未平。引串：陽處卦上，道大成也；卦外，位不當也。猶有觀焉，將有爲也。吉凶與民同患，志未平也。可仕則仕，可已則已，觀其生也。知微知著，知柔知剛，然後能觀其生而不失進退之幾焉，故曰君子无咎。

朱熹：上九居尊位之上，雖不當事，亦爲下所觀，戒辭略與五同，但以我爲其小有主賓之異耳。

復齋易說：其指九五，上與五共安危者，民非君子不幾於剝乎，故上九志未安平，必觀其民。

梁寅：上九雖非君位，在人之上爲下所觀，故亦當自觀其所行，如所行皆君子則无咎也。

來知德：觀去聲。曰觀其生者避五也。我重其輕。言下四陰惟我可以觀示也。上九不在其位，不任其事，无觀示之責，是空有觀生之位而已，故曰觀其生。避五也。

王夫之：其者在外之辭。謂物情鄉背之幾也。上九无位，陽將往，欲不失其大觀也尤難，度己度物，發邇見遠，无不中物理，允爲君子然後无咎。

御纂周易折中：上九似只承九五之義而終言之，九五君位，故曰我。上非君，但以君道論之，故曰其，辭與九五无異者，見聖人省身察己，始終如一之心，故象曰，志未平。

李光地：卦義泛言，觀道，故曰其。德已著，然不敢一日忘脩省，故觀其平生，謹終如始，惟君子處之爲无咎也。

毛奇齡：此爻諸父舅合同異姓之尊，居高而觀。宗廟之禮貴在乎志。後漢楊宣策災引京房易以觀其生，謂大臣觀賢人之性行，則漢儒生訓性者。宋後則茫无依據。

李塨：下上觀五，上亦下觀五，知其爲君子无咎也。然高不肯爲用，故曰志未平。四陰无凶辭者，易道陰多爲民，九五當位，上九服之，下四陰自然仰觀而順。觀易道固无窮也。

焦循：自觀旁通大壯，二之五爲我生……

姚配中：其三謂三伏陽，上本欲之三，三自發之正，上不得之三，三發上亦自化正，故君子无咎。

孫星行引集解王傳云：獨處異地，不易執持。（口訣議）

吳汝綸：其生即我生，我者民自我也，其者其民也。

丁壽昌：觀我生，自觀。觀其生，人觀。上九有尙賢之義。上九變坎爲險，故未平也。

馬通伯：楊名時曰文王視民如傷，望道而未之見。知其志未平也。案其生，天下之生也。聖人之志，化天下皆爲君子，舜善與人同是也。志未平即堯舜其猶病。卦名觀，君臣上下皆有相觀之義。

星野恒：陽剛不任事，亦爲衆觀其所生，爲君子則无咎。蓋高尙之士行義言論爲衆所觀，有君子之德則可副衆仰。

曹爲霖：葉思庵謂九五湯武當之，上九夷齊當之。叩馬採薇，甯餓死首陽以維綱常，何咎之有。誠齋傳曰身有用舍，志无用舍。身不爲天下用，德爲天下仰，身之約豈志之安乎！

劉次源：其生，衆生也。鼓萬物而不與天地同功，故无咎。

李郁：觀其生謂觀萬民之生，上九德業已成，其下皆觀而化焉，此成人之極則也，故无咎。

楊樹達：漢書于行志下之上京房易傳曰經稱觀其生，言大臣之義當觀賢知其性行，推而貢之，否則爲聞善不與，茲謂不知。

胡樸安：我生，我之行。其生，他之行。君主觀民眾之所行也。君子即初六之君子。无咎已下觀而化矣。神道設教之志尚未告成，故象曰志未平也。爾雅平，成也。

高亨：觀其生，觀它國之庶官賢否，則知其政之舉廢，知政之舉廢，則知國之治亂，故曰觀其生，君子无咎。

徐世大：觀察其他人的生活，老先生不要尤（人）。

李鏡池：其生指疏族。其他部落氏族。不僅親族，還要顧到他族，多方听取意見，就不會發生困難了。眼光放廣遠。

屈萬里：詩小宛：「无忝爾所生。」爾所生或與其生同義。其蓋彼義，觀其生，謂觀察他人之性也。

平和也。眾志未和，觀其性思誘綏之。

汪忠長：上貴而无位，高而无民，宜高尚其事矣，乃不忘情，欲應三而觀其生也。

徐志銳：其指九五，上九與九五同命運，共患難。九五一變成剝，上九的命運全賴于九五，所以强調觀其生。

傅隸樸：陽德而陰位，是有德无位之象。德望冠絕一時，高而无位，爻例失位當有咎，能以君子道昭天下還有何咎？

沙少海：觀訓考察，其，彼。其生指疏族，國君多方面的听取意見，因其心中尚未弄清楚其他方面的情況哩。

林漢仕案：兩觀我生，皆就你我他之我立說，甲骨文中的我字，有武力，旗號，土地，儼然是一個主權完整之團體，金文故稱我方，爲獨立團體之號稱。易經爲諸經之長，其文字古奧倘克與金文並論，則我字可大其說也。上九觀其生。其字頗費大家筆墨，捕捉圈點，仍有未盡意處。而「其」所當代表者眞有五色令人目盲也哉！

「其」可讀作荄備之荄。

「其」可以爲先祖。

「其」可作爾。

「其」或作己。

其作發聲，辭（詞）外，上四義試以「觀其生，君子无咎。」較諸傳統易說尤合轍利行：

作荄備之荄。觀上九荄備之性行，荄備之生存條件，必无悔吝事及其身也。

作先祖。觀先祖植福根厚，子孫基業萬年，父死子繼，全民擁戴之誠仍不息生生也。

作爾。觀爾言行動作施爲，觀爾祖德流芳，觀爾百官，百姓動向舉措，觀爾養生之法，觀爾教化萬民，君子自必无咎。

作己。觀上九（己）之一生言行德業，觀己道，觀己行爲動作，（性行）觀己襄助佐理治萬民，與九五同心之往事，君子无咎也。

毛大可之「一往鶻突。」可眞鶻突矣夫？

上九之其生，異說多，試統計後，以人多勢衆視作主流何如？其餘謂之淸議可矣！

象：觀其生，志未平也。（志未平指上九，觀其生亦當同。）

王弼：最處上極，爲天下所觀。（生猶動出，亦指上九。）

孔穎：生亦道：或動或出，是生長之義。

張載以上九不臣之位觀國政，志未平，俯視九五所爲，故曰觀其生。（觀其生指上九觀九五。）

程頤：觀其所生謂出於己者德業行義。（指上九）

蘇軾：上九至高，自民觀我，故曰觀其生。（民觀上九）

鄭汝諧：上爲師傅觀五所爲，未嘗釋於心。（上觀五）

張根：道有餘而无其位。（指上九言）

朱震：上觀五，上之三仰觀五，觀其動出。（上觀，生指五）

項安世：上九无民无位，謹視其身，故稱其生。（指上九）

楊簡：下民觀人主之崇高富貴。民志未平。（下觀、生爲五上）

李衡引：處五上爲王者師，憂悔之地。（觀其生指上九。）

朱熹：上九居尊位之上，爲下所觀。（觀是下觀，生爲上九。）

復齋：其指九五。（視其生指九五）

梁寅：上九雖非君位，故亦當自觀其所行。（指上九言）

來知德：觀其生者避五也。（指上九。）

折中：五君位曰我，上非君曰其。（觀其生指上九。）

李光地：卦義泛言觀道，故曰其。（觀其生似以全卦言有爻文上九耳）

毛奇齡：諸父居高而視，大臣觀賢人性行。（其，賢人。）

李塨：下、上觀五；上，亦下觀五，知其爲君子无咎也。（觀是上下觀，其爲于，生爲君子。）

吳汝綸：其生即我生。我者民自我也，其者其民也。（我其皆指民）

丁壽昌：視其生，人觀，上九有尙賢之義。（人觀上九）

馬通伯：其生，天下之生也。（其指天下之生人）

星野恒：陽剛不仕事，衆觀其所生。（其似指上九）

曹爲霖：上九夷齊當之。德爲天下仰。（似指上九）

劉次源：其生，衆生也。（似指天下衆生）

李郁：觀其生謂觀萬民之生。（觀萬民之生）

楊樹達：京房傳曰：經稱觀其生，大臣觀賢知其性行。（其賢人。）

胡樸安：其生，他之行。君主觀民衆之所行。（其，民衆。）

高亨：觀其生，觀它國之庶官賢否。（其，它國庶官。）

徐世大：觀察其他人的生活。（其，其他人的。）

李鏡池：其生指疏族。（其爲其他疏族，部落。）

屈萬里：爾所生或與其生同義。（其彼，他人之性。）

汪忠長：上不忘三，應三而觀其生。（其指三）（本姚配中說）

徐志銳：其指九五。

傅隸樸：陽德陰位，有德无位象。（其指上九）

觀其生指：上九者

九五者

上九，九五者。

全卦言

賢人。

其民。（天下之生人）（天下之眾生）（萬民之生）

其，它國庶官。

其他的。（其他的疏族，部落。）

其，他人，彼。

其指三。

「觀其生」其即以上九言，亦有：

天下觀上九動，出，道。（民觀上九）

自觀出於己者德業行義。

上之三仰五。上之三觀其生。

下觀人主崇高富貴。

自我處憂悔之地有所惕慮。

上非君曰其。

陽德陰位，有德无位象。

「學閥」可以壟斷一時，「一言堂」可以箝制思想，「大家」亦可風靡一地，主導易學方向。然聖人之教友其大夫之賢者，士之仁者觀點言，仍可覓空間發抒，而「大家」之可尊也。上九宜思不出其位言，觀其生，觀上九一切施爲，雖下剝上，下觀上，雖基業稍有鬆動，然上九仍不失爲君子人也，其時，其地，其人皆能保有傳統規模，不至有憂虞之患，有孚顒若，故謂君子无咎也。

䷙大畜卦（山天）

大畜，利貞，不家食，吉。利涉大川。

初九，有厲，利已。

九二，輿説輹。

九三，良馬逐，利艱貞，曰閑輿衛，利有攸往。

六四，童牛之牿，元吉。

六五，豶豕之牙，吉。

上九，何天之衢，吉。

☰☶ 大畜，利貞，不家食，吉。利涉大川。

彖：大畜，剛健篤實，輝光日新，其德剛上而尙賢，能止健，大正也。不家食，吉。養賢也。利涉大川，應乎天也。

象：天在山中，大畜，君子以多識前言往行，以畜其德。

京房：利涉大川，應乎天也。謂二變五體坎，故利涉大川，五天，故曰應乎天。（集解）

鄭玄：不家食，吉。自九三至上九有頤象，居外是不家食，吉而養賢。（表記正義）傳彖：輝光日新（絕句）其德（連下句）剛上而尙賢。（釋文）

劉表：君子以多志前言往行。（釋文、孫堂案、志古文識）

向秀：止莫若山，大莫若天，天在山中，大畜之象。天爲大器，山則極止大器，故名大畜。（集解）

蜀才傳彖：其德剛上而尙賢，此本大壯卦，案剛自初升，爲主于外，剛陽居上，尊尙賢也。（集解）

孔穎達：乾健進，艮止而畜之，故曰大畜。小畜巽在乾上巽順不能畜止乾之剛，故云小畜。止健非正不可。養賢，不使賢人在家自食。應天道不憂險難，故利涉大川。

張載：剛健篤實，日新其德，乃天德。陽卦在上，上九又在其上，故曰剛上而尙賢。德定則自光明。

程頤：莫大於天而在山中，蘊畜至大之象，在人學術道德充積於內，皆得正道，宜在上位享天祿。若窮處自食於家，道之否也。施之時，濟之險，乃大畜之用，故利涉大川。

蘇軾：乾受艮畜而爲之用。不家食者以艮爲主也。利涉大川者，用乾之功也。

鄭汝諧：食音嗣，養賢及萬民。堯舜急親賢，所以爲遍愛。畜有三義：畜賢、畜健、畜德。養賢及萬民，四五畜止乾剛，其德日新，所以爲大畜。

張根：夫樂天，大人之事。君能下下故。傳象：大畜之器如此。

張浚：以畜德爲貞，而後可畜賢，野无遺賢，曰不家食，得賢何難不濟！乾健乘之爲利涉，天下剛德之賢畢畜，是爲大畜。君畜德，畜賢，畜天下，天下其有不治哉！

朱震：大壯九四變需，再變爲大畜，坎離震兌，發爲輝光，日所出入，日新其德。大畜利正，九二受畜應五，不家食也。尊賢，養賢，如是而食則吉，正也。應天而行，何險不濟哉！

項安世：初爻皆受畜，剛健主之，篤實充之，輝光發之，畜愈富，德愈新。健內止外，尙賢畜才，可謂大臣利貞也。三至上爲頤，能養賢故不家食；畜天德則不陷險，故利涉大川，畜有止聚二義。

楊簡：大畜，大者有所制畜也。失正終難止健，故利貞。賢无家食，尙賢養賢，畜止健者之道盡矣，可濟大險。

李衡引陸：艮五柔中正，畜養三陽。引石：在物聖人畜養天下；在德聖人畜正天下。利正者，四、五二柔畜乾，非正不能止也。引陳：養賢待用，非抑其進也。上養賢之主，四五疾賢之人，乾三爻求進之君子也。

朱熹：大，陽也，艮畜乾。內乾外艮，日新其德。卦變言需來。卦體言，六五尊而尙之。卦德言能止健，皆非大正不能，故占利正，不家食，吉。六五應乾，應天也，故利涉大川。不家食，食祿於朝，不食於家也。

趙彥肅：乾居艮下，大者畜於內也。尊上九，養賢三陽類升也。

梁寅：畜止，聚也。艮畜止乾。乾三陽大，艮畜聚至大，大畜利正，畜聚正，天下人蘊其德義，不正畜不才爲小人淵藪。畜曲學小道，聖人何取焉。不家食，食於朝，君子吉，亦人君吉。君臣皆利有爲，利涉大川。何事不可爲！

來知德：中爻兌口在外，四近五君，嘗食祿于朝，不家食之象。大象離，錯坎，又象頤，飲食自養象。四五中空，舟象，乾健應四五，舟行象，貞正。吉者吾道大行也。

王船山：大畜以陽畜陽。乾畜美於內，精義盡利，敦信保貞。不家食者受祿而道行也。厚其養而大用之。利涉者，健行姑止，止之者又其同志，涉險蔑不濟矣！

周易折中：朱子語類云：「占得大畜者爲利貞，不家食而吉，利於涉大川。」胡氏炳文曰：「不家食是賢者不畜於家而畜於朝，涉大川似畜極而通之。兩利一吉，占辭分三，不必泥而一之也。

李光地：三陽自下升極於上，爲五所尊尙，所畜大。二陰幷力畜乾，艮德止健，畜亦大。養天德之剛，制血氣之壯。非正固不能故利貞，祿於朝故不家食吉，制剛則持重不苟進，不至陷險，故又曰利涉大川。

毛奇齡：歸藏易作毒畜。大者爲所畜也。陰爲陽畜。陽孰大于乾。大畜非大正不可。移大壯九四爲上九，其德也．是爲止健尚賢。又移中孚九五爲九三，兌口食艮闕之食，不家食矣。能畜必能通，川能涉，何有于山！

錢大昕：釋文云本作蓄。積也聚也。鄭許養也。大畜彖傳有能止健之語，此言乾艮卦德，非釋卦名。宣尼未嘗訓止。獨孔穎達小畜正義畜止諸陽。疏家遂因大畜有止健之文，遂類及小畜。不知巽主入不主止。後儒沿正義之誤，遂疑畜有止義。並孟子畜君亦訓止矣。經典畜三讀：敕六切，積聚也。許六切，養。許救切。六畜。今人讀敕六切爲六畜，非古音。

李塨：大爲小畜。三乾藏於艮山內，乾行艮止，若二陰畜四陽。乾剛健，艮篤實。山材照以天光。互兌口，艮宮闕，養賢廟廊，不徒家食，吉矣。兌大川，四五中空舟象，涉矣。

姚配中：天在山中，天氣下降故大畜。小畜密雲不雨，風行天上，故小畜，不家食，不但家食也，二五易位成一坎，故利涉大川。

孫星衍引釋文傳彖：大畜剛健絕句，輝光絕句，日新其德，以日新絕句，其德連下句。

丁宴：釋文本作蓄。按古畜蓄通。漢書景帝紀，素有畜積。賈誼傳畜亂宿甿。師古並云畜讀曰蓄。

吳汝綸：太玄擬大畜爲積，无止義，大者陽，陽能積聚萬物，故曰大畜。不家食者取陽能聚物爲義。上爲主，四五爲疾賢之人，下爻求進之君子也。

張履祥：物之實者有光故艮體篤實則能光輝。必大畜乃言時，君子无倖獲之理，必无妄乃言災，君子无倖免之術。

馬其昶：乾艮北方維卦，時爲冬，陽潛畜於內，不家食謂與賢者共之，王者无私家也。又引何楷曰：震在兑前，涉川象。

丁壽昌：鄭康成謂養賢士，王注賢者不家食。李資州曰乾賢人，艮宮闕，令賢居闕下，不家食象。蘇蒿坪曰坤家，艮坤體，艮成坤揜，故不家，互頤故不家食。涉川取艮與互震象。又釋文與鄭絕句異，當从鄭讀爲允。

星野恒：不家食謂食祿於朝。陽畜陽曰大畜。四五二爻下應乾，人臣得乎上，宜乎仕于朝以濟艱險。

曹爲霖：大畜內畜德，外畜賢，故彖傳不家食吉，養賢也。

劉次源：利貞者應无妄也。外互成頤，主不家食，爲國養賢，孰如此吉。待時而行，志同道一，畜久則通，雖大川亦利涉也。

李郁：二五非正，不宜易位，故曰利貞。大畜在公忘私，國忘家，千倉遺家人，豈有德業可言，故不家食，吉。六四往初成巽乘木，故利涉大川。

于省吾：釋文畜本又作蓄，勑六反，積聚也。鄭許六反，養也。西谿易說引大畜作大毒畜。黄宗炎曰大畜爲毒畜，毒取亭毒之義，說文毒，厚也。大毒即大厚積也。

楊樹達：表記曰事君大言入則望大利。故君子不以小言受大祿，不以大言受小祿。易曰不家食，吉。

胡樸安：貞田獵之事，利田獵之事。不家食者，不耕有眚家無食也，獵禽而食是以吉。不涉大川無禽可獵，必涉大川也。

高亨：利貞猶利吉。某日不食家而食於外以避災眚，故曰不家食吉。又筮涉大川利，故曰利涉大川。

徐世大：畜牧宜長久，不在家裏吃好，宜渡大河。

李鏡池：不家食，不回家食飯。就在田頭吃飯。利涉大川是占行旅，附載。

屈萬里：王念孫曰：「古無以其德二字連上讀者。天在山中，象山所畜之大。君子象之，故多識前言往行以畜其德。」

金景芳：胡文炳說「卦有乾體者，多曰利涉大川，健故也。」傳象：君子學此卦，要多學習古代賢哲言行以充實自己。

宋書升：家食，下卦離象，內體家，離爲食。賢爲上九，養之者外卦二陰。下卦尙未變離，故不家食吉。變家人乾中爻爲大川，六五降二互易，涉大川之象。

汪忠長：乾大陽升，爲艮所止，故曰大畜。陽爲艮畜，故利於貞定也。兌爲食，艮爲家，皆在外，故不家食，吉。坤大川，上居坎水之巓，下履重陰得行其志，故利涉大川。

徐志銳：人的才德積蓄可使爲聖賢，國家人才積蓄則國得治，君主發現才德之士給以官職，不使在家吃閑飯，然後可擔重任，涉險歷難，有大作爲。

傅隸樸：易例陽大陰小。爻畜止邪惡，卦畜養，彖畜德，艮上藉泰山壓頂之勢制止。乾上行力足阻，故名大畜。不能徒恃壓力故曰利貞，賢才不食家，野無遺賢，賢人在朝，災難消弭故曰利涉大川。

林漢仕案：「不家食。」幾如其字句之義，李鏡池謂「不回家食飯。」徐世大：「不在家裏吃好。」

高亨謂「某日不食家而食於外，以避災害。」祇胡樸安之「不家食」解爲「家無食也。」餘者多謂養賢廟食也，猶之曰賢者在位，能者在職，國無遺賢，陽能聚物也。雖然，仍宜輯眾見以爲物證：

鄭玄：九三至上九有頤象，居外是不家食。

孔穎達：不使賢人在家自食。

程頤：學術道德充積於內，皆得正道，宜在上位享天祿。

蘇軾：不家食者以艮爲主也。

張浚：野無遺賢，曰不家食。

朱震：九二受畜應五，不家食也。

項安世：三至上爲頤，能養賢故不家食。

楊簡：賢无家食，尙賢，養賢。

李衡引陳：養賢待用，非抑其進。上養賢主，四五疾賢。

朱熹：不家食，食祿於朝，不食於家也。

來知德：中爻兌口在外，四近五君，嘗食祿于朝，不家食之象。大象離，錯坎，又象頤，飲食自養象。

王夫之：不家食者受祿而道行也。

折中：不家食是賢者不畜於家而畜於朝。

李光地：祿於朝，不家食吉。

毛奇齡：兌口食艮闕之食，不家食矣。

李塨：養賢廟廊，不徒家食。

姚配中：不家食，不但家食也，指養賢言。

吳汝綸：不家食者取陽能聚物爲義，上主，四五疾賢。

馬其昶：不家食謂與賢者共之，王者无私家也。

丁壽昌引李資州：乾賢人，艮宮闕，令賢居闕下，不家食象。

曹爲霖：內畜德，外畜賢，故彖傳不家食吉，養賢也。

劉次源：外互成頤，主不家食，爲國養賢。

李郁：公忘私，國忘家，千倉遺家人，豈有德業可言，故不家食，吉。

胡樸安：不家食者，不耕有眚，家無食也。

高亨：某日不食家而食於外，以避災眚，故曰不家食吉。

徐世大：不在家裏吃好。

李鏡池：不回家食飯。就在田頭吃飯。

宋書升：離爲食，下卦尚未變離，故不家食。

汪忠長：兌爲食，艮爲家，皆在外故不家食。

徐志銳：才德之士不使在家吃閑飯。

右三十家之不家食，有造象而言者，如：

九三至上九頤象，居外，不家食。（鄭玄）（項安世）

以艮爲主也。（蘇軾）

中爻兌口在外，四近五君食于朝。（來知德）

兌口食艮闕之食。（毛奇齡）

乾賢人，艮宮闕，令賢居闕下，不家食象。（李資州）

離爲食，下卦尙未變離，故不家食。（宋書升）

兌爲食，艮爲家，皆在外故不家食。（汪忠長）

九二受畜應五，不家食也。（朱震）

有造君臣養賢之義者，如：

不使賢人在家自食。（孔穎達）

在上位享天祿。（程頤）

野無遺賢。（張浚）

賢者無家食，尙賢，養賢。（楊簡）

養賢待用。（李衡引陳）

食祿於朝。（朱熹）（李光地）

受祿而道行。（王夫之）

賢者不畜於家而畜於朝。（折中）

養賢廟廊，不徒家食。（李塨）

與賢者共之，王者无私家。（馬其昶）

內畜德，外畜賢。（曹爲霖）

爲國養賢。（劉次源）

有不家食解作不在家食者：

不在家裏吃好。（徐世大）

食於外，避災眚。（高亨）

不回家食飯，就在田頭吃飯。（李鏡池）

有不家食解作家無食者：

不耕有看，家無食也。（胡樸安）

有指定爻別食祿與自養者：

四近五君，嘗食祿于朝，大象離錯坎象頤，飲食自養。

九三至上九頤象。九二受畜應五。（鄭玄）（朱震）

揆諸卦爻辭之義，初深厲淺揭外出，則知不家食當爲王事靡盬，食不暇暖，受養於人者兼而有之也。觀九二之輿脫輹而在外，九三競逐其馬，講武備亦在外。六四爲王事如牿牛之任勞。六五受養於人，蕭規曹隨。上九荷負天人大業，欲成名山之作。勞心者食於人者也乎？涉大川有造舟象，坎象，乾爲健利涉，震在兌前涉川象，六四往初成巽木故利涉，何如彖傳之應天，不憂險難，何險不濟哉！

初九，有厲，利已。

象：有厲，利已，不犯災也。

姚信：已，音紀。（釋文）

王弼：四乃畜己，未可犯也，故進則有厲，已則有利。

孔穎達：初九雖應四，四乃抑畜於己，若往有危厲，利休已不前進則不犯禍凶也，故象云不犯災。

張載：趨其應則有二三之阻，故不若已也。

程頤：陽皆上進之物，初四正應相援，在大畜則相應乃相止畜，上三皆陽爲合志而无相止之義。初陽必上進，六四畜止，若犯則有危厲，故利在已而不進也。

蘇軾：小畜順畜乾，故終反目。大畜厲畜乾，故始厲終亨。初六欲進，六四厲止，君子愛人以德，使我知戒不犯災。

鄭汝諧：剛陽在下必上進，微而先進則危且災矣，故利已戒之。

張根：大畜進難，初必有厲，惟能動心忍性，不急自售，所以免災而益大也。

張浚：慮之當蚤，初應四，其德未同，强合何以畜？利已，謂止其行。四近乾爲天災曰災，非四爲已災，未信而進，有犯災之道也。

朱震：先儒讀作已矣之已，王弼讀作己。初九正也，大畜之時，宜止，雖正亦厲，不如已而受畜。

項安世：初爲六四所畜，初性純剛，故戒之以有厲，利止不可犯災。九在初，故稱童中。

楊簡：上以剛制畜臣下，臣下有危厲之道。初九未得，似利於止而不進，止則不犯災。

李衡引陸：三陽俱進，初最下爭進必有厲，故利止。引石：艮山，乾雖健，礙山險必不能通。引胡：初九猶君有邪心，六四大正之臣止畜之，雖剛不能騁，故不犯災。

朱熹：三陽爲艮所止，初九爲六四所止，占往危利於止。

趙彥肅：陽未盛，進則危，止則利。陽體故欲進，位下故能止。

梁寅：初，二爻能自畜不進。初與六四應，爲四所止，往則有危厲，利自止也。

來知德：三陽爲艮所畜。君子受畜于小人。外卦能畜，以止人爲義。初乾剛志進，四所止，往則有危，利于止。

王夫之：在一爻言，剛健欲行而不受止，於三陽有戒辭，初九陽剛始進，四以柔止之，固有危厲不安之意，戒之以利於已止也。

周易折中：蔡氏清曰初九不可進未必能自不進，故戒之進則有厲，惟利於已也。

李光地，下卦以自止爲義。所止既大，則時不可進矣！進必有危，故利於已也。

毛奇齡：甫畜求進則有厲，厲者健之過，即乾三惕若厲。如是不如已止，即艮止。虞氏曰體坎故災。

李塨：初與四應，初陽進，四止之，是厲也，往必有災，已之爲利。

姚配中：初應四，之四則失位，乘剛故有厲，已，止也。謂不之四。

孫星衍引釋文利已，夷止反，或音紀，姚同。

吳汝綸：凡陽行，遇陰則通，遇陽則阻，故初二皆不進，而三利往，利已者利于止也。

馬通伯：俞琰曰不犯災謂艮山之阻。何楷曰履乾初，潛時也。自案：初民象，出无輿但徒行耳，應四艮山互兌澤山川險阻，行不得達，故利已。

丁壽昌：案蘇蒿坪曰厲乾象，變巽爲不果已象。

星野恒：以剛健之性在下不與四相應，欲上進爲所制，犯必危厲，不如已也。當自安其分，不犯命競進也。

曹爲霖：見微止早，如王莽殺汜鄉侯，北海逢萌解冠，浮海遼東。誠齋傳云舜禹以益之一言而班征苗之師。此不犯災者。

劉次源：已止也。初應四陰，將爲所畜，進危厲，止不辱。

李郁：物必先育後畜，不事生產烏可得，初宜止故曰利已。初九即无妄上九，初不轉上，故不犯災。

胡樸安：田獵視耕種爲危也，以田獵補救耕稼之災有利也。
高亨：筮遇此爻將有危險，然亦無害，終利於己。
徐世大：畜牧有疫癘，宜停止。
李鏡池：厲，指危急的事。巳借爲祀。古祭危急大事，如農業卦里提到的敵人搶糧之類。
屈萬里：所謀有危厲，利於休止也。
金景芳：乾健是要前進的，艮止要止健的前進。厲是危險，初四相應，不取相應之義。取有危險停止前進就好了。
宋書升：自遯來，九至初匪正，故有厲。已目上卦艮止，止屬利所出。
汪忠長：厲危，已止。初有應似利往。二三皆陽，遇敵，故有厲。言往應四則有災也。
徐志銳：下三陽剛爻被上艮所止畜，喻不待才德有積蓄就急進，不但成不了大事，且易犯錯誤。有厲是警告有危險，利已，以止不用爲利。
傅隸樸：陽性志上，六四正應，以艮止乾，故四志止初非助初，四以柔克剛，位高理得，初九上進妄動必有危險，故曰有厲。如果知危而止，那就得言利了。
林漢仕案：有厲，易家多以危厲，災厲解。然厲有吉者，如頤上九由頤，厲吉，利涉大川。姤九三厲，无大咎。家人九三悔厲吉。大壯貞厲。復六三厲无咎。知厲不能以危災貫全體。厲有危也，災也，癩也，作也，爲也，高也，奮也，嚴也，猛也，近也，勉也，砥也，更有大帶之垂者，膝以上爲厲，深則厲，以衣涉水爲厲。

本卦初爻無因有果利己（或利已），一開始即予當頭一棒，警告危厲，而初九在下，在下位而剛正者，無故而警之危災，易卜作用高於一切矣！初在下是无位，然下民亦有其遊戲規則，亦有其生活準繩，故有厲。在六爻進程中，當是一個動因。從九二輿說輹，李光地云「輻無說理。」今九二輿說輹，之所以說，初九有厲啓其因，而厲字則當沖擊有關，以衣涉水爲厲解似較合理。大畜卦辭「利涉大川。」以衣涉，車經水浸泡，木製車器，不保無損其結構也。故利已。一巳，又可作己。已三義。利自己本人，利啊！利停止。茲輯易家衆見以窺初貌。

王弼：進則有厲，已則有利。

孔穎達：若往有危厲，利休已不前進則不犯禍凶也。

張載：趨其應則有二三之阻，故不若已也。

程頤：六四畜止，若犯則有危厲，利已不進也。

張浚：四近乾爲天災，非四爲己災，未信進，犯災之道也。

朱震：先儒讀作已矣之已，王弼讀作已。已而受畜。

項安世：利止不可犯災。

楊簡：上以剛制畜臣下，臣下有危厲之道。利止不利進。

李衡引陸：初爭進必有厲，故利止。

朱熹：占往危利於止。

趙彥肅：陽體欲進，進則危，位下能止，止則利。

來知德：君子受畜于小人。初往有危，利于止。

王夫之：四柔止初陽，固有危厲不安之意，利於已止。

折中：初九不可進未必自不進，戒之進有厲，利於已也。

毛奇齡：甫畜求進則有厲，不如已止。

姚配中：初之四則失位，乘剛故有厲，已止也。

孫星衍：釋文利已，夷止反，或音紀。

丁壽昌：厲乾象，變巽爲不果已象。

高亨：筮有危險，終利於已。

李鏡池：厲，指危急的事。巳借爲祀。古祭危急大事。

汪忠長：厲危，已止。初往應四則有災也。

徐志銳：有厲是警告有危險，利已，以止不用爲利。

厲之釋幾無異議，危也，未出道即見危須止，人緣、命運之乖剌，果眞前世之惡積耶？然觀全卦吉亨多，悔吝無，其有不經寒澈骨，第聞撲鼻梅花香之遠景乎？一甫始即嬾庸怕進，終不得進也有所藉口矣！吾於是從厲字衆義理中，得砥厲，勖勉焉，初九宜砥厲，勖勉，有拼才有贏，不拼只輸不贏，厲又有起，深則厲之義，初九於是乎一往無前之涉矣，深厲淺揭，水不能阻，利啊！已有三義，見諸傳家者：1.已，利已，利自身也。2.已，止，利止不進。而已尚有第三義：3.已，語終詞，猶「矣」，或作歎詞。利矣！利啊解。是初九宜釋作：初剛銳出發！上有應援，逢山開路，遇水深厲淺揭渡過，美景當前，爲已進身則有利也！

九二，輿說輹。

象：輿說輹，中无尤也。

馬融：說，解也。（釋文）

王弼：五畜盛，未可犯，進故輿說輹，居中不爲馮河，遇難能止，故无尤也。

孔穎達：二五雖應，五畜盛未可犯也，進則輹車破敗也。遇難而止則无尤過，故象云无尤也。以居中能自止息。假輿說輹象以明人事也。

張載：不阻於三則見童於四，不躁進者，位中也。

程頤：二爲六五所畜止，勢不可進，五據在上豈可犯！二得中道，進止无失。度勢不可則止不行。如車脫去輪輹，謂不行也。

蘇軾：小畜說輹，不得已；大畜說輹，其心願故中无尤也。

東谷易傳：九二剛得中，知受畜不進者，順乎理也。初二皆受四五畜，體艮以至柔行之，能畜天下之至剛。

吳園易解：二雖浸盛，未能大有爲，積中自養待成器而動故也。

張浚：才剛德健，得位得中，有輿說輹象何邪？蓋止以蓄德，義不苟行。君子載物厚德，肯忘意天下哉！乾爲馬，處乾中爲輿，互兌，兌毀折爲說輹。

朱震：輻當作輹，坤爲輿，震爲木，輿下橫木，輹也。說輹不進，知以不動爲中。故曰中无尤也。夫氣雄九軍，才蓋一世，或屈於賓贊之儀，或聽於委裘之命，故曰大畜，時也。

項安世：九二爲六五所畜，剛得中，故能自脫其輹而无過尤。輿輻直象乾，輿下輹壯亦象乾，輻利輪轉，輹利軸轉，皆主爲圓，非坤象也。

楊簡：二居位當上，以剛制畜臣下之時，則當如輿之說軸輹，不可行也。其說輹中無怨尤之心，失道者往往有怨尤，故此明其道。

李衡引盧氏：止不我升，待時不進。引子：履正位中，安其所畜。引陸：二體健，志速進，不遂至說輹。引牧：乘初，初止其行，猶乘輿者，輹脫，所乘亦止。

朱熹：九二亦爲六五所畜，處中能自止不進。

趙彥肅復齋易說：居中故能畜而不行，以合卦義。

梁寅：二五應，爲五所指。得中能自止不進。車健行，二剛中實，輿象。人行賴輿，而說輹則不行矣！如剛中君子遇非道君，不食其祿免禍，時行則行，時止則止。善可知矣！

來知德：說音脫，錯坤爲輿，中爻兌毀折，脫輹象，止不行矣。二爲五所畜，有中德，能自止，不冒進斯无尤矣。

王夫之：大畜之乾專言行。輹，車軸縛也。說輹解其軸之縛，本不欲行。九二遇六五遂止，靜退修德之象。力務畜德不存利害。傳象：但求無過，不以進取爲念。

周易折中：蔡氏清曰：九二處中，能自止而不進者也，則以其所能言之輿說輹。

李光地：中德知時，故自說其輹不進。項氏曰輻，車轑也。輹，軸轉也。輻無說理，必輪破轂裂然後說耳。若輹則有說時，車不行則說之矣！

毛大可：畜不可進，乾大車，伏坎爲輪，二當互兌初，兌爲毀爲折則說之。輹者車下縛木，說解停不進，尤過也。

李塨：變坎爲輪，互兌毀折脫輹矣！爲六五所畜止而安於中。按輹者車之鉤心夾軸之物。不行故脫之。與小畜脫輻不同，脫輻車毀；脫輹不行而已。

姚配中：二之五，坎爲車，多眚。巽爲繩，兌毀折故輿說輹。

孫星衍引釋文輿本或作轝，音同，輹音服，又音福。蜀才本同，或作輻，一云車旁作复，音服，車下縛也。作畐者音福，老子所云三十幅共一轂是也。集解馬融說，解也。

丁晏：釋文或作輻。案古輹輻通用。小畜輿說輻云本又作輹。大壯壯于大轝之輹云，本又作輻。說文輹車下縛也。馬注小畜亦云輻車下縛也。

馬通伯：呂大臨曰說輹不駕而已，車體猶完，以剛居中，自全不進。沈該曰二有載上之才而守難進之義，守中安分者。李簡曰初利止，二安止。其昶案：內卦畜德，初知者利仁，二安仁，畜德以仁知爲大。

丁壽昌：集解引盧氏曰輹，車之鉤心，夾軸之物。處失正，應五，五畜盛止不我升，故且脫輹，停留待時，進退得正，故无尤。昌案，今人呼車輹爲鉤心，變坎輿多眚故脫。

星野恒：輹即輻字，脫輹則不可行。以剛健之才爲六五所畜，處中，自知其不可，止不進，有輿脫輹之象。

曹爲霖：金谿陳氏曰處中則知止，故无尤也。誠齋傳此九二乾爲君。畜君何尤，畜有止義。漢元帝之從橋，北魏太平眞君五年古弼以弱馬給魏主獵騎，輿脫輹中无尤也。

劉次源：乾圜象輪，二軸，輹軸縛。雖與五應，不爲所畜，自止不進，輿說其輹。

李郁：輹，車軸縛，輿者以輪軸自轉，輹說則輿止，言九二宜止不轉至五也。

于省吾：小畜九三輿說輻。自來解皆以變或對象爲言，求本象不得其解。左僖十五年傳車說其輹，是以震爲車爲輹。易悅說脫皆兌滋乳字，悅脫古通。半震象故車說輹，大壯九四壯，馬融傷也。輿說輹，傷輿猶可行也。

胡樸安：出發時輿輻說，心自安定，故象中无尤也。

高亨：說，說文引作脫，借爲挩，同聲系，古通用。輻當作輹。車挩其輹則輿與論離，此乖離之象。

解見小畜。

徐世大：僨事之畜。因顚覆致脫落車軸。

李鏡池：說通脫。輹通輻。途中輪子壞了，輻條脫了。

屈萬里：集解誤作腹，云或作輹。按作輹是。小畜九二輿說輻。

金景芳：輹是車軸下邊那個東西，不是輻。車自己把輹說了下來了，表示車自己就不走了。

汪忠長：伏坤爲輿，震爲輹。二應五，五震體，乃輿內輹外，故輿脫輹。輹脫則車不能行。二承乘皆陽，陽遇陽則窒，故有是象。

徐志銳：輿脫輹，車箱脫離了卡住車軸的曲木。喩九二與初九急于上進，因輿與輹脫離不能走，喩止不能走，繼續積蓄其才德，這幷无過失。

傅隸樸：輿是車子，輹是輪，車無輪怎能行，故輿脫輹義是行不得。二外强中弱，能審時度勢，輿說輹即中止不進之義。

林漢仕案：承上爻「深則厲，淺則揭。」一往無前，大川不能阻也。見美景當前，不禁低徊吟哦。得意時人疏於檢視裝備，以衣渡水後，車駕忽生故障，雖謂在我者吾已全力以赴，在天者能測乎？人謀之不臧，天意亦可前知也。輿說輹則不能行。李光地云：「輻無說理，必輪破轂裂然後說耳。」「輿說輹」說雖多，而車止不能行乃衆口一致之辭，即胡樸安、高亨、李鏡池、徐世大皆同聲行不得也。處九二時「行不得也」宜爲其占，然車不得行，亦有時地之異以示其艱難程度，拋錨通衢大邑不得行，無礙也，工匠近在咫尺。若在水際天邊，山野崎嶇之地，行不得也哥哥，艱難程度就大。本爻九二，合九三，六四則成☱兌澤，正水邊沼澤地也，是天賦艱難予九二，九二剛而中，憑剛銳之氣，大難不足以止其進，輿說輹，不得行，而馬猶在，暫時棄車矣夫！三爻之良馬逐也。陽何曾「遇難能止」！何曾「知受畜不進，順乎理也」！然九二之時行不得，暫止，象謂中无尤也，其勇者不以艱難爲心，突破艱難爲心。王弼之「遇難能止，故无尤也。」蘇軾之「其心願故中无尤也。」不知九二者也。雖然「九二輿說輹。」衆家之說仍得輯而討論一二：

馬融：說，解也。

王弼：居中不爲馮河，遇難能止。

孔穎達：進則輹車破敗，假輿說輹象以明人事也。

程頤：二得中道，度勢不可則止，如車脫輪輹不行也。

蘇軾：大畜說輹，其心願故中无尤也。

東谷易傳：知受畜不進者，順乎理也。

吳園易解：積中自養待成器而動故也。

張浚：得位得中，止以蓄德，義不苟行。

朱震：知不動爲中。故中无尤也。

項安世：剛得中，故能自脫其輹而无過尤。

梁寅：車健行，二剛中實，輿象。人行賴輿，說則不行矣！

來知德：二爲五畜，有中德，能自止，中爻兌毀脫輹象。

王夫之：輹，車軸縛也。說輹，解其軸之縛，本不欲行。

折中：能自止不進，以其所能言之輿說輹。

李光地：項氏曰輻車轑也，輹軸轉也。輻無說理，必輪破轂裂然後說耳。若輹則有說時，車不行則說之矣！

毛奇齡：輹者車下縛木，說解停不進。

李塨：輹者車之鈎心夾軸之物，不行故脫之。

孫星衍引輹，車下縛，老子云三十幅共一轂是也。

丁晏：古輹輻通用。車下縛也。

馬通伯：說輹，不駕而已，車體猶完。

星野恒：脫輹則不可行。止不進，有輿脫輹之象。

于省吾：自來解皆以變，或對象爲言，求本象不得其解，易悅說脫皆兌滋乳字，悅脫古通。乾震故車說輹。輿說輹，傷輿猶可行也。

胡樸安：出發時輿輻說。

高亨：說，說文引作脫，借爲挩。車挩其輹則輿與論離，此乖離之象。

徐世大：債事之畜。因顚覆致脫落車軸。

李鏡池：說通脫。輹通輻。途中輪子壞了，輻條脫了。

金景芳：輹是車軸下邊那個東西，不是輻。車自己把輹說了下來，表示車自己就不走了。

汪忠長：輹脫則車不能行。

徐志銳：輿脫輹，車箱脫離了卡住車軸的曲木。喻止不能走。

傅隸樸：輿是車子，輹是輪，車無輪怎能行，是行不得也。

輿說輹：

說，解也，脫也，挩也。

「居中不爲馮河。」九二乃智者，不作徒手渡可。遇難止。

「進則輹車破敗。」車確然受損不能進。「行不得也。」

「度勢不可則止。」如王弼說也，亦其「心願」也。又云「知受畜不進者。」「積中自養待成器而動者。」「止蓄德者。」

「自脫其輹。」「本不欲行。」「輹車不行則說。」「不駕而已。」「傷輿猶可行也。」「車子自己把輹說了下來。」

「輻當作輹。」「輻利輪轉，輹利軸轉。」「非坤象。」「錯坤爲輿。」「乾大車。」「震爲車。」「輹輻通用。」

「輹爲軸輹。」「車軸縛。」「軸轉。」「鈎心夾軸之物。」「車之鈎心夾軸之物。」「車軸下邊那個東西，不是輻。」「車箱脫離，卡住車軸的曲木。」「輹是輪。」「脫輻車毀，脫輹不行而已。」「輹或作輻。」「輹輻通用。」「三十幅共一轂是也。」「輪子壞了，輻條脫了。」

再約而言之，二點而已：

九二智者，不徒手渡河，知止即止，心願也。即自脫其輹。

輹說車不得行也，止於不得不止。蓋車受損也。

至輹爲何物?古馬車之結構異於後世車輛，故云車軸縛，利軸轉，鈎心夾軸物，車軸下邊那個東西。或謂車輪輻條，車輪。並無關九二階段大前提輿說輹也。故處九二之時，雖應六五，剛而有中德，暫止，蓋有行不得也之時乎！其心之无尤，知其莫可奈何而安之若素也。

九三，良馬逐，利艱貞，曰閑輿衛，利有攸往。

象：利有攸往，上合志也。

馬融：閑，習也。（釋文）

鄭玄：良馬逐逐，兩馬走也。（孫堂案顏氏家訓引此句亦作逐逐）日閑輿衛，日習車徒。（釋文）

劉表：曰閑輿衛，曰猶言也。

姚信：逐逐，疾並驅之貌。（釋文）
王弼：九三升上九，上九處天衢之亨，可以馳騁，故曰良馬逐也。當位得時，通路不憂，故利艱貞。
閑閡，衛護，无憂患，與上合志，故利有攸往。
孔疏：九三升上，塗徑大通，故可良馬馳逐也。貞正也。有人欲閑閡車輿，乃防衛見護。利有所往故
象上合志也。
張載：不防輿衛而進，歷二陰則或有童牿說輻之害，不利其往也。本乎天者親上，故上合志也。
程頤：如良馬之馳逐，言其速也。三剛健與上合志而進。勢速，宜艱難其事，由貞正之道。輿用行，
衛自防，日常閑習其車輿與防衛則利攸往矣！「一日」，釋文音越，劉云猶言，鄭人實反，從鄭音。
蘇軾：三乾並進故曰良馬逐。馬憂其輕車易道，以至泛軼，故利艱貞。相飭戒閑習車從，利有攸往。
東谷易傳：天下之理交相制而已！柔不制柔，剛不制剛，三上皆剛，不相制而相合，三之進若良馬逐。
吳園易解：畜成可以致遠。曰閑輿衛，戒疾馳也，夫是謂大器晚成。
張浚：三援二陽而進，上二陽從之曰良馬逐，良馬，乾象。群賢道通，猶以艱貞爲利，閑輿衛爲戒。
曰閑輿衛，閑習也，兢兢勉勉，不忘自治。
朱震：乾爲馬，九三得位爲良馬，三陽並進，良馬逐也。不可恃應而不備，艱難守正則利。曰古作粵
，于也，發語辭，坤輿，乾人，閑輿而衛之。謹御策，節良馬步，進利。
項安世：九三與上九合而不相畜，九三健進，故爲良馬逐，言逐，明下二陽皆隨之。上九導乾上行，

前有二陰，艱貞防衛，越二陰至上九則乾道無疑阻矣！衛不訓衆。馬以健行爲良。

楊簡：九三上承六四，陰陽相得，九三可以往矣。良馬逐，不制畜之象，利艱貞，謹之也。輿承上，衛防衛，無致上疑。上方嚴制，雖合志，不可往也。

李衡引子：自任不可縱，剛守正利閑習，輿乘備則利攸往。引陸：逐，角逐，與二陽角逐，志在疾，得位失中，故利艱貞。引石：四、五山險，未可輕進，故利艱貞。引薛：氣類相同，與初二合志。

朱熹：三以陽居健極，上以陽居畜極，陽爻不相畜而俱進，有良馬逐象，過剛銳進，戒艱貞閑習乃利往，日爲日月之日。

復齋易說：德盛成乾，所畜者大，與上合志，可有爲也，艱貞則利，不忘畜也。

梁寅：初，二，陰畜陽不正，利自止不進。三上皆陽不相畜俱進。同類相求利進，乾馬健馳，三過剛不可不戒，故利艱，日閑習輿衛然後有攸往也。

來知德：乾良馬，震足馬，震動追逐。艮止。利艱貞象。陰爻兩列在前，衛之象。良馬逐，用功如良馬追逐之速。閑習與防衛。輿任重，任天下之重。以德爲車，樂爲御，忠信爲甲胄，仁義爲干櫓，此閑輿衛之意也。用功不已之時，當艱貞從容待時，自然畜極而通，利攸往矣！

王夫之：三以剛居剛，進爻，與上九合德，進可以騁，四五二陰居中爲礙，知難守正爲利。曰，戒令辭，初二兩陽爲輿人從行者，閑防制之，各有敬忌不失度，乃利往。

李光地：所畜者小，故至三而猶說輻。畜者大，至三則將通矣。象如良馬追逐可以進矣！必艱貞防閑而後利所往。

毛大可：以乾健震動之迷，乾馬震馬良何不可逐？艱也。三上應，上尚賢，下養賢，中外合志，有利尙待，履震警衛閑之哉！如是往或利。衛考工記尙輿六等，馬有輿有衛。

李塨：乾之艮馬追逐。閑防。三上皆賢，中外合志，利有攸往，震驚衛。他卦陰陽應敵爲得爲不胥與，此爲得爲合。

姚配中：曰讀爲日，閑闌也，防也。日閑輿衛申誓禁也。兵易擾民故閑之乃利，有攸往謂得位，動之爻防其化也。二之五離爲日爲戈兵甲冑，故曰輿衛。

李富孫：鄭本逐逐云兩馬走也。姚本逐逐，疾竝驅之貌。曰劉云猶言也，鄭云日習車徒，古文曰爲日，字形相似，虞離爲日，據義鄭讀人實反爲長。

丁晏：本義曰當爲日。釋文音越，鄭人實反，康成謂日習車徒。仲翔謂離爲日，皆爲日月之日。

吳汝綸：當依鄭重逐字。艱貞者以上卦爲艮止也。曰讀爲日，日習車徒也。

馬其昶引虞翻曰乾爲良馬，震爲警衛，講武閑兵故日閑輿衛。

丁壽昌：鄭注曰爲日，義確，盧氏曰乾爲良馬，震爲驚走，故逐。離日，坤輿，震驚衛，講武用兵故日閑輿衛。案三至上互離，三變互坤，互震，震驚百里故爲驚衛。

星野恒：艱貞者，知艱而貞也。日誤，閑習車輿防衛，謂講武也。三六不相畜而合志，畜極而通，進速如乘駿馬馳逐。得意時易忘戒備，知艱難固守，如是則利有攸往。

曹為霖：天子之馬十二閑，則馬政亦要典也。懼其逐失之輕肆，利艱者慎也，貞正也。三上合如唐憲宗時杜黃裳，裴度翼贊中興，故利有攸往也。

劉次源：乾良馬欲進，初二陽隨馳騁，上養賢，三應，以剛居剛，慮其躁競，艱貞閑習，往乃无病。

李郁：三健馬也，三獨無應，不能已，故逐逐欲行，守正非易。閑，闌也，止也，輿轉艮止，故日閑輿衛，謂九三不轉為上九也。三化上應故利有攸往。

楊樹達：漢書五行志下之上京房易傳：經曰良馬逐。逐，進也。言大臣得賢者謀，當顯進其人；否則為下相攘善，茲謂盜明。

胡樸安：田獵時乘良馬馳逐，出發前以為有厲，出發中又利此艱難事也。君主令閑習輿衛（行列）以利田獵，有所往。

高亨：逐與逐逐義迥異。良馬逐者謂駕良馬有所追逐也。途雖艱無害。曰疑作四，借為駟，古今字。駟閑習而輿善，自利有所往。

徐世大：尋求好馬艱難費時，如堅定不移，終可獲得。準備車轎衛隊，應該有地方去。

李鏡池：逐，交配。馬交配時必走逐。艱旱。閑熟練。輿衛車戰防衛。共占四事。一占馬交配，繁殖馬群。二占旱得吉。三每天練車戰。四占行旅。附載。

屈萬里：康讀曰如日，謂日習車徒。

金景芳：曰朱子以為日。九三，上九都是陽爻，不應，不相應就不相畜，但有同志的意思。九三剛健之才與上合，如良馬馳逐一樣迅速，但要小心守正。閑，練習，衛，自我防衛。要經常練習車的使用和自我防衛。前進才有利。

汪忠長：乾爲良馬，震爲逐，三多懼，故利艱貞。閑習，言車馬已閑習，利於行。三臨重陰故行利。

徐志銳：良馬指下體三陽，喻幷駕齊驅欲上進發揮作用，九三時位未達到出仕致用之時，以艱守正道爲利。每日練習與衛之事，比擬乾三陽孜孜于積蓄之道備應召報國。

傅隸樸：陽居陽處正，表裏剛健，上九不阻九三之進，反應之，故三進之速好比良馬馳騁天衢，不過得意忘形，事業多不能終守，故戒堅守貞正大節，曰（音越）言念茲在茲閑習駕駛術，以自保安全之道，本此就無往不利了。

林漢仕案：逐、日、閑三字宜先詮釋：

良馬逐，李鏡池謂逐爲馬交配時必走逐。高亨謂逐與逐逐義迴異，逐，有所追逐也。曰有謂言也，曰古作粵，于也。有謂作日，作四借爲馹，古今字。有謂作日誤。閑，習也，有謂闌，戒疾馳也。閑防制之，防閑，閑防，兵易擾民故閑之乃利，動爻防其化也。天子馬有十二，閑則馬政亦要典也。閑闌，止也。閑，熟練，練習。初爻剛銳出發，深厲淺揭，勉以有拼才有贏。九二以衣渡水，車駕生故障，有行不得也之嘆！九三則暫棄車，駕馬馳逐，然人生道路險長，因疏於檢視車輛致脫輹車行不得，前路仍艱，故將修復之車駕，宜多珍惜並熟習車駕之縱控，有所往則一帆風順可預卜也。

茲將各易大家之傳羅列於左：

逐：逐逐，兩馬走也。（鄭玄）

疾並驅貌。（姚信）

馳逐，馳騁。（王弼、孔穎達）

言其速也。（程頤）

三乾並進故曰良馬逐。（蘇軾）

三援二陽進，上二陽从之曰良馬逐。（張浚）

良馬逐，不制畜象。（楊簡）

逐，角逐。與二陽角逐。（李衡引子）

三陽健極，上陽畜極，陽不相畜俱進，良馬逐象。（朱熹）

三剛居剛與上九合德，進可以騁。（王夫之）

當依鄭重逐。（吳汝綸）

頤九四虎視眈眈，其欲逐逐。知重後人改。（高亨）

逐逐欲行。（李郁）

逐，交配。馬交配時必走逐。（李鏡池）

鄭玄之逐逐，高亨以為後人改加字。李鏡池以逐為交配繁殖馬群。李郁以逐逐欲行。有謂九三陽剛健獨馳，有謂初九、九二、九三並馳，更有加上上九引進同馳。逐爲角逐，某以爲姚信之「疾並驅貌。」較爲切近爻文，馳逐，馳騁，言其速也，當是九三良馬逐之時義也。

曰閑輿衛之曰，鄭玄謂日習車徒。

劉表謂曰猶言也。

程頤謂日常閑習其車輿。

吳園易解曰閑輿衛。

朱震曰古作粤，于也，發語辭。

朱熹：日爲日月之日。

梁寅：日閑習輿衛。

王夫之謂曰，戒令辭。

姚配中：曰讀爲日。

李富孫：古文曰爲日，字形相似。

星野恒：日誤。

胡樸安：君主令閑習輿衛。

高亨：曰疑作四，借爲馳，古今字。

李鏡池：曰、日字形訛。集解作日。

徐志鋭：每日練習輿衛之事。

傳隸樸：曰（音越）言念茲在茲。

是經文曰，解作日，言，戒令辭，四（駟），越，粵，于也，發語辭，揆諸爻義皆通，無礙大旨。

曲閑輿衛，兢兢勉勉，不忘自治，閑習講武。與日閑輿衛，每日兢勉閑習講武。可有釐毫差別？

若閑爲閔，戒疾馳，閑闌，止也。則經文作曰，改爲日，其義理有不可以道里計。故重心在閑，

閑義有：防、法、遮、闌、閔、限、習、扞禦、防禦。私也。各家之見如下：

馬融：習也。

王弼：閑閔。

孔疏閑閔車輿。

程頤：閑習其車輿與防衛。

吳園易解：閑輿衛，戒疾馳。

朱震：閑輿而衛之。謹啣策，節良馬步。

來知德：閑習與防衛。

王夫之：閑防制之。

李塨：閑防。

姚配中：閑闌也，防也。日閑輿衛申誓禁也。兵易擾民，故閑之乃利。動爻防其化也。。

馬其昶：講武閑兵故曰閑輿衛。
丁壽昌：講武用兵故曰閑輿衛。
星野恒：閑習車輿防衛。謂講武也。
曹爲霖：天子之馬十二閑，則馬政亦要典也。
李郁：閑，闌也。止也。
徐世大：準備車轎衛隊。
李鏡池：閑，熟練。
金景芳：閑，練習。
傅隸樸：閑習駕駛術。

閑義，從上可見，其義爲習，練習，講武，閑習熟練車輿與防衛。此其大者。其次閑閡，闌，止也。日閑輿衛，日時，時時習車馬駕駛技術與攻防法，日日講武也。曰，是說有人閑閡車輿，乃防衛見護；是說將輿衛閑闌置之高閣矣。孟子滕文公下「閑先聖之道。」注：習。疏防閑衛其先聖之正道。趙順孫注閑，衛也。學先聖之道，衛先聖之道。前因後果。用之此則成日不如原文曰，日日學習車輿防衛術；言其學習輿衛攻防術；言其愛護保衛，照顧其車輿衛隊。

九三將駕車之馬釋其車駕而競逐，如此馳騖，聖人戒之以知艱難守正爲是，是說宜講習車駕技藝與攻防衛，如此則所往皆利。此一解。（曰閑輿衛）

九三釋其馬競逐，憂其泛軼而戒之艱貞庶有利，是說有人欲閑閡車輿，雖脫輹可以修復，必須防衛見護，利今後有所往不可缺也。此其二。（憂其無車而戒之貞正亦可）九三兩馬疾馳，（或駟馬疾競），戒以艱貞有利，每日學習講武，利有所往。（日閑輿衛）（改曰爲日第三解）。

第二說曰閑輿衛，曰閑輿，衛。閑輿一義，防衛者防護輿也，前日有說輹之痛，懲前衍而加倍愛惜之也，則九三之輿即九二說輹輿，今已修復也歟？不必改字可也。曰解可晐日，日解不能晐曰也。以二說較佳。

六四，童牛之牿，元吉。

象：六四元吉，有喜也。

鄭玄：巽爲木，互體震，震爲牛之足，足在艮體之中，艮爲手，持木以就足，是施梏。（大司寇疏。孫堂案此條鄭小同鄭志同。又晁氏謂梏，鄭作角，非是。）

劉表：童，妾也，牿之言角也。（釋文）

九家易：牛觸角著橫木所以告人。（釋文）

陸績：牿當作角。（釋文。孫堂案元輯正文作童牛之角，此四字無，今從釋文。）

王弼：初距不以角，柔止剛，息强爭，豈獨利己，乃將有喜。

孔穎達：艮始能止健，距初不用角，柔止剛，剛不敢犯，所以大吉而有喜也。

司馬光：童牛，不角之牛也。牿者貫角之木，所以止其觸也。四用柔正以畜剛健不用威武，而物自服，故曰童牛之牿，言雖設而無用也。

程頤：艮體，居上位得正，是以正德居大臣之位，上畜止人君之邪心，下畜止天下之惡人之惡，止初如童牛加牿，使觝觸之性不發。四畜止上下惡之未發，大善之吉也。

蘇軾：童中，初九也。牿，角械也。童牛无所用牿，然不敢廢者，自童而牿，迨壯不牿可也，此愛其牛之至也。初九陽微，遂牿之，其漸可畜，愛以德也。故有喜。

紫巖易傳：四艮下爲童牛，艮止爲牿，童牛性順，牿止逸。私欲不行，重禮義法度，必公必正，必能下賢，四陰順止乾上　氣象溫厚，畜賢，畜君，畜民，俱止至善元吉也。

朱震：坤爲牛，坤初爲童牛，始角，往四，角觸之象。牿，橫角之木，周官謂之楅，初之四則二成巽木。剛伏于木，牿牛之象，六四當位，剛柔各得其正，故元吉。

項安世：初九稱童牛，四能制之，爲六四所畜，故爲童牛之牿。牿者闌角之木。告說文牛角橫木也，不當从牛。象有喜，陰陽相得之辭，據己言之。

楊簡：童牛尤其柔者，有牿，外莫得犯。六四以德服人，故元吉，然非能止健者，使健者不犯故有喜，無及人之功故不曰有慶，慶大喜小。

李衡引侯：初進四，牿角不能觸，牿角與无角同，牿謂設其輻衡。引陸：四體柔，止畜養賢，三陽順如童牛加牿，世道必治。引牧：牛雖稚，在牢則物不能犯，陰雖弱，得位，剛不能淩。引石：豶豕去陽者，牿觸也，牙齧也。四觸止初，五齧二，畜止得定乃吉慶。引介：童牛私欲不行而順，物不犯，有牿，乾承之，燮友也。柔克也。

朱熹：童者未角稱牿，施横木於牛角以防其觸。詩所謂楅衡者也。止於未有力易，學記禁於未發之謂豫，正此意。

趙彥肅：童牛之梏，至順也，以接三陽，不亦善乎。

梁寅：柔居柔，得正，止惡有道，大吉。童牛角繭栗之犢，牿，楅衡，加横木於角止觸。制惡禁初，六四得止道。

來知德：童未角，梏施横木于角防觸。四其初陽應，初勢微，止之易。古者止惡未形，用力少而成功多，故元善。

王夫之：施木於牛角禁觸曰牿。本義是也。元吉者，吉在事先也。

周易折中：朱子語類：大畜下卦取能自畜不進，上卦能畜彼不使進。然四能止之於初，力易；五則陽已進止之則難，以柔居尊，得機會可制故亦吉，不能如四之元吉耳。

李光地：上卦止人爲義，此爻取止初之進，止之於初童牛之牿之象也。未發而禁，占斯大矣。

毛大可：陽進，彼二陰何能畜陽？小人不能厲，養君子，君子自厲，自養之。國之畜賢與家之畜牧等也，上九一陽横于上有牿象。侯果曰牿楅也，横施于角，止牴觸。詩曰設其楅衡是也。

李塨：四畜初，初爲童，離牛，童牛也，何觸？艮堅木，爲楅施其首，是止之于豫者也，大吉之道，可喜。

姚配中：牿，牛馬牢也。艮爲童，上陰未發成坤，故曰童牛。震木艮木牛止其中故牿閑之也。防其動失位，祀天之牛角繭栗，繫牢，芻之三月，故童牛之牿，馨聞於天，天祐之。

李富孫：說文引作僮牛之告。釋文作犝，劉云童妾也。牿云當作角，九家作告。案童牛角角牛名，古通用僮。牿作梏，告梏角聲近，作牿，譌。梏施前足，段氏曰不訓牢，告即楅衡也。廣韻古沃切。

吳汝綸：四偪於三，五閡於上，皆楅衡之象。牙當依鄭讀爲互，謂楅衡之屬。一說牿當依劉陸作角，童牛尙無角，豶豕雖有牙，不足爲害于陽也。豶豕，豕去勢者。

馬其昶：晁說之曰說文牿，牛馬牢也。周書今爲牿牛馬。

丁壽昌：字書以童爲無角牛。程傳童犢始角加牿，非也。虞仲翔艮爲童牿，以木楅其角。蘇蒿坪變離牛，艮木止，皆有牿象。

星野恒：童牛未角，著橫木告人。柔得位應初，畜初者也。初陽微制易，猶童牛加牿，此六四不用力而能制之也。

曹爲霖：童牛未角而牿其首，禁易。初剛欲進，預禁如此。四五畜初與二，能止健之變也。

劉次源：以木械角，防牛觸。四止初剛，未角而梏，蒙以養止故爲元吉。

李郁：童犢性好動，楅橫在角止剛故謂牿。郊禮用犢，牛角必端，先期閑之，天子將有事于上帝，故曰元吉。

胡樸安：童牛，野獸牛之幼者，獲而牿之，大牛不易畜，得童牛相喜告，以爲大吉，故象曰有喜也。

高亨：童僮告牿古通用，以木箸牛角，童牛初生角易折，牿之則不觸人物，或傷其角，故元吉。

徐世大：小牛未馴，角方長喜觸，故牿之。大好。

李鏡池：童牛借犢，公牛性野，會觸人，用木架架住牛角，就不會傷人了，所以无咎。

屈萬里：童，說文引作僮。釋名：「牛羊之無角者。」童牛角微，不能傷人，猶著橫木，慎之至也。

金景芳：艮義止，四初應，初微易畜止，錯誤剛萌發易糾正，就象小牛角前放橫木，牛不頂人，六四好比梏，能畜止未發前，這再好不過了，所以叫元吉。

汪忠長：艮爲牛，艮少故爲童牛。艮爲角，四居艮初，有若初生之角，言小牛角初生。四應初故吉。

徐志銳：古人在小牛犢角上繫一橫木，逐漸改變牛的習性，借馴牛比擬六四畜養初九，童牛指初九，牿指六四。

傅隸樸：牿是不用的意思，童牛無角，故六四不用武力去阻拒初九的上進，用柔克剛，以童牛之牿之喻。是大吉之事。

林漢仕案：童牛之牿，元吉。

童牛之象及其所代表之爻義，鄭玄以震爲牛足，三四五爻互爲震也。持木以就足是施梏。

劉表：童，妾。牿，角。

九家易：角著橫木所以告人。

陸績：牿當作角。

王弼與孔疏：「初距不以角。」是初角。「距初不用角。」是四角。

司馬光：不角之牛爲童牛。牿者貫角之木止觸。

程頤：止初如童牛加牿，使觝觸性不發。

蘇軾：童中初九。牿，角械。童牿者愛以德也。

張浚：四艮下爲童牛。艮止爲牿。牿止逸。

朱震：坤爲牛。坤初爲童牛。牿，周官謂之楅。

項安世：初稱童牛，爲六四所畜，故爲童牛之牿。牿者闌角木，不當从牛。告說文牛角橫木也。

楊簡：童牛尤其柔者，有牿，外莫得犯。

李衡引侯：牿角與无角同。牿謂設其輻衡。引陸：三陽順如童牛加牿。引牧：牛雖稚，在牢則物不能犯。引介：童牛私欲不行而順。有牿，乾承燮燮友也。

朱熹：童者未角稱牿，施橫木於角防觸。詩謂楅衡。

梁寅：童牛，角繭栗之犢，牿，楅衡。制惡禁初。

來知德：童未角，初微止之易，惡未形用力少成功多。

王夫之：施木於牛角禁觸曰牿。

折中：四能止之於初，力易；五則陽已進，止難。

李光地：此爻取止初之進，止之於初童牛之牿之象也。

毛奇齡：二陰何能畜陽？上九一陽橫于上，有牿象。

李塨：初童，離牛。童牛也。四畜初。楅施其首，止之于豫者也。

姚配中：牿，牛馬牢也。艮童，上陰未發成坤故曰童牛。牿閑防其動失。

李富孫：說文引作僮牛之告。釋文作犝，案古通用僮。牿作梏，告梏角聲近，作牿譌。梏於前足。段氏不訓牢，告即楅衡。

馬其昶：說文牿，牛馬牢。

丁壽昌：童牛爲無角牛。程傳始角加牿非也。虞仲翔艮爲童牿。蘇蒿坪變離牛，艮木止有牿象。

星野恒：童牛未角，著橫木猶童牛加牿。

劉次源：以木械角防觸。

李郁：童犢性好動，楅橫在角止剛故謂之牿。

胡樸安：童牛，野獸，牛之幼者，獲而牿之也。

高亨：童僮，告牿古通用。童牛初生角易折，牿則不觸或傷其角。

李鏡池：童借犝，公牛性野，用木架住牛角就不傷人。

屈萬里：童牛角微，不能傷人，猶著橫木，慎之至也。

金景芳：六四好比梏，能畜止未發前。

汪忠長：艮爲牛。艮少故童牛。艮爲角，四居艮初，有若初生之角。

徐志銳：借馴牛擬六四畜養初九，童初，牿指六四。

傅隸樸：牿是不用的意思，六四不用武力拒初上進。

其象，義爲：妾。（劉表）

童未角稱牿。（朱熹）

童未角。（梁寅）（來知德）（丁壽昌稱無角牛）

初童。（李塨）

作僮，犝。（李富孫引）

不角之牛爲童牛。（司馬光）

童牛初九。（蘇軾）（項安世）

四艮下爲童牛。（張浚）

坤爲牛，坤初爲童牛。（朱震）

二陽順如童牛加牿。（陸希聲）

離牛。初童離牛爲童牛。（李塨）（蘇蒿坪）

艮童，上陰未發成坤故曰童牛。（姚配中）

野獸，牛之幼者。（胡樸安）

犢牛，公牛性野。（李鏡池）

艮牛，艮少故童牛。（汪忠長）

童牛私欲不行而順。（李衡引介）

童牛尤其柔者。（楊簡）

童牛角繭栗之犢，性好動。（梁寅）（李郁）

童牛初生角。（高亨）

從象取坤牛，離牛，說卦坤爲牛，逸象坤爲黃牛，牝牛。注云俗以離爲牝牛失之。至艮爲童僮僕，汪忠長誤以艮爲牛。四爻互三二則成兌澤；三四五則成震雷，以四爻本身陰爻，不能以一陰爻代表三畫或六畫之坤，是坤，離，艮皆不能成象也。

劉表之童，妾也。蓋指坤牛，母牛耶？抑賤牛，小牛？而李鏡池从犢字上逕謂公牛。而六四爲陰爻，知李富孫引釋文作犢，李鏡池稱公牛之不當也。若謂初九爲犢，公牛，則嫌重複敍卦，並無視初九乾象無牛之傳注，任易家隨應承指定屬性耳。初九已如前爻述：「剛銳出發，上有應援，一往無前，砥厲逢水涉水，深厲淺揭，爲自己進身則有利也。」六四再述初九似無必要，明乎此，六四之「童牛之牿。」乃指六四爲童牛之牿也。故孔穎達之距初不用角。張浚之四艮下爲童牛。折中之四能止之於初。力易「「是四止初。

六四階段擬爲童牛，蓋上承下啓，程頤稱六四「以正德居大臣之位。」必須以牛之耐性，勤勞，任驅使，而草食即足，以饜五上之意，不爭不求而勞怨不辭，乃爲人上者之所望也。佛家禪宗溈山靈祐禪師以作一水牯牛之公案，披毛戴角，混同人獸，破聖凡，泯衆生相、我相、人相，壽者相。如莊子呼我牛馬則應之以牛馬，是心之平，態度之自然，無復有造作之象矣。是宜先明六四爲童牛，至牿之義也：

有云：持木就足是施梏。（鄭玄）

牿，角。（劉表）

當作角。（陸續）

牿者貫角之木，所以止觸。（司馬光）

角械。（蘇軾）

牿止逸，私欲不行。（張浚）

横角之木。周官稱楅。（朱震）

牿謂設其輻衡。（李衡引侯）案輻當作楅也。

詩所謂楅衡者。（朱熹）

牿，牛馬牢也。（姚配中）（馬其昶）（見古文尚書費誓）

作牿，角聲近，作牿，譌。（李富孫）（梏施前足，不訓牢，告即楅衡。）

楅横在角，牛角必端，先期閑之。（李郁）

梏指六四，借馴牛擬四畜初。（徐志鋭）

梏是不用的意思。四不用武力拒初。（傅隸樸）

上十四說又可縮成八說：持木就足。角。貫角之木。輻衡。楅衡。牛馬牢。作牿譌。牿，不用。至著橫木於角作用爲不觸，使角端正，止逸使私欲不行，慎之至也，在此姑不論。

作牿，經籍之義：說文：牿，牛馬牢也，从牛告聲。周書曰今惟淫舍，牿牛馬。

作梏，經籍之義有：直也。大也。悔吝利害也。猶繫縛也。桎梏械也。手械。

童牛之牿。牿，梏之義，从上兩說比較中，易家除李富孫謂牿譌外，多以易梏字解義，雖不敢「奮筆直書牿爲梏。」而梏義似告確定。而漢仕此時不欲从衆，以爲仍舊不改字，解牿爲上，蓋六四之爲童牛。童，欲望或不高而易滿，如公孫弘之事屢廢皇后，屠宰輔之漢武，公孫布被之譏得全終以事雄才之主也。童者易足望，牛者心安於份內勞作，牿者牛馬牢，喻畫地自限。夫如是，六四或能如程頤之謂：「六四居上位得正，是正德居大臣之位，上止君邪，下止天下人之惡」也。六四，童牛之牿，元吉，大吉者，其如是乎？其如是也。朱駿聲案「牿當訓牛角木也，牛觸人角箸橫木，易大畜童牛之牿，叚借爲梏，從僞傳爲牢失之。」六四時位言，牿不必假借矣。牿爲牛馬牢解即索得其義矣。至以牛自居，美牛之善者如曹爲霖引陳氏曰「牛爲君子。」則其餘事也。

六五，豶豕之牙，吉。

象：六五之吉，有慶也。

鄭玄：牙，讀爲互釋文。（孫堂案今文互，隸書或作𤘫，今據改。）

劉表：豕去勢曰豶。（釋文）

王弼：豕牙橫猾剛難制，謂二也。五畜主，能豶其牙，柔禁暴抑盛，豈唯能固其位，乃將有慶也。

孔疏：豕牙謂九二，欲進，五柔能豶損其牙，柔制剛禁暴，所以吉也。褚氏曰豶，除也。爾雅豶大防，則豶是隄防之義。防止其牙，古字假借。

程頤：剛躁之物，牙爲猛利，若强制其牙，則用力勞而不能止其躁，去勢則牙雖存而剛躁自止。所以吉也。知天下惡不可以力制。不嚴刑於彼而修政於此，猶患牙豶其勢。

蘇軾：豶豕，羠豕也，九二之謂也。有牙而不鷙者也。可畜矣。大畜之畜乾也。不惡其牙而畜之，將求其用，故有慶。孔子曰積善之家，必有餘慶。

東谷易傳：柔畜剛，蓄之以力。四五畜乾之道，當若牛豕然，牛童而牿則不觝觸，豕雖躁，始畜豶之，有牙而不猛，柔畜剛不可力勝，其理當如是。五慶其喜之至歟！

吳園易解：童牛之牿，犯而不校；豶豕之牙，不怒而威！夫然後可以有爲，非所畜之大，正其能之乎！自勝之謂强如此。

紫巖易傳：五蘊剛德於內，用以靜止，獲畜賢之慶。內外孰不懷畏而服，五四同德，私欲不行，四喜五慶，堯舜蕩蕩巍巍，禹稷臯陶吁咈都俞一堂，畜賢以畜天下乎！

朱震：牡豕曰豭，攻其特而去之曰豶，馴躁自止，牙不能害物矣。慶者三陽受畜而爲用陰，以陽爲慶。二應五得正，故吉。有血氣皆有爭心，見利則動，因民之利，率之以柔中，至垂衣拱手天下服。

項安世：五據利勢制九二，故爲豶豕之牙，牙者繫豕之杙。九二剛居柔，无勢，故爲豶豕。告制牛，牙制豕。象言慶則喜及人也。

楊簡：牝豕曰豶，牝陽也。五之象，牙能制物，有含藏之象焉。得止健之道矣。止曰吉不曰元，以剛制乃適變之道，非其本也。足止健，奸雄不毒，福及天下故有慶。

李衡引陸：豶豕去勢，五以柔處剛，得中養賢，不用悍者。引牧：去勢則牙不能長，猶二乘初爲輿說輹，剛不能進。引胡：牙，杙也。君邪欲初行，四能制之。引昭：牙當爲刃。引陳：六五忌賢若豕之肆其牙，能退不忌剛進則吉，艮體不至躁甚，故能改修。引逄：牙，橛也。

朱熹：陽進而止，不若初之易，然柔居中當尊位，得機會可制，其象如此，雖吉不言元也。

趙彥肅：六居五故爲豶豕之牙，和順不拂上，承上九下引三陽，人君畜賢之道如此。

梁寅：五止二亦制其惡。牡豕曰豭，攻其特而去之曰豶。去勢則絕其剛躁之性，牙存不害矣！艮居尊止惡，九二如豶牙，不爲害可以吉矣。柔勝剛，弱勝强，四五見之。

來知德：豶者犗也。騰也。乃走豕。牙者以杙繫豕也。非齒牙。如槳牙，戟牙，簷牙，牙帳，床牙。杙牙者椿之杈牙也。舊註宮刑去勢，天下无齒人之家！六五居尊畜乾，畜乎其二者，强暴梗化，自屈服矣，故吉。

王夫之：豕去勢曰豶，豶馴而牙不妄噬。六五應九二而畜之，九二妄躁，噬物，五豶制其暴，則剛柔相得安，故吉。

李光地：取能止二之進也。豶豕之牙，消惡於本，吉道也。

毛大可：二居伏坎初陰，以陽居陰則奪其陽，是坎豕豶豕也。豶豕，劇豕。無勢之豕也。埤雅曰牙，杙也。海岱間以杙繫豕謂之牙。賦曰置牙擺牲是也。

李塨：豶豕劇豕，去勢豕也。性和不牙，有慶之道也。

姚配中：周禮牛人共其牛豶之互（謂楅衡之屬，今屠縣肉格，又謂祭時陳設。）謂祭也。豶，幼豕也，牛用童牛，豕用幼豕。畜之大莫過於祭，所謂博碩肥腯者也。

李富孫：牙鄭讀互。（自注先鄭互楅衡之屬，後鄭互若今屠家縣肉格）形似相亂也，鄭讀互當即本先鄭之說。

丁晏：虞翻劇豕稱豶。崔憬今俗呼猶劇豬是也。案說文豶羠豕也。無劇字，劇乃劇之譌。小顏急就篇注羖之犗者爲羯，謂劇之也。然則羊豕去勢可謂劇也。集韻劇也音犍。又作捘劇，以刀去陰曰劇。

集解本誤作劇豕。

馬其昶：何楷曰爾雅云豕子豬獼豶。豶者豕子也。徐文靖曰方言海岱之間，繫豕杙謂之牙。

丁壽昌：王注能豶其牙。褚氏豶除其牙。案豕牙非可除之物。景升去勢，釋文豶謂犍豬，說文羠豕，犍犗牛，去勢名。韓非子堅刀自豶。景升說實古義。虞仲翔曰劇豕，家大人曰劇當作劇豕，形誤。

剔也。

星野恒：豶者禁制損去之名，或云除牙，或云去勢。柔當尊位，不以力制，得其要領，能畜天下之惡，猶去牙不得肆其剛躁之性。道之以德，齊之以禮，六五得畜道之本乎！

曹爲霖：陳氏曰牛象君子，豕象小人，豕以牙齧，豶勢牙不爲患，二剛銳有此象。慶，猶喜也，如高祖從張良言罷封六國後，契斯象矣。

劉次源：豕去勢名豶，豕燥善噬，豶則牙馴，五二應，二不正，畜以柔道，相安不爭。

李郁：牙讀互，互者竹木係性之具也。豶豕即幼豕，性柔好動，今居剛，柔制于剛是受互。祭用特牲，充人先閑之，博碩肥腯，乃陳于廟故吉。

胡樸安：豶，墳之借字，大豕也。牙，互之誤，說文糾繩也。以繩糾之亦曰互，言獲大豕以繩縛之也。獲野豕大喜互相慶告。童牛可耕田故曰大吉。豶豕僅供食料故曰吉。

高亨：古人畜馬去勢曰騬，牛犍，犗。羊羠，羯。犬猗。豕豶。其義一也。牙互古通用。交木爲闌以閑豕，豶豕創痛，將愈甚癢，往往觸物致創，閑之乃無虞。

徐世大：羠豕，（騬，犗）通稱騸，牙赤露，好傢伙。

李鏡池：豶从賁，義爲奔。牙即木框木架之類。大猪奔突，會毀壞庄稼，所以用木架架著頭部則吉。

屈萬里：陸佃埤雅：「今東齊海岱之間，以杙繫豕謂之牙。」韓非子「豎刁自豶以爲治內。」釋文劉曰「豕去勢曰豶。」吾鄉謂壯豕曰牙豬。豶封豕也。封大也，殆野豬也。

金景芳：君位守中，以柔止二剛暴之氣。二剛暴象猪牙一樣，根本辦法是豶猪去勢，就不構成害了，這樣就吉。

汪忠長：豶猪爲小豕，艮少象。二兌爲牙，五應，故豶豕之牙，言初生牙也。按艮爲黔喙，疑艮或有豕象。

徐志銳：劉表豕去勢曰豶，來知德訓豶爲小猪仔。牙拴猪仔木樁，拴起來防止跑掉。大傳借此引申發揮賦予新義。

傅隸樸：豶豕之牙即割去豕之生殖器爲閹豬，吾鄉呼公豬爲牙豬。豶割，牙生殖器，閹後則和順。禁暴抑盛是帝王大畜手段之一，豈非國家之吉！

林漢仕案：豶與牙二字爲六五焦點字，依經籍豶義有：

劇豕稱豶。（易大畜）

謂犍豬。（爾雅釋獸）

豕去勢曰豶。（易大畜）

豶豕之，从豕賁聲。（說文）

除也。（易大畜注）

牙字之義有：

牙旗。（文選東京賦）

機謂之牙。（廣雅釋器）

牙也者以爲固抱也。（考工記輪人）

或作雅。本或作迓。讀如訝。鄭讀爲互。

「劇豕稱豶。」丁晏以爲乃劇之譌。集解本誤作劇。丁壽昌亦謂虞仲翔曰劇豕，家大人曰劇當作劇豕，形誤，劅也。

茲輯易家衆見如后：

豕去勢曰豶。（劉表）

豶損其牙。（孔疏）

除也。（孔疏引褚氏曰）

豶是隄防之義。豶之牙，防止其牙。（孔疏引爾雅）

豮豕也。（蘇軾）

牡豕曰豭，攻其特而去之曰豶。（朱震）（與去勢同。）

九二剛居柔，无勢，故爲豶豕。（項安世）

牝豕曰豶，牝陽也。五之象。（楊簡）（趙彥肅亦謂六居五故爲豶豕之牙。）

豶者犗也。騰也。乃走豕。（來知德）

二居伏坎，以陽居陰則奪其陽，是坎豕豶豕也。豶豕，劇豕，無勢之豕也。（毛奇齡）

豶豕劇豕，去勢之豕也。（李埱）
豶，幼豕也。（姚配中）（李郁謂性柔好動。）
劇豕稱豶，俗呼劇豬，說文豶豕，無劇字，劇乃劅之譌。羊去勢亦可謂劅。又作拹劅，以刀去陰曰劅。集解本誤作劇豕。（丁晏）
豶者豕子也。（馬其昶）
犍豬。（丁壽昌引釋文）韓非子堅刀自豶。
豶，墳之借，大豕也。（胡樸安）
馬騬，牛犍，犗。羊羠，羯。犬猗。豕豶。其義去勢一也。（高亨）（徐世大謂通稱騸。）
豶从賁，義爲賁，大猪奔突，會毀壞莊稼。（李鏡池）
吾鄉謂壯豕曰豬，豶封豕也。封大，殆野豬。（屈萬里）
小豕。艮少象。（汪忠長）
豶割。（傅隸樸）
豶義約而言之：豕去勢。攻其特而去之。割。
損，除。
隄防，防止。
羠豕。

九二剛居柔无勢。

六居五故爲豶豕。

犗也騰也，乃走豕。

劇豕。

幼豕。小豕，小豬仔。

墳，大豕。从賁，大豬奔突。

劇豕。（捘）

犍豬。

野豬。

五本爲君位，今貶落至爲賤豬，爲小人。（曹爲霖引陳說）似嫌不類，或係亡國敗家之君乎？前朝之君可任由承繼者褒貶，故孟子不信書，武成取其二三而已。然易非史事。五可比之君，亦可謂卜者之一階段，如是則無污衊五君之嫌。上十三說中，有對立言者如大小豕，二五應，柔野說。有同義者如羠豕犍豕。有錯字者如作劇改爲劇。攻其特，特爲牡也，公牛也，攻特義與豕去勢同。傳隸樸逕稱割。豶字無割義，乃解釋其狀態。然「割除」確應爲本爻豶豕之牙之正解。（孔疏引褚氏曰）意爲「割除豕之牙」。牙爲何物？經傳「牙」義有牙旗、機牙、固抱、雅、迓、訝、互。易家謂牙爲杙，椿之杈牙也。交木爲闌以閑豕也，木框木架也，竹木係性之具也，楅衡之屬屠縣肉格。祭時所陳設者。牙豬謂壯豬，拴猪仔木樁，全與牙齒字無涉。而牙帳、戟牙、簷牙、床牙，亦與牙齒無倫。傳隸樸謂牙爲生殖器，彼云：「吾鄉呼公豬爲牙豬。豶，割。牙，生殖器。」話醜理正。雖經傳無牙，生殖器之注，俗有之，猶之今「結紮男性」或有損雄風，謂之無牙。又如虎狼去其爪牙而失勢，虎狼之去爪牙而勢孤，威勢弱，義轉如去勢者。俗又謂小槍、迫擊砲、加農砲、小鳥、小GG，如簷牙、牙旗之高舉者形像之，言者有意而聽者亦會心一笑。知爲生殖器也。傳公隸樸敢以牙豬，豬有牙，即有勢稱爲公豬，雖違傳統經傳與善良風俗。而六五之解得通暢無礙矣！雖然，傳公有未之到者，牛豬之去勢，非是去其生殖器也，牛豬狗貓之去勢，俗謂閹，乃割去其外腎睪丸也。與閹人不同，閹人得平根切去，連同外腎與桿桿齊斷，無復有突顯時，而豬狗則仍然帶把，然春情從茲無復蕩漾矣！

牙義，鄭玄讀爲互。

王弼即牙本義，齒牙也。

項安世謂牙繫豕之杙。告制牛，牙制豕。

李衡引昭牙當爲刃。引逄，牙橛也。

來知德謂非齒牙，以杙繫豕，杙牙樁之杈牙。天下无齒人之家。

毛大可：海岱間以杙繫豕謂之牙。

姚配中謂互，楅衡，屠縣肉格。

丁壽昌：豬氏豶除其牙，案牙非可除之物。

李郁：互者竹木係牲之具。

胡樸安：互說文糾繩也，以繩糾之亦曰互。

高亨：牙互古通用。

李鏡池：牙即木框木架之類。

屈萬里：吾鄉謂壯豕曰牙豬。

徐志銳：牙拴猪仔木樁。拴起來防止跑掉。

傅隸樸：牙，生殖器。

是牙義有互，齒牙，杙樁杈牙，當爲刃，牙橛，竹木係牲之具。繩索，木框木架，壯豕謂牙豬，生殖器。互爲縣肉格，楅衡。而互牙之辨，有云牙乃𠀤之誤。來知德謂「天下无齒人之豕。」則牙之不當齒牙之牙也明矣。若夫野豕（屈萬里云）犯之則噬人矣！又以樁杈牙繫豕亦天下之稀見。牛有鼻圈，豕如何繫？豬氏之豶除其牙。來知德告以豬牙不可拔除，然則牙之爲何物該有所類矣，牙門，牙旗，簷牙之高翹狀物之高翹而除之，是眞豕之去勢也，去勢之豕肥碩無情欲，故性柔，無復有春花秋月之戀，以食睡爲性矣。楊簡云五之象。趙彥肅亦謂以六居五故爲豶豕之牙。五眞牝陽也。宜陽而陰居。故六五豶豕之牙也者如同野性之豕，除其煩惱命根子（睪丸），受養於人也。得其統御之法則所謂無爲而治，君無爲天下安。不得其統御之法而制於人，則君臣上下名份尚在，雖大權旁落而坐享衣食無缺，食睡無煩之時段，吉何如也。

上九，何天之衢，亨。

象：何天之衢，道大行也。

馬融：四達謂之衢。（釋文）

鄭玄：艮爲手，手上肩也。乾爲首，首肩之間荷物處，乾爲天，艮爲徑路，天衢象也。（後漢崔駰傳注）傳象：人君在上位負荷天之大道。（文選注十一）

王弼：畜極則大通。猶云何畜乃天之衢亨也。

孔正義：何，語辭，畜極更何所畜，无所不通也。既通，道乃大亨。

張載：其道大行，升於天，何待衢路而進，言无所不通也。衢字當爲絕句。艮止，止二陰也，不以止其類，故亨。

程頤：畜大，極而散，極當變。天衢，天路，虛空雲氣飛鳥往來，故謂天衢。亨謂曠闊无有蔽阻也。

蘇軾：天衢者，上所履不與下共，德有以守之，上九德足自固，无忌乾而大進之，何天之衢有而不汝進也。乾大服矣！

鄭汝諧東谷易翼：小畜陽受畜而止，大畜陽不受畜而通。大畜非畜極而散。小畜以六四爲卦主畜上下五陽，大畜四五爻協力畜下乾，上九處外，四五尊之。亨則道大行，若天之衢，何字羡文。

張浚：群賢並進，無所滯礙，治立功成，致之自人，與之自天，曰天衢。互震爲大途，爲衢。三陽爲上畜，上，五所畜，六四同德，以畜德爲貞。

朱震：乾爲天，震爲大塗，言何其衢之亨如是乎！三陽上進，道大行也。

項安世：上九在上導乾以上行，故爲天之衢，亨。言亨明畜道之變也。何，三問上，得合志之人容其上往，故驚喜而問之也。何語下告防輿衛，問上，又衢道怪何其大也。

楊簡：上九不待制畜，上下情通，何爲驚辭，大畜之世，制嚴，忽然亨通，故驚喜曰何天衢之亨也。

李衡引陸：上爲養賢主，德厚能負何天之大。引胡：經文多何字。引陳：乾進與己同德，故愛之養之，陽九被抑，今通亨，故曰何，訝之也。

朱熹：言何其通達之甚也，畜極而通，豁達无礙，其占如此。

趙彥肅：德蘊於內，發揮於外，畜極而亨也。

梁寅：畜極而通，上進豁達如登天衢然。艮爲路，艮在上又居其上，猶天之路。上乘三行，相得宜亨，自下望者言何其得路如是哉！

來知德：畜極而通。何，擔負也。肩荷也。四達爲衢。以人事論，天衢乃朝廷政事之大道，道大行，正不家食，擔任廟廊重任，此其時矣，故有何天衢象，亨可知矣。

王夫之：何，負也。路四達曰衢。何天之衢，莊子所謂負雲氣，背青天也。艮非抑乾，止躁養德使裕於行也。上九尙賢，與乾合德，三陽依以翺翔，所往無不通矣。

周易折中引王氏宗傳曰：剛上而尙賢，上九是也。天衢通顯之地，賢者道亨也。何，釋文音賀，言身任天下之責。當畜賢時爲五所尙，主張賢路，賢者得志，莫盛於斯也。又案喻其通也，言其遇時之通也。

李光地：天衢，天路。何，荷也。猶詩何天之休，何天之寵。畜極則通。又卦有尙賢之義。小人止君子進，非荷天路之蕩平不及此。故占曰亨。

毛奇齡：畜極大通矣。不受畜。震爲大塗，即天衢，本震初升爲艮，倒震，一若反大塗而背負之，所謂荷也。尙賢養賢爲任，所荷者開艮闕，闢震塗若天衢也。按何荷通，商頌何天之休。王輔嗣誤註何，語辭。

李塨：艮路，上天位是天衢，天道也，吾道大行之會。義與小畜反，小人柔似易制，實陰藏奸；君子剛難馴，實樂循道，剛而能止，得時，故爻慶其大行，檢身養心訓也。

姚配中：在五上，五何之？二之五上化之正，陰陽通故亨。賢者道所在，養賢則道行矣。故道大行，謂成既濟也。賢得而民得，民得而失與之矣。

丁晏：先儒皆讀如荷。文選魯靈光殿賦荷天衢，張載注易作荷天之衢，詩言何天之休，之寵，皆讀如負荷之荷。輔嗣讀如平聲，以何爲辭，非也。

吳汝綸：鄭云負荷天之大道。虞訓何爲當。幷通。

馬其昶：乾天震衢，上九一陽踞上爲何天之衢。

丁壽昌：王注何，辭也。程傳誤加何字。本義何其通達之甚。王注本義俱誤讀平聲。胡安定以爲衍文。虞翻當也。考易負荷之荷皆作何，何荷古通。弼多俗說，李資州所謂野文。

星野恒：天衢天路也。畜極而變，空曠寥廓，無有遮隔，因稱之曰何天之衢，所以亨也。

曹爲霖：以人事論，天衢乃朝廷政事之大道也。陳氏謂賢才胥行其道，如漢光武，唐憲宗之任相命將，赫然中興，象可見。誠齋傳止惡而不止善，是大畜之義也。

劉次源：何荷，天衢雲路，背負青天，以龍爲御，雲行雨施，沛然莫禦，其亨也，乾之志也。

李郁：荷全民之重任故荷天之衢。陽剛在上，登光輝康衢，爲國爭榮，爲民造福，所荷重矣，大道能行故曰亨。

胡樸安：說文四達謂之衢。田獵深山，牿童牛，互豶豕，何天祐助，得四達道，會聚民以歸。

高亨：何猶受，疑當讀爲休，古通用。謂受上天之庇蔭也。古人舉行亨祀，曾筮遇此爻，故記曰亨。

徐世大：農業有待乎天祐，仰荷天的路亨通。

李鏡池：何荷，承受。衢，休也，祥也。靠天吃飯，沒有水旱，就是天的福祐，大吉大利。如詩長發「何天之休。」

屈萬里：何荷也。鄭注：人君在上負荷天之大道。按天衢義即天行，猶天道，天運也。

金景芳：程傳說誤加何字。朱子作語詞講。諸家以荷解，荷天之衢者，言遇時之通也。作荷音賀爲是，不从程朱。

汪忠長：艮一陽在上爲天，又爲背故曰何。艮爲道路，故曰何天之衢。衢道也。言陽在上不爲所畜，通達之甚也。

徐志銳：畜道已成，可以上進，才德充實，正是聖賢才德之士大有作爲之時，何天之衢，鵬程萬里。象道大行也。

傅隸樸：上九居畜極，不受畜而能當大畜之任。艮闕，開天闕廣進天下士，賢俊馳騁天衢，荷承國家絕對信任，爲政還有不通的嗎？故曰何天之衢亨。

林漢仕案：何天之衢，亨。句型與詩經「何天之休，不競不絿。」「何天之龍，敷奏其勇。」「敬天之怒，無敢戲豫。」「敬天之渝，無敢馳驅。」同。爲讓整卦有一貫之義，試讀：

初宜砥厲勖勉，深厲淺揭，可一往無前，利矣！

九二輿脫輹，車不得行，心無怨尤，知其莫可奈何而安之若素。

九三將其駕車之馬競逐，憂泛軼而戒之艱貞，車脫輹可修復，時時講究閑閡車輿與習武，則無往不利也。

六四雖居上位得正而欲望不高，擬如童牛易足，安於勞作，雖畫地自限，可獲大吉也。

六五野性已除，心如止水，雖受養於人，坐享食睡無煩、無缺，蕭規曹隨乎？吉何如也。

上九荷通天人之際大業，亨通無礙也。

茲錄眾說如后：

鄭玄：何，荷。荷天之大道。

王弼：何畜乃天之衢，亨也。

孔正義：何，語辭，通，道乃大亨。

張載：无所不通也。何待衢路而進。

程頤：天衢，天路，虛空雲氣，无有蔽阻也。誤加何字？

蘇軾：有而不汝進也。上履不與下共。

鄭汝諧：何字羨文。若天之衢。

張浚：致之自人，與之自天，曰天衢。

朱震：言何其天衢之亨如是乎！道大行也。

項安世：上九道乾上行，故爲天衢，何，三驚喜之問也。

楊簡：何，驚喜之辭曰何天衢之亨也。

朱熹：何其通達之甚也。

梁寅：下望上言何其得路如是哉！

來知德：何，擔負也。肩荷也。天衢乃朝廷政事，任廟廊重任，此其時也，故有何天之衢象。

王夫之：何負也。何天之衢莊子所謂負雲氣，背青天也。三陽依以翺翔，所往無不通矣。

折中：天衢，通顯之地，何任天下之責，上遇時之通也。

李光地：何猶詩何天之休，何天之寵，荷也。非荷天路之蕩平不及此。
毛奇齡：震爲大塗即天衢，倒震反大塗而背負之。
李塨：上天位是天衢，天道也。
姚配中：五何上，二之五化正，陰陽通故亨。
吳汝綸：虞訓何爲當，鄭訓荷，幷通。
劉次源：背負青天，以龍爲御，雲行雨施，沛然莫禦。
李郁：荷全民之重任，故曰荷天之衢。爲民造福，所荷重矣。
胡樸安：何天祐助，得四達道，會聚民以歸。
高亨：何猶受，疑當讀爲休。謂受天之庇蔭也。
李鏡池：何荷，承受。衢，休也，祥也。天的福祐。
屈萬里：人君在上負荷天之大道，天衢義即天行，猶天道，天運。
汪忠長：艮一陽在天，艮爲道路，故曰何天之衢。
徐志銳：何天之衢，鵬程萬里。象道大行也。
傅隸樸：荷承國家絕對信任。

從上三十說中，歸納「何」義有：

1. 荷也。擔負也，肩荷也。背負也。

2.語辭。

3.誤加何字。何爲羨文。

4.驚喜之辭。

5.猶受，疑當讀爲休。

6.當也。

「天衢」之義亦有：

1.天衢，天路。虛空雲氣，無有蔽阻。

2.與之自天。

3.道大行。通達之甚。得路如是！

4.上九道乾上行。三陽依以翺翔。

5.朝廷政事，任廟廊重任。通顯之地。國家絕對信任。

6.震爲大塗。

7.艮一陽在天，艮爲道路，故曰何天之衢。

8.四達道。天祐助得四達道。

9.天庇蔭。天福祐。衢，休也，祥也。

10.天行，天道，天運。

11.鵬程萬里。

從上六說「何」，十一說「天衢」中，吾人可得：合乎詩經「何天之休，何天之龍，敬天之怒，敬天之渝。」之句型，「何」當讀爲荷。即擔負，肩負之意。「天衢」通天之四達道。猶之大史公司馬遷茸以蠶室，刑後爲中書令，尊寵任職，恨私心未盡，沒世文采不表於後也。故究天人之際，通古今之變，荷此大任，惜其不成，與時俯仰通其狂惑是也。司馬遷之少年不羈，至自謂身殘處穢，動而見尤。而榮譽有加，隨君左右，尊寵任職。荷斯究天人之際，通古今之變史書未裁成而與時俯仰，其亨也者蓋如是乎！

䷚頤卦（山雷）

頤，貞吉。觀頤，自求口實。

初九，舍爾靈龜，觀我朵頤，凶。

六二，顛頤，拂經于丘頤，征凶。

六三，拂頤，貞凶。十年勿用，无攸利。

六四，顛頤，吉。虎視眈眈，其欲逐逐，无咎。

六五，拂經，居貞吉。不可涉大川。

上九，由頤，厲，吉。利涉大川。

䷚ 頤，貞吉。觀頤，自求口實。

彖：頤，貞吉。養正則吉也。觀頤，觀其所養也。自求口實，觀其自養也。天地養萬物，聖人養賢，以及萬民，頤之時大矣哉！

象：山下有雷，頤。君子以慎言語，節飲食。

宋衷：頤者所由飲食自養也。君子割不正不食，況非其食乎！是故所養必得賢明，自求口實，必得體宜，是謂養正也。

荀爽：雷爲號令，在山下閉藏，故慎言語。雷動上，陽食陰，艮以止之，故節飲食也。言出乎身，加乎民，故慎言語，所以養人也。飲食不節，殘賊群生，故節飲食以養物。飲食失宜，患之所起。

鄭玄：頤，口車輔之名也。震動于下，艮止于上，口車動而上因輔嚼物以養人，故謂之頤，頤，養也。能行養則其幹事吉矣。二五離爻，皆得中，離爲目，觀象也。觀頤，觀其養賢與不肖也。頤中有物曰口實，自二至五有二坤，坤載養物而人所食之物皆存焉。觀其求可食之物則貪廉之情可別也。

劉表：山止于上，雷動于下，頤之象也。

姚信：彖養正則吉，以陽養陰，動于下，止于上，各得其正則吉也。

翟元：天上，地初也。萬物，衆陰也。天地以元氣養萬物，聖人以正道養賢及萬民，此其聖也。

李鼎祚引虞翻：晉四之初，與大過旁通，養正則吉。謂三之正，五上易位，故頤貞吉。離目故觀頤，觀其所養。賢不肖，頤中有物曰口實，二至五有二坤，載人所食之物。

王弼傳象：言飲食猶愼而節之而況其餘乎！

正義：頤養之世，養此貞正則得吉。觀頤者觀聖人所養物也。自求口實者，觀其自養求其口中之實。

司馬光：萬物有者爲陽，無者爲陰。聖人愛養萬物爲仁，不愛不養爲義，義者裁仁以就宜者也。其人賢，所養必賢，不肖，所養必不肖，故富視其所與，貧視其所取，足以知其爲人矣。

張載：觀頤辨養道得失，欲觀人處己之方。

蘇軾：觀頤謂上九，自求口食，觀其自養謂初九。

程頤：上止下動，外實中虛，人頤頷之象。養生，養形，養德，養於人皆以正道則吉。觀其自求養身之道善惡見。

吳園易解：天人之頤如此，豈自養而已哉！

朱震：初九之正言頤養之道。觀所養是非美惡爲觀頤。四反觀口實，頤中物也。二四正，三五上不正，自養不正，雖富貴不處也。明己養當正。卦氣十一月，太玄準之以養。

項安世：觀其所養，指上九；觀其自養，指初九。頤，上止不動，其象爲頤。山下有雷，頤，聲未出山也。謹言語，象雷之藏聲。節飲食，象山之止物。

朱熹：頤，口旁。上下二陽內含四陰，上止下動爲頤象。養義得正吉。觀頤謂觀其所養之道，自求口實，謂觀其所以養身之術，皆得正則吉也。

趙彥肅：下動求養上，止靜以應之。動於春夏，止於秋冬，天地所以養物。動於日出，止於日入，人所以養生，少壯動，衰老止，亦其義也。養人，養於人皆是。天地養萬物是贊初上之功。

梁寅：上陽輔，下陽車，四陰齒，外實中虛，上止下動，頤，義則養人：養形，飲食而已；養德，養民，養賢才，正則吉。自求口實，觀養身正不正，飲食謂口實，自求豈貪欲者哉！當自審擇，不可失其正焉。

來知德：觀象，陽實養人，陰虛求人之養。自求口實者，自求養于陽之實也。自求同體之陽。

王船山：頤，上下二陽，上齶下頷，四陰，齒象。頤所以食，故爲養。正乃吉。滋其生，充其體，善其氣，凝其性，皆養之功。存乎觀與求而已。

周易折中引朱子語類：觀其養德正不正，觀其養身正不正。引林氏希元曰：所養二，養性，養身。如聖賢之道，正也。重道義正也，急口體輕道義則不正。引陳氏琛曰：集義養氣，寡欲養心，德正；窮不屑嘑蹴，達不至素食，養身正。又引陸氏銓曰：觀頤考其善，自求口實，即於己取之而已矣。

李光地：卦體有口象，山下有雷，草木根荄，得陽氣而滋養，亦頤象。頤道得正則吉，若自饜其欲，則失頤道之正。故必觀所養，求養之方以自養，是養正之義也。

毛奇齡：頤以養爲義，顧卦無所爲養也。兩陽一從觀來，一自臨來，一在天，一在地，養陰眾于其間，乾聖艮賢養坤民于下，養義大焉，非他，頤之時也。

李塨自注鄭玄頤口車之名云：正字通一曰輔車，一曰牙車，一曰頷車。兩輻曰輔。

焦循：能養己養人，故終則有始。

姚配中：三上易位，五之正故貞吉。

孫星衍引集解陸希聲曰頤大過與諸卦不同，大過從頤來，六爻皆相變，故卦有反合，爻有升降，所以明天人之理焉，故徵象會意必本於此。（漢上圖）

吳汝綸：得自求口實之義。口食，謂福祿，自求多福也。

馬其昶：頤貞吉，此論自養之道。觀頤自求口實，此論養人之道。

丁壽昌：虞仲翔曰離爲目，故觀頤。坤爲目，艮爲求，口實頤中物。蘇蒿坪曰卦體似離，故有觀象。

星野恒：頤，頷也。口實謂食也。上下兩陽，中四陰，有人頤頷之象。食以養身，以禮以義則可就養，才有爲可享其食，微幸不免素餐，此君子所以觀頤而自求口實也。

曹爲霖：千古觀人之法也。顏子簞瓢，孟子禹稷同道，淡泊明志，君子之養可知。末世士大夫養氣縱欲，勢極乞餘搖尾，無所不至。

宋書升周易要義：貞吉，即蒙以養正爲聖功，變例。觀頤，萬物之養利觀。實指五，陰含謂口實，上九與五比，養不待求之外，故曰自求。

劉次源：二陽脣，中陰齒，上止下動，類乎頤養。觀頤，觀其所以爲養。自求口實，觀其所以自養。

李郁：上止下動，有頤象。貞正也。謂上九宜爲九五居中正乃吉。頤自觀來故曰觀頤。自，我也，指觀九五降初，非初六求之也，故曰自求，初得陽實，遂成口象，故曰自求口實也。

楊樹達：潛夫論班祿篇，是故明君臨衆，使皆阜於養生而競於廉恥，是以官長正而百姓化，邪心黜而姦匿絕；然後乃能協和氣而改太平也。易曰「聖人養賢，以及萬民」國以民爲本，君以臣爲甚，然後高能可崇也。

胡樸安：頤以耕種爲養，故吉。觀頤，觀耕種事。口中所食米麥之實。君主教稼穡，養賢祿以代耕。

高亨：筮遇此卦，舉事則吉。觀人頤隆起不能飽，須自求食物。此示人勿羨於人，宜求於己也。

徐世大：舊訓養，臣實象人面側影。橫置似織布用梭，姫爲倡織之族名。頤以織解。久吉，觀察頤，自己找話柄。

李鏡池：觀頤：研究養生之道。口實即口糧、食物。作者認爲養生要靠自己解決糧食問題，更不能搶人家的。

屈萬里：口實本作口竇。見讀書叢錄卷一。

金景芳：貞正即得吉。頤是養的意思。全卦象人的口，上止下動，極象人吃飯，所以卦名叫頤。

汪忠長：按左傳輔車相依注，輔輔頰，車牙車，凡物入口，牙車載之，故曰車，輔上不動，車下動，故曰因輔嚼物。頤上艮，輔也，下震牙也。故鄭玄釋最得卦義。頤養人故貞吉。艮觀求，震口，坤物故口實，食也，口含物自養也。

徐志銳：初上陽象上下齶，四陰象兩排牙齒。頤養正，不僅身體得其養，德性也能得其養，是養正則吉。凡廉潔寡欲不貪食得養生之道。

傅隸樸：頤養貞正，養有四，養身，養德，養民，被人養。觀頤是就一國帝王說的。觀察政府所養是否貞正君子，觀察他口體所養是節制還是荒淫。（自求口實）所養倖幸便不合貞吉，養己有節制便合乎貞吉條件。

林漢仕案：雜卦頤，養正也。序卦物畜後而可養，故受之以頤，頤者養也。頤卦爲養，養正。朵頤之動，或謂節飲食，愼言語。下頷動，防言多必失，多言多敗，自求大快我朵頤，亦宜念天下蒼生何？初九舍可卜之靈龜不用，其爲無明，不解事理者也，置他人生死不問，有失其失也。六二悖逆倫理，小人不奉君子又乃違反倫常之大者，蠻幹，往必有凶咎。六三違常理求得狗豕之食，常賤於人，雖正身亦不爲人諒解。六四近君，所行仍悖逆倫理，然人之看我不以爲忤，反謂我多嫵媚，蓋反抗舊日風俗已成氣候，造成時勢，其前仆後繼之功顯也。如狸貓之伏，志在攫物，三人同心，其利斷金也。可以補過矣。六五已衝出一片天，宜以正治國，儘管六五仍違反常經（舍棄舊社會包袱），而得風雲際會，撥亂反正。元氣未凝，故不宜犯難。上九則天下由我而得養，養其才，養其德，不能再祭起拂，顚，製造社會亂象，違反常經，則許女吉，亦許女有足夠力量冒險犯難也。頤之養志，養德，養生至上九始成。

繫辭云「齊大小者存乎卦。」「是故卦有大小。」韓注齊辨也。辨別其道光明者爲大，君子道消者爲小。今卦辭言頤，自求口實。子貢謂博施濟衆何如？孔子以堯舜其猶病諸！生養天下蒼生，事孰大焉。頤之養正者也。茲輯易家之頤說如后：

頤，養正則吉。（彖）

山下有雷，君子愼言語，節飲食。（象）

頤者所由飲食自養也。割不正不食，所養必賢。（宋衷）

雷爲號令，今閉藏，故愼言語；陽食陰，故節飲食。（荀爽）

頤，口車輔之名。頤，養也。（鄭玄）

山止于上，雷動于下，頤之象。（劉表）

天以元氣養萬物，聖人以正道養賢及萬民。（翟元）

三之正，五上易位，故頤貞吉。（虞翻）

言飲食猶愼而節，而況其餘乎！（王弼）

頤養之世，養此貞正則得吉也。（正義）

人頤頷之象，外實中虛，上止下動，養正則吉。（程頤）

頤，上下二陽內含四陰，上止下動，養義得正吉。（朱熹）

上陽輔，下陽車，四陰齒，外實中虛，養正則言。（梁寅）

陽實養人，陰虛求人之養。（來知德）

上下二陽上齶下頷。四陰齒象，所以食，正乃吉。（王船山）

卦體有口象，山雷草木得陽氣滋養，亦頤象。（李光地）

頤以養爲義，顧卦無所爲養也。養義大焉。（毛奇齡）

淡泊明志，君子之養可知，末世乞餘搖尾無所不至。（曹爲霖）

頤以耕種爲食，故吉。（胡樸安）

筮遇此卦，舉事則吉。（高亨）

頤以織解，久吉。（徐世大）

全掛象人口，極像人吃飯，所以叫頤。（金景芳）

輔頰牙車，凡物入口，牙車載之。頤養人故貞吉。（汪忠長）

陽上下齶，四陰兩排牙齒，養身，養德，正吉。（徐志鋭）

養身，養德，養心，被人養。頤養貞正。（傅隸樸）

頤卦象形，所以用口齒嚼物，養性，養心，養身，養德，養賢，養民，養形，養氣，養生，養義，養人，皆爲諸賢頤養所涵蓋，故謂養正則吉，是舉世同聲同心也。慎語言，節飲食乃其引伸。頤以耕種爲食，頤以織解，乃頤卦異說。

觀頤，自求口實。

彖：觀頤，觀其所養也。自求口實，觀其自養也。

宋衷：自求口實，必得體宜，是謂養正。

鄭玄：觀頤，觀其養賢與不肖也。頤中有物曰口實。觀其求可食之物，貪廉之情可別。

正義：觀聖人所養物。觀其自養求其口中之實也。

蘇軾：觀頤謂上九。自求口實，觀其自養謂初九。

朱震：初九正言頤養之道。觀所養是非善惡爲觀頤。

朱熹：觀頤，觀其所養之道。自求口實，觀養身之術。

梁寅：飲食謂口實，自求豈貪欲者哉！不可失正。

來知德：自求養于陽之實也。自求同體之陽。

王夫之：滋其生，充其體，養其氣，凝其性，皆養之功，存乎觀與求而已！

折中引陸氏銓：觀頤考其善。自求口實，即於己取之而已矣！

李光地：必觀所養，求養之方以自養，是養正之義。

吳汝綸：口實謂福祿。自求多福也。

馬其昶：觀頤自求口實，此論養人之道。星野恒：頤頷，口實謂食。食以禮義可享其食。

宋書升：觀頤，萬物之養利觀。實指五，不待外求，故自求。

李郁：頤自觀來故曰觀頤。五降初，初得陽實，口象。

高亨：觀人頤隆起不能飽，須自求食物。勿羨人，求於己。

徐世大：頤以織解。似織布用梭。自找話柄。

李鏡池：口實即口糧。觀頤：研究養生之道。

傳隸樸：觀察政府所養是否正人君子。觀察政府他口體所養是節制還是荒淫。觀頤乃考量所養者。以五爲中心，則五觀上九賢不肖，觀其所養之道，傳隸樸之謂「觀察政府所養是否正人君子。」故觀頤者考核也：考核其能力，治跡。自求口實者：吳汝綸謂口實即福祿，自求多福。即觀其如何自求多福。如節儉程度。貪廉乃德性之考核，自養豐者則志氣短而利己濃。司馬光所謂「富視其所與，貧視其所取，足以知其爲人矣。」程頤亦言：「觀其自求養身之道，善惡見。」口語中常謂「飲食男女。」從平常中體察人性弱點與慈悲，所謂「知人」之道在其中矣！所引頤爲織布梭；不能飽；頤自觀來曰觀頤；口實指五；爲異說，不能通全卦之意。頤卦之節飲食，慎言語，養志，養德，養生。恒常之敬與斯須之敬捏拿分寸，伐柯伐柯，其則豈遠矣夫！以奇取勝，以正治國，天下通道也乎？

初九，舍爾靈龜，觀我朵頤，凶。

象：觀我朵頤，亦不足貴也。

京房：觀我揣頤，揣動，（晁氏，集韻，類篇俱引作揣，動也。从土，廣雅揣从手，說文无揣字。）

鄭玄：朵，動也。

劉表：觀我揣頤，揣頤，多辨也。（晁氏）

李鼎祚引虞翻：晉離爲龜，四之初故舍爾靈龜，坤爲我，震爲動，四失離入坤，遠應多懼故凶。

王弼：朵頤者嚼。動而求養者也。未安身莫若不競，修己莫若自保，守道則福生，求祿則辱來。居養賢之世，不能貞其所履以全其德，舍其靈龜之明兆，羨我朵頤而躁求，離其致養之至道，闚我寵祿而競進，凶莫甚焉。

正義：靈龜謂神靈明鑒之龜兆，以喻己之明德。朵頤謂朵動之頤嚼物，喻貪惏求食。初自動求養是損己廉德，行其貪竊之情，所以凶。

張載：體躁應上，觀我而朵其頤，求養而无恥者也。

蘇軾：爾，初九。我，六四。龜者不食而壽，无待於物。養人者陽，養於人者陰，君子在上足養人，在下足自養。初九伏四陰下，德足自養如龜也，不能守而慕之，故凶，所責陽者養人，養於人則不足貴矣。

程頤：假外而言。爾，初也。靈龜喻其明智，可以不求養於外也。迷欲失己，以陽從陰，是以凶，見食動頤垂涎象。

吳園易解：不能自養而望養於人，賤之至也。

東谷易傳：頤上體吉，下體凶，上止不動也。在上止養人在下動求人。動求養於人必累口體之養，故初雖剛陽，未免動其欲而觀朵頤也。

朱震：龜所以靈者，蟄則咽息不動，无求於外，故能神明而壽。君子在下自養以正，靈龜之類也。六四无下賢之意，初往之四成離，目觀我也。爾言初九，我六四。夫陽特立不屈於欲爲貴，淡然无營，今求，無恥自辱也。

項安世：得正而凶者，初九爲動主，動則失正故，上九由頤，初九亦足自養，靈龜伏息在下，初九象也。上九卦主稱我。初九仰觀我，有靈不自保，有貴不自珍，宜其凶也。聖人深戒之，以明養道。

離爲龜，陽物下伏，初九得靈龜本象。

朱熹：靈龜不食之物，朶，垂也。朶頤，欲食之貌。初九陽剛在下，足以不食，上應六四陰，動於欲，凶之道也。

趙彥肅：陰虛无實，空朶頤爾。初九觀之何哉？初上陽畫，皆良貴也，上以靜存，初以動失。

梁寅：實能養人虛者養於人。上下二陽皆養人，上道行，下當自養。初陽伏下如靈龜能咽息不食以氣自養，動主與四應，不能自養，設六四語辭：舍爾靈龜，觀我朶頤。動頤食，不能守而羨人，人皆賤之矣！烏得不凶！

來知德：大象離，龜象，止不食，服氣空腹象。朶，垂涎欲食貌，爾四我初。龜以靜養，朶以動養。

舍四六不養，故有舍爾靈龜象，飲食人賤，凶道，其占如此。

王船山：初爲爾，我謂二，上四陰也。靈龜從問得失，初動，主機，不自觀而侈於物，宜其凶也。

周易折中引何氏楷：初上剛德同而吉不同者，初動主，上止主，養道宜靜故也。

李光地：以德則陽養陰，以位則上養下，上三爻皆養人，正也。下三爻不善，求養，非正也。初爲動主應上，有求必得，失養之正，凶道也。是自舍靈龜，觀人朶頤。

毛奇齡：初自觀來，內卦見離，離爲龜，初承離照之靈，是靈龜也。一剛離隱，靈龜亦隱。下頤俯出如樹之下垂朵朵然。（垂其涎）不知舍靈龜而觀朵頤。候果曰艮爲山龜，五降初爲頤，是舍靈龜德來觀朵頤之饌也。亦通。

李塨：靈龜宜自珍矣，乃震動求食，舍初靈龜，觀上九之頤，輕內重外，將淪卑賤。此士食卑如明陳繼儒之流是也。玩辭曰上九爲卦主，故稱我。

焦循：靈龜天龜也。朵通作揣，動也。

姚配中：舍止，龜，陰之老也，千歲而靈。我謂初，不欲四正，貪望其它。又觀我朵頤，陽動而化，不足貴。本足貴者，動失位，不足貴矣。

李富孫：釋文朵，京作椯，晁氏易云京作端，動也，劉作多辨也。說文朵樹木垂朵朵也。椯箠也，一曰揣度也。二字義別。椯爲端之譌。宋本作揣椯，轉寫誤从木。

丁晏：釋文朵，京作端。案集韻端，音朵，動也。一曰垂貌。易觀我端頤。京房讀，字彙補端，朵古文。爾雅釋宮音義端，丁果反。釋文舊作椯。盧刻從手作揣，皆非。

吳汝綸：朵，京作揣，謂動也。王云舍其靈龜之明兆，闚我寵祿以競進是也。爾謂初，我謂上，成卦主，靈龜以喻明智，說者以不食說之，非是。

馬其昶：李綱曰頤損益，外實中虛，有離之體，故象龜。于宗傳曰爾謂初，我謂上。

丁壽昌：朵，動也。京作椯，盧刻本作揣。解故以从木从手均非，當从土作端。集韻，爾定釋宮音朵，說文朵與采同意，即穗字。李鼎祚曰朵頤，花下動之貌也。

星野恒：爾謂初，靈龜，神而不食，喻有智能守，朵頤求食之狀。此爻位正，有才且貞固。然處動體，不安其分所以凶也。士之仕也將以有爲，昵比權勢，何足貴哉！

曹爲霖：靈龜咽息不食，智能前知，故可趨吉避凶。漢景帝召條侯賜食不置箸，亞夫不平，趨出，上目送之曰此鞅鞅非少主臣也。左傳子公染指黿鼎，羊斟洩忿於羊羹，皆以觀我朵頤致凶者。

宋書升：舍爾靈龜本晉時辭，晉上卦離，離爲龜，故稱靈龜。鬼谷子養志法，必先寡欲，是舍之義。

劉次源：初四應變爲離，象靈龜，陽動下不縱，壽與龜齊，觀人朵頤垂涎，其凶自爲也。

李郁：初本觀九五，靈龜也，今舍而降初，徒飲食是謀，輕重倒置矣！朵動，觀九五動成頤，不廉而貪故凶。

胡樸安：靈龜卜晴雨之龜，舍之弗用，朵動，只求動作以自養，此凶道也。可見古時貴卜。

高亨：舍爾靈龜者，舍龜肉不食也。朵乃團然隆起貌，食在口中，頤然隆起如華朵。汝有美味不食，徒觀我啖嚼，羨我所有，不亦凶乎！

徐世大：織女說話：「放下你的烏龜板，來看我動梭。」（織布）（糟啦。」

李鏡池：靈龜指財寶，十分貴重。朵頤，頤頷圓鼓鼓的，豐衣足食象徵。你放著財寶，來窺伺我衣食，不會有好結果。

屈萬里：朵，釋文「京作揣，劉作腨。」晁氏引京房揣，動也。釋文鄭朵，動也。言不用占卜，而但憑口說。

金景芳：初六與六四相應，六四對初九說：觀我朵頤。朵是垂的意思。你有靈龜，不用吃就活著，怎麼看到我就流口水，不好，凶。

汪忠長：離龜．初爻覆艮故曰舍爾靈龜。朵動，初應四故觀我朵頤。言初當位，貞靜自養足矣。舍而窺則躁競貽譏，而殃咎或至，故曰凶。

徐志銳：初九既養自己又能節飲食，養生有正道。但初九舍棄了貴重的養生正道，這就不足貴了。看到上九咀嚼食物就貪婪嘴饞，震主下齶動，貪口體不守正道不足貴也。

傅隸樸：初九負養民之責，理當清明在躬，而上應六四，其德不類，九不能自立，觀人朵頤咀嚼使垂延，初九不惟不能養人，反而求養非類，失其本志，故結果是凶的。

林漢仕案：爾，我應先設定對象，靈龜與朵頤庶有所依。

專家註易，大展神通，茲誌如下：

象：觀我朵頤，亦不足貴也。

京房：觀我揣頤。揣，動也。

鄭玄：朵，動也。

劉表：揣頤，多辨也。

虞翻：離龜，四之初故舍爾靈龜，坤我。遠應多懼故凶。

王弼：朵頤，嚼物。闚我寵祿而競進，凶莫甚焉。

正義，靈龜謂神靈明鑒。喻己明德。朵頤喻貪婪。初求養。

張載：求養而無恥。

蘇軾：爾，初九。我，六四。初德足自養如龜而求養於人。

程頤：爾初。見食垂涎。靈龜喻明智。

東谷易傳：在下求人必累口體之義，動欲觀朵頤也。

朱震：爾初九，我六四。龜息無求故神明，今求，無恥。

項安世：動失正，有龜不自保，不自珍，初九仰觀。凶。

朱熹：初九應六四，動於欲，凶之道也。

趙彥肅：陰虛無實，空朵頤耳。初以動失，觀之何哉？

梁寅：設六四語辭。不能守而羨人，人皆賤之矣！

來知德：大象離龜象。朵，垂涎欲食貌。爾四，我初。舍四六不養，故有舍爾靈龜象。

王船山：初爾，我謂二。靈龜从問得失。不自觀而侈物，凶也。

李光地：初動主，應上，失養之正，凶道也。是自舍靈龜。

李塨：靈龜動求食，觀上九頤。玩辭曰上九卦主故稱我。

姚配中：舍止。龜，陰之老也，千歲而靈。我初，不欲四，貪望其他。

吳汝綸引：舍其靈龜明兆，闚我寵祿。爾初，我上。

星野恒：爾初。龜神不食，有智能守。不安分，昵比權勢。

曹爲霖：龜智前知，可趨吉避凶。

宋書升：晉卦離稱靈龜。養志必先寡欲，是舍義。

劉次源：初四變離象靈龜。觀人朵頤垂涎，凶自爲也。

李郁：初本觀九五，靈龜也。降初，飲食是謀！觀九五動成頤，貪故凶。

胡樸安：靈龜卜晴雨舍弗用，只求動作自養，凶道也。古貴卜。

高亨：舍龜肉不食。朵，隆起如華朵，徒羨我有，不亦凶乎！

徐世大：織女：放下烏龜板，看我動梭。糟啦！

李鏡池：靈龜指財寶，朵頤，頷鼓鼓，放著財寶窺伺我，不會好結果。

屈萬里：言不用占卜，但憑口說。

金景芳：六四對初九說，你不用吃，看我流口水，不好。

汪忠長：初應四，初當位，舍而窺則躁競，殃咎或至。

徐志銳：初九舍貴重養生道，看上九咀嚼嘴饞，不足貴。

傅隸樸：初九負養民之責，應六四求養，失本志，結果是凶。

我，爾之爲特定對象，專家以爲：

四之初故舍爾靈龜，坤我。爾初九，我六四也。（虞翻、蘇軾）

爾四，我初。（來知德）

初爾，我謂二。（王船山）

上九頤主故稱我。（李塨引）

爾初，我上。（吳汝綸）（徐志銳）

爾，我不能有一致步調，故爾爲爾，我爲我，不能動學者之心。謂爾爲初者人數較多，謂爾爲四者，來知德氏，姚配中氏耳已。我謂六四，坤爲我，我謂二，上九頤主故稱我，我初。初二四上皆可謂我，觀我。

專家謂陽爲動，頤卦「愼言語，節飲食。」言語，飲食皆所以動，以陽動陰靜之通識，言似乎朵頤之動者陽也，下頤也，故以初九較爲合理。且爻辭爲觀我。言多必失，多言多敗；祇求自我快朵頤，天下人飢，路有餓殍，責之何不吃肉糜？何不吃蛋糕？是舍爾靈龜。古者大事與戎，克卜者必諸侯王，今初九舍靈龜之卜不信，言龜短蓍長，言不能脫余且之網，如之何能明廟堂之事？飲食無厭，語言無節，是招衆叛親離也。吾謂爾亦初九，我亦初九。爾借作爾，作尒。專家迷象，不惜從他卦借象，扭曲變象，晉離爲龜，初四變離象靈龜，與頤初九何涉？與解爻何益？「爾以孟子「非天之降才爾殊也。」之爾亦通。經傳釋詞「爾」，如此。舍如此靈龜之卜，或不卜。可以前知者，可以明不昧者。不用則闇，則無明，則剛愎自用，則一切不如意事紛至沓來矣！本爻是宜譯作初九剛爻好動，舍棄如此靈龜不用，祇示人以語言，飲食，置人生死不問，凶咎之來矣！是初九也。初在下愚蒙如是。

六二，顚頤，拂經于丘頤，征凶。

象：六二征凶，行失類也。

子夏易傳：顚頤弗經，弗，輔弼也。（釋文）

劉表：弗，輔弼也。（晁氏）

王肅：養下曰顚。拂，違也，經，常也。丘，小山，謂六五也，二宜應五，反下養初，豈非顚頤違常于五也！故曰拂經于丘矣。拂丘雖阻，常理養下，故謂養賢，上旣无應，征必凶矣，故曰征凶。（集解，義海撮要）

侯果傳象：征則失養之類。

王弼：類皆上養而二處下養初。

正義：頤養之體，類皆養上，今此獨養下，是所行失類也。

張載：頤之正，以貴養賤，陽養陰，經也。六二比初，以陰養陽，顚頤者也。六二亂經，失陰類之常，故進則凶。

蘇軾：從下爲顚。過擊曰拂。經，歷也。丘，空也。六五有養人之位而无養人之德則丘頤。二，三歷五求養於上九。過五，擊五而後過。丘頤者位之所在也，見利蔑其位，君子以爲不義，故曰顚頤拂經。丘頤征凶。六二過擊五求養於上九，无故陵其主，故征凶。二五陰故稱類。

程頤：二不能自養，下求於初爲顚倒，故云顚頤。顚則拂違經常，不可行也。丘在外而高之物，謂上九也，若求頤于上九，往則有凶。頤時相應則相養，上非其應也。

吳園易解：舍五養初，非常之道，居下則可，征則凶矣。邱者邱園之謂。

朱震：二資初九之賢以自養。乾爲首在下，顚頤也。六二經也，顚頤則拂違其經矣！養之經，陽養陰，上養下，五君位，二當受養，然五養道不足，二不可越五上，征丘者山半爲丘，王肅云小山也。二捨初遠資上九，凶，五己類，上九應二則失類。

項安世：顚爲傾覆之義，如人有食自傾之。拂，悖也，與常經相悖爲拂經，經者常法猶可拂，貞者正道不可拂，易中丘爲聚渙，三陰相聚爲有丘頤，四陰皆聚於上，上又艮體，故爲于丘，二動成咸腓，故爲征凶。

朱熹：求養於初則顚倒違常理，求養於上則往而凶。丘，土之高者，上之象也。

梁寅：養止待人，正；動求於人，非正。六二求初則顚倒拂常；求上則高遠征凶。初上指非正應，動求凶。唯守中不妄動，斯可也。

來知德：求食者止爲口腹計，自然失類。二三養于初，今二顚頤求養于上，往失其類，故曰失類。

王船山：二以上四陰爲養人，顚逆也。野人養君子，下養上順也。自上養下，逆也。拂，違。邱，高，謂五也。二五正應，義當上養。今見初貪求，就近相感，行必凶矣。

周易折中引黃氏幹曰：顚拂，求養於下爲顚，求養於上爲拂。六二比初而求上，故顚頤。拂經于丘頤句，征凶其占辭。

李光地：上求養於下皆曰顚。二居下卦求人以自養而凶，四居上卦求人以養人而吉。非常理，正理曰拂。二五中德，中位，資上九無位之養，反常道，故曰拂經。顚頤者下求初養，拂經丘頤者，上求上之養，二者失類無比應，故凶。

毛奇齡：二仰吭求食，以半口加下頤之上，似倒提其頤者。吭，經也。艮爲邱，邱不動震動，凶，失上九何可行，邱頤即高頤，謂上車也，于往也，詩于茅于耜是也。

李塨：六二仰有舉頤向上，似乎顚倒其頤者，仰首而經（吭）癢，若抑騷者，望食上九丘頤，（上處高，艮爲丘）上觀初幾身赴矣，上非比又非應，失其類，凶。此居下援上者。（拂經摩拂其吭）

焦循：顚，塡也。拂，弼也。經，常也，恆也。

姚配中：陰與陰爲類，言二當應五，不應五而之上故行失類。

李富孫：拂，子夏作弗，云輔弼也。玉篇引作咈，違也。孟子法家拂士，趙注輔弼之士。說文拂，過擊也。段氏曰今易作拂，蓋誤。

丁晏：案唐以前皆讀拂經于邱爲句，子雍，輔嗣，孔疏並同。程傳以顚頤拂經爲句，于邱屬下，文公語類又于邱頤爲句，恐非。又案拂，子夏作弗，拂弗古字通用。

吳汝綸：顚讀爲寘。實也。拂悖同字。丘，空也。拂經于丘，悖其空頤之常也。

馬其昶：劉表拂，違。其昶案說文天，顚也。顚，頂也。顚頤指上，丘頤指初，陽亘於地下，丘象。

丁壽昌：釋文拂，違。子夏傳作弗，輔弼也。解故曰唐以前皆讀拂經于邱句。程傳以顚頤拂經爲句。于邱頤征凶爲句。朱子以于邱頤爲句。皆非也。說文咈，違也，玉篇引易咈經于丘，然則古本作咈。孟子法家拂士，趙注輔弼之士。大雅作茀，韓詩作拂云，拂弗也，古字通。

星野恒：顚倒而養，拂違，言違常道。丘陵指上九。求養五而不應，求于下比初，顚倒而頤，非道之常。人各有類，求養道不同，志不符，姑得餔啜，必貽凶咎！

曹爲霖：誠齋易傳曰六二君子小人雜，比初養德，比上九養祿，猖狂妄行不自反而凶也。兩比不應故行失類。下曰顚，上曰拂，邱，上九也。

宋書升：顚，頂也，上九。拂，反戾也。經者脈也，緣督爲經，熊經鳥伸，導引營衛，蟄則不食，三離二至上，經道悖矣。于往，拂此別求養道，上體伏轉巽象。征凶，戒辭。

劉次源：二求初養，是爲顚頤。艮爲山上其丘頤，二非上應而求其養，是拂經道于丘頤。兩无一可，妄動凶隨，故以戒之。

李郁：二本有應，九五顚初，失常故拂經。觀體大艮是丘，觀顚爲頤故曰丘頤。二養于初，不可變剛以應五故征凶。

胡樸安：顚倒耕種之事，拂違，經常，丘小山，今違背常道，耕種於小山之上而凶也。

高亨：顛借爲填，古通用。填頤與餬口。拂經，經疑借爲脛，拂脛，以杖叩脛同意。丘頤疑本作丘顛，顛借爲隅，即詩之丘隅。以填口頤致叩脛辱於丘隅之間，所遇不利之象。

徐世大：顛倒梭，經線扭住了大梭骨。出行不利。

李鏡池：顛眞聲，借爲慎，善于頤養。拂經，開闢阡陌，墾荒。拂㓨斫也，經指阡陌。丘陵。爲解決糧食，墾荒。如果爲糧食去征伐人，那是壞事。

屈萬里：顛填古蓋通用。拂劉表作弗。丁晏曰唐以前皆讀拂經于丘。拂違也。毛西河謂經本讀作徑，去聲，謂吭也。即莊子緣督爲經。淮南子熊經鳥呻。毛說是也。

金景芳：顛頤指陰爻。二與初比，六二陰爻，不能獨立自養，乃求比于下，這叫顛頤。拂經于丘頤句，黃干說求養于下爲顛，求養于上爲拂。六二比初求上故顛頤爲句。

汪忠長：顛與闐通，闐與寘通，塞也。三四五皆陰故曰寘頤。師古云丘空，經常，拂違，丘頤空頤也。頤以空爲用，今寘塞違常，故寘頤。拂經於丘頤，前得敵故征凶。

徐志銳：陰柔得位得中，但虛不能養自己，向上九求口實，顛倒自養常理。求上九不足，又反求食于不足貴者初，到處求食，又不養德性，焉能不凶。

傅隸樸：顛義爲倒，二所當養者是六五，同性二不養五，顛倒過來養下面初九，故曰顛頤，是養不得其正。拂經就是反常，于往，丘高，上面五言，拂經于丘是說違反了養上的常理。二不應五是臣不奉君，征解作行。

林漢仕案：以上四十二賢之論，有待整理者爲顛頤，拂經，丘頤三名詞，茲逐一彙集其說：

顛頤：

王肅：養下曰顛。（王弼二處下養初。正義頤養類皆養上。）

張載：六二比初，以陰養陽，顛頤者也。頤正貴養賤。

蘇軾：從下爲顛。

程頤：二不能自養，下求於初爲顛倒故云顛頤。

吳園易解：舍五養初，非常道。

朱震：二資初九之賢以自養。乾爲首在下，顛頤也。

項安世：顛爲傾覆之義，如人有食自傾之。

朱熹：求養於初則顛倒違常理。

梁寅：動求養於人，非正。六二求初則顛倒拂常。

來知德：今二顛頤求養于上，求食者止爲口腹，自然不慎失類。

王船山：二以上四陰爲養人，顛逆也。

折中：求養於下爲顛。六二比初求上，故曰顛頤。

李光地：顛頤者，下求初養。

毛奇齡：二仰吭求食。以半口加下頤之上，似倒提其頤者。

李塨：六二仰首舉頤向上，似乎顛倒其頤者。

焦循：顛，塡也。

吳汝綸：顛讀爲窴，實也。

馬其昶：說文天，顛也。顛，頂也。顛頤指上。

星野恒：顛倒而養。

曹爲霖引誠齋：六二君子小人雜，比初養德，比上九養祿。下曰顛。

宋書升：顛，頂也，上九。

劉次源：二求初養，是爲顛頤。

李郁：二本有應，九五顛初。

胡樸安：顛倒耕種之事。

高亨：顛借爲塡，古通用。塡頤與餬口。

徐世大：顛倒梭。

李鏡池：顛，眞聲，借爲慎。善于頤養。

屈萬里：顛塡古蓋通用。

金景芳：顛頤指陰文。二初比，二陰爻不能獨立自養，乃求比于下，這叫顛頤。

汪忠長：顛與闐通，闐與窴通，塞也。三四五皆陰故曰窴頤。

徐志銳：向上九求口實，顚倒自養常理。求上九不足，反求食于初，不足貴者。

傅隸樸：顚義爲倒。二所當養者五，同性不養，顚倒過來養初九，故曰顚頤，是養不得其正。

右三十三說，言養道：貴養賤，陽養陰，上養下，故張載謂頤正貴養賤，今二比初，陰養陽，顚頤者也。朱震謂養之經，陽養陰，上養下，二當受養。二資初之賢以自養。乾爲首在下，顚頤也。另一說則以爲頤養類皆養上。如王弼云類皆上養而二處下養初。孔穎達頤養之體，類皆養上，今獨養下，行失類也。王船山謂野人養君子，下養上順也。上養下逆也。

孟子謂勞心者治人，勞力者治於人；勞心者食人，勞力者食於人。勞心者爲上層階級，勞力者爲下層階級，然食人，食於人乃互助互動。君子無小人則無所食，小人無君子則無所治。雖耕亦不得而食。故大原則乃上養下，蓋世治則不懼堯有九年之水，湯有七年之旱。今專家之文，求養於上九曰顚。求養於初亦曰顚。然則六二無動匪顚矣！來知德謂六二顚頤求養于上，曹爲霖謂比上九養祿。張載謂六二比初陰養陽，顚頤者也。六二不能上比九五，亦不能比初。五陰類，過五擊五，舍五，謂六五有養人之位而无養人之德。二五正應，義當上養，見初貪求。

求養於初悖常道故顚；又曰上九天顚，頂也，難怪徐世大謂顚倒梭，織布用梭。焦循謂顚，塡，吳汝綸謂讀爲寘，實也。高亨謂塡頤糊口。李鏡池謂顚借爲慎，汪忠長謂闐塞也。蓋不明六二之求養上九？抑亦求養于初。甚或言舍五不養而來養初九，故另覓蹊徑求六二之出路也。饑故不擇食矣夫？他如二仰吭求食，顚倒耕種，皆解易之看經文識義，言之成理則以「家」自居矣，沾之自喜吾解易矣，吾今日疲矣，吾揠苗助之長矣！

上養下，今六五，六二同類相斥而棄養，六二不比初九即上逢迎上九，是所顛頤者，悖逆常理者，然則六五陰與六二陰相應則尤悖逆常理。林之洋之女兒國女兒與女兒，今歐美同性戀得結為夫婦，是皆悖逆常倫者，六二之顛頤，即逆倫而頤養者乎？至陰養陽？小人養君子？抑陽養陰，上養下。即二初孰為養者，養於人者，蓋非主題，世治人民可耕而食，世亂雖耕亦不得食，無關乎所謂頤養之孰正，孰非正也。是顛頤即逆倫得頤養乎？

拂經：

子夏：弗、輔弼也。

王肅：拂、違，經、常也。

張載：六二亂經。

蘇軾：過擊曰拂，經、歷也。擊五而後過。

程頤：顛則拂違經常，不可行也。

項安世：拂、悖。與常經相悖為拂經。貞正道不可悖。

朱熹：求養初違常理。

折中：求養於上為拂。

李光地：正理曰拂。二五中德，資上九養，反常道。

毛奇齡：吭、經也。李堪曰仰首而經（吭）癢若抑騷者。

李富孫：拂、子夏作弗、弼也。玉篇作咈、違也。說文拂、過擊。孟子法家拂士。趙註輔弼也。

吳汝綸：拂、悖同字。拂經悖其……常也。

宋書升：拂、反戾也。經者脈也。

李郁：失常故拂經。

高亨：經疑借爲脛。拂經、以杖叩脛同意。辱也。

徐世大：經線扭住了大梭骨。

李鏡池：拂經、開闢阡陌、墾荒。拂刜斫也。經指阡陌。

屈萬里：毛西河謂經本讀作徑，吭也。即莊子緣督爲經。

金景芳：求養于上爲拂。

傅隸樸：拂經就是反常。

拂，古作咈，弗，茀，其解。

弗：輔弼。咈、違。拂、輔弼。茀，丁壽昌引大雅作茀。應是字根同而从草，義不與拂同。多草不可行也。李富孫謂說文拂，過擊。徐鍇曰擊而過之也。刜同。經籍纂詁引說文弗，撟也。今本說文作矯。拂士、趙歧註孟子謂弼輔。是拂經字不作茀。作弗、咈、拂，皆有弼輔義。而拂字義弼輔，違戾外，尚有去也，拭也，絕也，擊也，拔也，與扶也。（一切音義十四引）（聲類）經之爲常。爲歷。吭也。脈也。脛也。經線。阡陌也。讀作徑、吭也。拂經解作弼輔常道。違背常道、打擊經歷超越過，仰首而吭。（望食上九）以杖叩脛（辱之也）。開阡陌荒地。經線扭住。摩拂其吭。

顚頤爲悖逆常理盼得頤養。拂經爲違背常道之大者。

于丘頤、征凶。

王肅：丘、小山。謂六五。上无應、征必凶。

侯果：征則失養類。王弼類上養而二養初，行失類。

蘇軾：丘、空也。六五有位無德、丘頤是位之所在。

程頤、丘在外而高之物，謂上九也。

吳園易解：邱者邱園之謂。

朱震：山半爲丘。二舍初遠資上九。

項安世：易中丘爲聚渙。三陰相聚爲有丘頤、四陰皆聚於上，上又艮體，故爲于丘。

朱熹：丘者土之高者，上之象也。

王夫之：邱、高，謂五也。

李光地：拂經于丘頤句。

毛奇齡：邱頤即高頤。于往，謂上車也。艮爲邱。上九。

馬其昶：顚頤指上，丘頤指初。

星野恒：丘陵指上九。曹爲霖亦曰邱、上九也。

胡樸安：丘、小山。

高亨：丘頤、本疑本作丘顒。借爲隅。即詩之丘隅。

汪忠長：丘頤即空頤。頤以空爲用。

丘爲小山。丘爲空。丘在外高之物。山半爲丘。丘爲聚渙！三陰相聚、四陰皆聚於艮山。丘，土之高者。丘頤即高頤。丘陵。丘隅。六五，上九也。此外尚有大也。管子鄉丘老不通注。丘頤爲六五、上九皆位於卦上，亦艮山之腰至預。是四陰聚而頤食於上，違反常經。折中所謂求養於上。王夫之謂下養上順也。傅隸樸臣不奉君也，小人不養君子。下宜奉上，小人宜養君子，今群小反求養於上是違反常理之大者，丘訓爲爲大。前句顚頤爲悖逆倫理得頤食，臣不奉君乃違反常倫之大者，繼續行不思義，必招至凶也。

本爻異說至此從不通中獲一頭緒，其信息曰頤養之道，悖逆倫理爲不可，小人不奉君子，乃違反常倫之大者，以見得思義爲是，不顧此而蠻幹，其故征凶也。

其句讀依唐以前讀拂經于丘，另加一頤字，文意較明。即拂經于丘頤。

六三，拂頤，貞凶。十年勿用，无攸利。

象：十年勿用，道大悖也。

李鼎祚引虞翻：三失位，體剝不正相應，弑父弑君，故貞凶。坤爲十年，動无所應，故十年勿用，无攸利也。

于弼：履夫不正以養於上，納上以諂者也。拂養正之義，故曰拂頤。貞凶也。拂，違也。履不正，无施而利。

正義：履夫不正以養上九，是自納於上以諂媚者也，違養正之義，故曰拂頤。爲行如此，十年猶勿用，見棄也，行於此，故无所利。

張載：履邪好動，係說於上，不但拂經，害頤之正莫甚焉，故凶。

蘇軾：拂頤，拂經于丘頤也。拂頤不義，三從上，雖貞其配，於義爲凶。由之得養興，空頤之廢可坐待，勢不過十年。夫擊主而悅其配不義，故无攸利。

程頤：頤道正則吉。三柔邪不正而動者，拂違頤之正道，是以凶。求養，養人合義，自養則成其德，三拂違正道，十數之終，謂終不可用，无所往而利也。

吳周易解：頤，養正則吉，而拂之是謂大悖。

東谷易傳：三不中正，動極，求養於人，无所不至。上雖其應，體艮止不下，是謂拂頤之正，凶道也。十年勿用，戒之也，求食於人者，欲心未易消，多欲妄動，示以自反。

朱震：當受養於上九，三不正，動則正，不動待初九，初不應。既不受之於上，又无資之於下，拂頤也。故貞凶。十坤數之極，坤爲年，十年不可動，上下无所利，養道悖也。

項安世：拂頤貞三字當連讀，爻與卦義相反，故曰大道大悖也。坤爲十。三正應反凶者，不正而好動。與常經相悖爲拂經，拂訓悖。經者常法猶可拂，貞者正道不可拂。

朱熹：陰柔不中正，以處動極，拂於頤矣！既拂於頤，雖正凶，故其象占如此。

梁寅：三賴上養，三動極又不中正，動求養而不由其道，拂於養之正矣！不知變而固守，凶道也。十年深戒之辭。

來知德：拂頤者，違拂所養之道，不求養于初，而求養于上，貞者正也，上正應，亦非不正。三妄動，雖正亦凶，十年，理極數窮，亦不可往。

王船山：拂頤，拂人待養之情而不養也。初望養，拂初不與，吝與，貞亦凶。上剛正不受其養，拂小人之情欲，故无攸利。十年一變，得失通其變，使民不倦。

周易折中引楊氏時曰：頤正則吉，六三不中正，居動之極，拂頤之正也，十年勿用，則終不可用矣，何利之有！

李光地：上頤主，三應之。上交諂，從欲危，拂乎養道，以此爲常，凶矣！十年勿用，無時而可也。無一而可也。又三應上有求，非自求，與頤正道相反，故曰拂頤。至三而後，養道大悖。

毛奇齡：當頤中上應，不幸處震極艮逼，動過發慎不食，拂頤而去。猶染指而出也。如是則凶。守正何利！三坤中，爲民眾，必歷坤盡而後有用，已十年所矣，非頤之時也。

李塨：六三若拂其頤矣！所謂道逢麴車，口流涎者也。雖上應而卑惡躁醜，必爲上棄，盡坤數十年猶勿用，凶甚矣。

焦循：拂頤即拂經。貞凶即征凶。坤數十，十年明其失是。

姚配中：道謂三陽位養道也。拂頤大悖，故十年勿用，小人之使爲國家，菑害並至，雖有善者亦无如之何，是以貞凶，由辯之不早辯也。

吳汝綸：拂頤謂不可於口也，猶拂心，拂耳之拂。

馬其昶：頤貞吉，三不中正，得上之頤，是小人之貪祿者，三私應獨專其澤，古人所謂煬竈當前者，於頤之道爲大悖。十年勿用，戒上之辭。

丁壽昌：謂貞而不變則凶。正義貞上讀，本義雖正亦凶。皆非。六三求養于上，失頤養之道，故拂頤，若貞乎此而順遂其欲則凶矣。

星野恒：違道而養，苟享也，本既失，雖貞而凶！常戒其妄，十年之久，終勿用之！當畜材不妄意非分之榮。

曹爲霖：陳氏曰六三養民者，拂頤道正乎凶也。蓋拂頤經賊也，如王安石新法，好執偏見，所謂无攸利也。宋眞宗相王欽若，王旦抑之，欽若曰王子明遲我十年宰相。王、陳彭年五人同惡，時人目爲五鬼。

宋書升：頤本主內養，求在我者也，拂之則求在外矣。十年同屯例，謂二至三遞變歷十位。

劉次源：三求上養，是謂拂經，雖正應亦凶，十年勿用，其終可知。

李郁：三遠兩陽，不得養乎上下二陽，有違頤養之道，故曰拂頤，若變剛為梗于喉故征凶。欲之上，上弗動，須待十年之久故无攸利也。

胡樸安：以耕種于丘凶遂因噎廢食不耕種，凶更甚。雖十年不耕種亦无所利，大悖於道。

高亨：拂頤與批頰同，勿用，不可施行。十年不可施行，無所利。古時拂頤蓋奇恥大辱，俘虜奴隸罪徒或受之。

徐世大：拂拭梭。卜人警告久則凶，十年勿用沒好處。

李鏡池：違背頤養正道。用，利。不走正道解決糧食問題，靠搶，十年都倒霉，甚至永遠倒霉。

汪忠長：吳摯文先生曰拂頤猶不可口也。貞占，坤為十年，三不當位，承乘皆陰，故十年不用，无攸利也。按三有應，以四五為敵，應上甚難，故曰无攸利。

徐志銳：陰无實，不中正，求上九供養，處震極又貪食无厭，對上九供養不滿足，終于斷糧絕食，以致十年不予施用，完全違背養生正道，結果口體也未能得其養。

傅隸樸：三本陽位，迎合上九變九三為六三與相應，是媚君行為，違頤養之正，結果必凶。十數之盈，十年勿用即終不可用。用這類人得不到任何利益。

林漢仕案：佛教有所謂五欲生七情說：五欲指財，色，名，食，睡。由五欲生喜怒哀樂愛惡欲七情。食爲五欲之一，五欲生七情，七情捆五欲。古人知道貪食後果，故戒之「君子食無求飽。」「士志於道而恥惡衣惡食。」「君子無終食之間違仁。」「君子謀道不謀食。」又從孟子「食色性也。」而見飲食之於人生重要性。而世人貪食，又專在甜酸辣苦鹹中求和合珍饈，熊掌、猴腦、象鼻、虎膏，一桌滿漢全席，饕餮盡情，食指大動之慘劇，酒池肉林有亡國之痛，韓非子之「紂爲象箸而箕子怖。」因爲象牙筷子必以犀玉之杯爲配，必以旄象，豹胎、錦衣、廣室爲求，聖人觀微知著，故怖。人情日不再食則飢，斯爲食之起碼修件，佛家所謂藥食也。謹以維持生命。其後食不厭細，膾事欲精。頤之爲食，違背常情，雖得食，寧無嗟來之嘆？盡力以求有違常理之食，雖正亦凶也，況不正乎！六三剛位柔居，是不正也。人格之坐廢，豈止十年見棄，居位者記憶不失，則十年爲期不以爲長，六三往之无所利矣。

拂以弼輔解亦順：弼輔女頤，唯食是事，不辨禮義，饞諂順承，狗，豕之養也夫！狗豕食人食，終賤於人主也，終無揚眉之日矣，其嚴重性，聖人以十年勿用，无攸利戒者，用辭嚴矣。

茲彙易家之宏文以見一斑：

象：道大悖也。

虞翻：三失位，不正相應，弒父弒君，故貞凶。

王弼：履不正，納上以諂，拂養正之義。

正義：自納以上諂媚都也。十年見棄，行无所利。（不正養上九）

張載：害頤之正莫甚焉。

蘇軾：擊主而悅其配不義，三上雖貞，義爲凶。故无攸利。

程頤：三違正道，十年之終，終不可用，无所往而利。

東谷易傳：上三其應，體艮不下，不正求養於人，凶道也。

朱震：不受上，又无資下，拂頤也。十年坤數之極。

項安世：不正好動，悖常。拂頤貞連讀。爻卦義相反。

梁寅：三不知變而固守，不中正，求養不由其道，凶道也。

來知德：不求養于初而求養于上，雖正亦凶。十年理極數終。

王夫之：初望養，拂初不與；上不受其養。十年通其變。

折中：十年勿用，終不可用矣！

李光地：上交諂、縱欲危，以此爲常，凶矣。

毛奇齡：拂頤而去，猶染指而出也。已十年非頤之時也。

李塨：上應，卑惡躁醜，必爲上棄。盡坤數十，凶甚。

焦循：拂頤即拂經。貞凶即征凶。

姚配中：三陽位養道，拂頤大悖，小人使爲國家，菑害並至。

馬其昶：小人貪祿，古人所謂煬竈當前。十年戒辭。

丁壽昌：謂貞不變則凶。貞此順遂其欲則凶也。

曹爲霖：六三養民者，拂頤道正乎凶也。

宋書升：頤本主內養，求在我，拂則求在外。歷十位。

劉次源：三求上養，是謂拂經。

李郁：三不得養乎上下二陽，有違頤養之道。

胡樸安：十年不耕種，大悖於道。

高亨：拂頤與批頰同。奇恥大辱。奴徒或受之。

徐世大：拂拭梭。十年勿用，沒好處。

李鏡池：不走正道，靠搶解決糧食問題，永遠倒霉。

汪忠長引吳摯文曰：拂頤猶不可口也。貞占。

徐志銳：求上供養，貪食无厭，對上九供養不滿足。

傅隸樸：三本陽位，迎合上九變爲六三，是媚君行爲。

爻一變即卦變，卦變則非本卦矣。傅公言六三本陽位，迎合上九變爲六三，是媚君行爲。是本卦山雷頤。若眞六三變回原九三則爲山火賁卦矣，賁卦九三自有九三說辭。在賁三言頤六三，蓋顧左右言他也。頤六三自不宜離本卦訴說。斯謂之在本卦本爻，言本卦本爻也。

六三象判爲「道大悖。」虞翻謂「弒父弒君。」王弼，孔正義以后，有謂六三不正上九。陰養陽，小人養君子；有謂三不正求養於人。明明正應而謂求養不由其道而逕判雖正亦凶。第三說則謂不受上，亦无資下爲拂頤。初望養，拂不與。上不受其養。馬其昶謂小人貪祿，又謂煬竈當前。六三若爲煬竈者，彌子耶？韓嫣耶？董賢耶？小人當權，以一人之身蔽天下人光，以六三言，權傾人主矣！毛奇齡之猶染指而出，不夠恰切，蓋食指動者非小人，禁不得食者非昏君，一誇前知，一示威權。令食指動無效，兩不利也。前者臣子公宋食無黿；後者鄭靈公付出生命，是夏被殺。六三，上九無是矛盾。高亨謂拂頤爲批頰，徐世大以爲拂拭梭，汪忠長謂不可口，李鏡池謂靠搶糧解決糧食問題。皆爲異說。

違常理求得之食，狗豕之食，狗豕食人食，常賤於人。十年坤數十，數極，永久，終不可用，十年已非頤時。言其久也。六三位不正，無德，有違頤養之道，常賤於人，歷時久遠，雖正身修身，亦不爲人諒解，依舊見拒勿用，无攸利也。占得是卦者，運行六三之時宜多酙斟行事也。

六四，顚頤，吉。虎視眈眈，其欲逐逐，无咎。

象：顚頤之吉，上施光也。

子夏：其欲攸攸。（攸釋文，困學紀聞）

馬融：虎視眈眈，兌爲虎。眈眈，虎下視貌。

荀爽：其欲悠悠。（釋文）

劉表：其欲𥳑𥳑，遠也。（孫堂按：釋文逐逐，薛云速也。子夏作攸攸，志林云當爲逐。荀作悠悠，劉作𥳑去遠也，說文音式六反，疾也，一訓速也，一訓遠也。貪利則欲速而志高遠，此字當从劉表作𥳑，攸悠皆用同聲字，漢書其欲浟浟，師古引易云欲利之貌。浟亦攸之俗字，然亦可見本不作逐也。虞喜志林妄云攸當爲逐，王弼等同之，漢易皆不作逐。）

王弼：得位應初，以上養下，故顛頤吉也。下交不可瀆，故虎視耽耽。威不猛，嚴養德，施賢何可有利，故其欲逐逐，尙敦實也。自養則履正，所養則陽。爻之貴斯爲盛。

正義：上體得位應初，上養下，得養之宜，所以吉。上養下不可褻瀆，恒如虎視耽耽然，不可有求其情之所欲，逐逐尙敦實也。雖復顛頤養下，則得吉而无咎也。

張載：體順位陰，得頤之正。雖反陽養陰之義，以上養下其施光。然柔養剛，非嚴重其德，光大其志則未免於咎。

蘇軾：初見養於四爲凶，四得養初爲吉，初九剛，始若虎之耽耽不可馴，六四以其所欲而致之，逐逐焉而來，六四之所施，可謂光矣。

程頤：四大臣，陰居，柔不足自養，況養天下乎！初九剛賢，與四應，順初賴之養，顛倒也，故顛頤四不廢厥職，養其威嚴如虎視，其欲逐逐相繼不乏，既威嚴又所施不窮，故無咎。四居上位，以貴下賤，使賢行道，養德也。

吳園易解：此上所養以養萬民者也，光孰盛焉。

東谷易傳：居大臣之位而求在下之賢者養。吉。上養下欲，下養上德，四顛頤，資初養其德，養我之德。初視四，如虎之視眈眈然，四養初欲，使逐逐有繼，然後无咎。初剛而動，故爲虎，以四爲虎，失之矣。

朱震：四當位，下交初，乾首在下，顛也。求賢自助於剛，柔正則吉，故曰顛頤。虎視謂四交初也。不瀆則初九逐逐而往。逐古文作篴。虞仲翔曰坤爲虎，又艮爲虎，馬融兌爲虎，郭璞以兌艮爲虎，三者異位同象。

項安世：四與二俱顛頤，頤義以養正。虛無實不能自養，如人有食自傾之，故爲顛頤。顛爲傾覆之義。四去上近，上來養己，其施光大故吉，四止不動故无咎。逐逐，說文作篴篴，遠也。眈眈，深也。皆有沈厚專壹之義。

朱熹：柔居上得正，應正，賴其養以施於下，故雖顛而吉，虎視，下而專也：逐逐，求而繼也，能如是則无咎矣。

王應麟：漢書敍傳六世眈眈，其欲浟浟。程易田云浟音滌，今易作逐逐，考篴讀滌，篴从逐，逐字古有滌音。釋文逐，一音胄。釋文敦實。薛虞云速。子夏作攸。志林云當爲逐。荀爽作悠悠。劉表作篴篴遠也。說文疾也，長也，遠也。當从劉表作篴。漢易不作逐。

趙彥肅：虎食肉異於龜，蓋求養切者，陰求陽養，吉无咎。

梁寅：賴初養，顛倒常理。然求正應養人，亦可吉也。世人有才德不稱在高位，能握引賢良，上益下澤，可謂賢矣。虎視，視下而專。逐求相繼。下不可求上，上可求下之食，四懼其上不求也。戒如是則无咎。止不求有咎矣。

來知德：顛，頂。四求養于上也。艮虎，龜自養于內，虎求食于外。眈者視近而志遠。虎行垂首視近，心志求養天位，志遠。視下卦志上卦，眈也。陰，人欲，上下卦二陰，人欲重疊，故曰逐逐。養得正，故占吉又无咎。

王船山：正應初，上養下，亦顛頤也。當位養其應，故吉。虎視謂初九，剛躁本虎。耽耽，垂耳皃，虎怒則耳豎，耽耽順有求也。虎有逐逐之欲，媚養己者，四循小人之欲，然居其位，君子畜小人使之馴服，則固无咎。

周易折中引朱子語類：眈眈，虎下視貌，當下而專。其欲逐逐：求下養人，必繼繼求之，不厭乎數，然後可以養人不窮。又引林氏希元曰：苟下賢心不專，賢者不樂告以善道，求益心不繼，則纔有所得而遽自足。

李光地：四五居養人之位而才陰，資初五之養，雖顛頤而吉。然不可專且勤，必虎視之眈眈，求食之逐逐，嗜善不倦，如彼呴利無厭，則可稱職无咎矣。

毛奇齡：半口綴上，似倒傾頤者，四艮止，不與初應，不急食，求食不苟食，如艮虎，寅虎，大離目擇食眈眈然。逐逐漸漸也，世不識逐字，解漸無可疑也。

李塨：與初應，初乾爻，承天求立功非苟食也，吉矣。艮爲虎，視近志遠，兼弱攻昧之欲，逐而又逐，功成受祿耿弇似之。

焦循：眈眈下視貌，逐逐，悠悠，遠也，遠實也。

姚配中：初欲四舍爾靈龜，觀我朶頤，故眈眈。逐逐喻貪暴也。上之三成離則初應四，故无咎。

李富孫：虎視，周禮注作虎眂，張壽碑作覞覞虎視。說文視，古文作[illegible]，亦作眂。錢氏曰覞與眈同。逐逐子夏傳作攸攸，荀作悠悠，劉作跾云遠也。漢書作浟浟，顏注欲利貌，諸家聲近形似而異，義亦不同。

丁晏：攸攸，子夏傳。志林攸當爲逐。蘇林音迪，荀作悠悠，劉作跾，遠也。漢書敘傳六世眈眈，其欲浟浟。師古注眈眈威視之貌，浟浟欲利之貌。五經滺音攸，流貌，爾雅悠遠也，劉表跾爲遠，漢書子顏注攸攸遠貌。杜子春箋讀爲盪滌之滌。箋本從逐聲，是逐古亦有滌音。

吳汝綸：逐依荀本作悠，眈視近也。悠悠志遠也。

馬其昶：薛虞曰逐逐，速也。臧琳曰逐攸古聲同。說文跾疾也，與速訓合。貪利則欲速也。漢書謂武帝其欲浟浟。師古云浟浟，欲利之貌。

丁壽昌：程傳以逐逐相繼不乏。本作攸攸，非相繼之義。漢書作浟浟，欲利貌。說文攸，行水也，秦刻作汥。攸浟實一字。釋詁悠遠也，劉表跾訓遠，古通。集韻跾，速也，說文疾也，長也。虞喜妄改爲逐，古易不可復矣，又覞即眈之異文。

星野恒：眈眈虎視，逐逐相繼不已。柔正應初而求養，有顚頤象，以位應所以吉也。二比初視四如仇，猶虎望食，食嗜不已。然近君正應初，亦何有咎！

曹爲霖：仁民猶虎養其子，視眈眈，顧之專。欲逐逐，食之亟。吉且無咎。如興水利，墾田積穀，恤流民，豫荒政，代上施德養民。又如劉璋迎劉備使擊張魯也。

宋書升：得中正而爲上九之所用以養，故吉。虎謂本爻，逐逐，上體兌，爲發欲，逐逐動內而肆馳也。虎不能自養者。

劉次源：四心位應初，藉初養是爲顚頤，貞一即吉。艮虎離視，眈眈虎視，氣翕神凝。陽散復聚，轉敗爲功，是以无咎。

李郁：上九若顚至四，頤中有物故顚頤吉。眈眈目切貌。逐逐心煩貌。物多則貪心起，故目切心煩。龜以不食爲德，虎貪食爲德。有物則有欲，人性之常，故无咎。

胡樸安：由高處耕種於低處故吉。君主改變從前耕種法也。民眾對耕種品如虎眈眈而視，欲逐逐不息，極言注意，故无咎。

高亨：顚借爲塡，有食在口之象，是吉也。虎視眈其欲遠，將求食塡頤。以虎雄威，自可得其大欲，故无咎。

徐世大：顚倒梭，吉祥如意，她像虎瞪眼看，他的欲望跟著走，無害。

李鏡池：眈眈盯得緊。逐逐動得快。一面開荒耕種善于頤養；一面注意敵人搶掠，只要有戒備，不會出問題。

屈萬里：顚塡，塡滿其頤吉。𢦏作悠爲正。古人狀心思之深遠，往往用悠悠字。逐逐疑作慾慾。欲利貌。光、廣。

金景芳：六四與初九相應，又得正。吳澄說「自養于內者莫如龜，求養于外者莫如虎。四之初下賢求益之心，必如虎之視下求食而后可。其視下專，其欲不歇。如是于人不貳，于己不自足，乃得居上求下之道。

汪忠長：六四有應，賓頤以陽故吉。艮爲虎爲視，眈眈視貌。坤爲欲，逐逐言所欲在初，二三阻，不能遽遂其欲，故逐逐不已。

徐志銳：柔得正，但不能自養，靠上九供養，顚倒了自我供養關係，故稱顚頤。艮上齶止不動能節制食欲，上九又保證供養，欲望不高而供養有餘，象顚頤之吉，上施光也。

傅隸樸：陰居陰履正，是自養以正之象。順上養下故吉。但眈眈養下，要擇賢而養，逐逐漸漸，巉同，山石高峻，存心高峻，不於養中別圖其利，才得无咎而吉。

林漢仕案：六二之顚頤爲悖逆倫理得食（頤養），準此以往必凶。六四亦顚頤，然而吉者，冥冥中似有一主宰者乎？否則何爲動作施爲同而吉凶異？依佛傳家之見爲：「欲知前世因，今生受者是；欲知來世果，今生作者是。」因果造作不同，其理微，報有遲速。六二時段與六四時段因緣聚會如果子之成熟度之不同也。易傳家則全準爻辭「判決」轉「大法輪」。故六三上九正應而貞凶，无攸利。六四亦顛頤而吉，吾人傳易時，準爻辭尋尋覓覓可爲具說服力之依託，證諸爻判之無妄無謪也。

六四何爲吉，其理在：

象辭：上施光也。

王弼：得位應初，以上養下故吉也。

正義：上體得位應初，上養下，得養之宜，所以吉。

張載：體順位陰，得頤之正。雖反陽養陰義，其施光也。

蘇軾：六四以其所欲而致之。六四所施，可謂光矣。

程頤：四大臣，陰居，順初賴初養。以貴下賤，養德也。

吳園易解：此上所以養萬民也。光孰盛焉。

東谷易傳：資初養其德，養我之德。上養下欲，下養上德。居大臣之位而求在下之賢者養，吉。

朱震：四當位，下交初，求賢自助，柔正則吉。

項安世：四去上近，上來養己，其施光大故吉。

朱熹：柔居上得正應正，賴其養以施於下，雖顛而吉。

趙彥肅：陰求陽養，吉无咎。

梁寅：賴初養，顛倒常理。然正應養人，亦可吉也。下不可求上，上可求下之食。

來知德：四求養于上，養得正，故占吉。

王船山：正應初，上養下，當位養其應，故吉。
李光地：四五養人位，才陰，資初五之養，雖顚頤而吉。
毛奇齡：四艮止不與初應，不急食。半口綴上似傾頤者。
李塨：與初應，承天立功，非苟食也。吉矣。
星野恒：柔正應初而求養，以位應所以吉也。近君應初也。
宋書升：得中正而爲上九之所用以養，故吉。
劉次源：四心位應初，藉初養是爲顚頤，貞一即吉。
李郁：上九若顚至四，頤中有物故顚頤吉。
胡樸安：由高處耕種，低處，故吉。
高亨：顚借爲塡，有食在口之象，是吉也。
徐世大：顚倒梭，吉祥如意。
李鏡池：一面開荒頤養，一面戒備搶掠，不會出問題。
屈萬里：顚塡，塡滿其頤、吉。
金景芳：六四與初九相應，又得正，居上求下之道。
汪忠長：六四有應，寘頤，以陽故吉。
徐志銳：柔得正，但不能自養，靠上九供養，顚倒了自我供養關係。

傳隸樸：陰居陰履正，是自養以正之象，順上養下故吉。得位，應初，上養下故吉。此爲一說。

四大臣，當位，居上得正應正，順初賴其養。爲另一說。

四去上近，求養于上，養得正。爲第三說。

才陰，資初五之養，雖顚頤而吉。爲四說。

四艮止不與初應，不急食，半口綴上似傾頤。爲五說。

顚借爲塡，塡滿其頤是吉。爲六說。

倒棱，開荒，由高耕至低處……

各大家又自立規矩，如陽養陰。貴下賤。求賢。

上養下。

不可求上，上可求下之食。

不能自養，靠人養。

下養上，小人養君子。

以自家規矩去規矩他家物，自然不合轍。於是女非我是之聲交迭互響不已。宋書升謂六四「得中正」。六四爲上爻之下，易家似專屬二五爲下爻，上爻之居中者謂之中，六四不得謂中，豈人位亦得鼎足天地間而謂之中耶？宋書升之「得中正」似不據棄前修所立易規也。

「陽養陰」乃我中華文化自育產物，女子以才德是毓，無工作權，考試權，主中饋是賴。妻者齊也，掃帚，帨裙不出戶限爲賢，「拋頭露面。」蓋有不得已者。在家從父，出嫁從夫，夫死從子之三從。坐如鐘，臥如弓，立如松，行如風所謂四德之塑造淑質，賺錢乃我男子養家本色。故陽養陰乃天經地義現實生活之寫照。易經之賢陽賤陰者，時代產物乎？胡樸安，高亨以後，如權漸張，於是另闢蹊徑解易，蓋有不得已者乎？

六三拂頤，貞凶。違理求得祿食，常賤於人，久不得翻身，蓋位不正而無德，雖正身修心盼重建人格，依舊見拒勿用，无所利也。宮之奇之諫虢君論唇亡齒寒。家奴之言也，未之听也。六三時位如此。六四與六二之悖逆倫理得食（頤養）同，而凶吉各異者，蓋時段背景環境對像即使同，其事同，結果可以不同，如孟子之播種麰麥爲喻：地同，樹之時又同，至日至時熟，其收成不同。則地有肥磽，雨露，人事之不齊；又麥冬，黨參，黃耆，人參，紅棗可治哮喘病，甲得之獲痊癒，乙只得半癒或改善，甚獲持相反效果。所以然者，體質異也；又同車同機同舟之人，有時幸與不幸，發生災變免於難者時有所聞；漢高祖與盧綰同年同月同日生，四柱同，一在高路，一客死胡中。同拜釋迦佛爲師者，同爲乞士修行，有成佛，成菩薩，成羅漢，阿那含，斯陀含甚或仍爲凡夫者。佛菩薩將之歸類爲今生有福，乃前世修來；今生有禍，亦前世阿僧祇劫來之果報不爽。今生所受，今生所作，亦即自作自受，虛雲老和尚所謂「如種果子，先熟先脫。」斯六二，六四同爲顚頤凶吉不同者也。六三之被壓制，雖正身修心猶見棄於人。六四近君，所行仍悖逆倫理，人之看我不爲忤逆，反讚以嫵媚，其反抗舊日倫理已成氣候，造成時勢，其前仆後繼之功日顯也乎？秋瑾，徐錫麟，于右任之所以爲當局紀念，崇功者也。

虎視眈眈，其欲逐逐仍指六四言，六四反抗積習之成功，眈眈虎視，外伏心擬攫獲，如貍貓之伏，志在物也。外順而內激蕩，逐鹿之欲不息。三人同心，其利斷金。其无咎也，有其不可抑制之時勢乎？

眈眈之解，逐逐，攸攸，悠悠，筬筬，浟浟，愁愁，滺滺之異，蓋六四人看我，媚後獲鼓勵之態勢也，既得鼓勵，自然無咎。

六五，拂經，居貞吉。不可涉大川。

象曰：居貞之吉，順以從上也。

虞翻：失位故拂經，無應順上，故居貞吉。艮爲居也，涉上成坎，乘陽无應，故不可涉大川矣。

王弼：以陰居陽，拂頤義，行失類，故宜居貞。无應比上，得頤之吉。處頤違謙，難未可涉。

正義：拂，違也。經，義也。陰居陽，不有謙，乘頤養義，處頤違謙，患難未解，故不可涉大川，故居貞吉也。

張載：聽養於上，正也。以陰居頤卦之尊，拂經也。

蘇軾：六五失民，二三拂而過，爭則亡，順從上居貞爲吉。失民者不可犯難，故曰不可以涉大川。

程頤：君養天下者也，然柔質不足養天下，上有剛陽之賢賴其養己。養人者反賴人養，違拂經常，上，師傅之位也，必居守貞固輔翼其身。陰柔居貞倚剛賢於平時，不可處艱難變故之際，故云不可涉大川。深戒於君也。

吳園易解：舍二養六，雖違於常，而能順乎正，雖未可大有為吉，吉无疑矣。

朱震：六五資上九之賢以為養，拂經也。五寬以居之，順從於上，艮止有居象，故居貞之吉。人君養天下，得衆以用，健可涉難，六五拂經才不足，不可涉難。

項安世：六五居貞，非自守也，貞順從上也。違上自守則不能養物矣。六五待人養，非濟難之才。非濟難之君。

朱熹：陰不正居尊位而不能養人，反賴上九之養。

趙彥肅：上艮止，故近養五。

梁寅：五資上九之實以為養，故五不言頤。權由人不由己，拂其常理，故居貞則吉。涉大川不可言。

來知德：拂經者違悖養于同體之常道也。居靜，貞求養於同體之陽，任賢養民。涉川必乾剛，柔故不可涉。六五與六二正應為拂經，養賢君之正道。君待養于臣亦拂經。

洪範用靜吉。

王船山：六五不與二應，拂上養下之常經，比上九常得正而吉。然不厭小人之欲則緩急無與效力，涉險危。勿以己居貞強人同己，君子達人情而天下無險阻矣！

周易折中引邱氏富國曰：頤五不言頤，以頤由乎上也。又引林氏希元曰：不能養人，反賴上九以養於人，故象爲拂經，言反常也。然賴賢者以養，亦正道也。自用終不能濟。

李光地：居尊而資養於人，雖拂經常，然乃所以爲正也。安守其正則吉，不可妄動涉險以違時義。

毛奇齡：未色於有仰吭抑搔之意。幸居正，養正吉矣。五尊位庇上九似不順，二五互坤俱從，陰從陽猶輔從車。

李塨：居中柔不當位，求口實仰承上九，不縱逸，以順爲正，固可迪吉，惟才弱德小，欲涉不可耳。

吳汝綸：拂經依輔嗣注文乃拂頤之誤，二四以陰居陰，皆爲貿頤，三五以陰居陽，皆爲拂頤。

馬其昶：楊萬里曰上九位臣德師，六五貞固順從，天下自得其養，此眞聖人養賢以及萬民之事。引邱富國曰頤權由乎上，五柔承剛故居貞吉。其昶案五以承陽爲順，居貞吉，坤德也。非終不涉也，不勤遠略先自斂也。

丁壽昌：蘇蒿坪曰五變巽，艮巽皆木，故曰涉川。利不利以爻義決之。

星野恒：柔居君位，下不應，一陽在上承之，此君養于人者也，違常道故曰拂經。當居貞待養，不可冒險有爲，故有居貞之戒。

曹爲霖：思庵葉氏曰拂經者悖道自養，酒池肉林，沉湎若流之類也。居貞吉，戒五也。如衛公孫枝恤國凶饑，爲粥賑之，唐劉晏豫躅免救助之數，是拂經而居貞吉者。

宋書升：此爻主自晉來，在晉時，龜自養者，變頤，四離五至下，則不能自養，故言拂經。

劉次源：五陰居卑，不能養民，反賴上養，拂乎常經，得中居貞，處常則吉，濟難弗勝。

李郁：五本剛爻，顛初，以柔居五，失正失應，是悖常矣！故曰拂經。頤義養，五養乎上，故居貞吉，柔不可變故不可涉川。

胡樸安：違背出入之常行，耕種與游牧不同，頤順上耕種之命，違背游牧生活之常行。頤耕種不可涉大川也。

高亨：拂亦擊，經亦借爲脛，有人擊其脛，利於卜居，不可涉大川。

徐世大：又拂拭經線。住久好，不可過大河。

李鏡池：拂經于丘的省辭。不可，不利。是說開墾對定居有利。不可涉大川，占行旅，附載。

金景芳：六五求養于上九叫拂經。拂經是違背常理的意思。如能居貞守正則得吉。涉大川不行，遇險是無力渡過的。

汪忠長：五不當位故拂頤。安居五位，順上承陽，故貞吉。若下涉坤水，陰遇陰則窒，故不可也。

徐志銳：五尊位柔无實，不僅不能養人，自己依靠上九供養，是違逆常道，所以言拂經。項安世說，六五居貞非自守，貞于从上也，成王不疑周公，孝昭委任霍光之貞也。

傅隷樸：五君柔質居陽剛之位，才不足養天下，反賴上九以自養，故名拂經。反常的意思。但能貞固信上九不移，雖反常道仍可得吉。居作守解。貞固不移。但轉濟大事配合不上，故曰不可涉大川。

林漢仕案：「拂」義與六二拂經同爲輔弼，違，過擊，矯，拭，絕，拔，扶。

「經」之爲常，歷，吭，脈，脛，經線，阡陌，讀作徑。

六二拂經解作違背常道之大者。

六五之拂經亦當解爲違背常道。

六五君位，與二，三，四同一氣者，敢於違背常倫，乃有理想之改革者，革命家。小者如何春蕤女士所領導之「只要高潮，不要强暴。」之婦女遊行示威；大者則訴諸武力。晉文公之回國，欺姪媳，亂倫常；伐原示信；退避三舍報楚而擊之爭霸。譎而不正之行，換來七年雄據世界之晉風强棒，其貞固之行，自然人望之貞信不疑，故謂居貞吉。以不正得國，以正治國。此中國成者王，敗者寇也。茲彙易家衆見如后：

虞翻：失位故拂經。无應順上故居貞吉。

王弼：陰居陽，拂頤義。行失類故宜居員。

正義：拂違，經義。乖頤養義。

張載：以陰居頤尊，拂經。听養上，正也。

蘇軾：六五失民。二三拂過，爭則亡，順上居貞爲吉。

程頤：五養人者反賴上九陽養，違拂經常。宜柔貞倚剛賢。

吳園易解：舍二養六違常，順正爲吉。

朱震：五資上賢爲養，拂經也。順上居貞之吉。

項安世：貞順從上也。六五待人養。

朱熹：陰不正居尊位不能養人，反賴上九養。

梁寅：資上實爲養，權由人，拂常理。故居貞則吉。

來知德：違悖養于同體之常道：與二正應爲拂經：待養于臣亦拂經。

王夫之：六五不與二應，拂上養下之常經，比上九得正吉。

折中引：頤由乎上，不能養人，賴上九以養於人，反常也。

毛奇齡：仰吭仰搔之意，庇上，陰從陽猶輔從車。

李塨：求口實仰承上九。以順爲正，固可迪吉。

吳汝綸：輔嗣注乃拂頤之誤，二四竇頤，三五拂頤。

馬其昶引楊萬里：六五從德師，眞聖人養萬民事。承陽爲順，居貞吉，坤德也。

星野恒：君養于人，違常道故曰拂經。當居貞待養。

曹爲霖引：悖道自養，酒池肉林，沉湎若流之類也。

胡樸安：違背游牧生活出入之常行。順上耕種之命。

高亨：有人擊其脛，利於上居。

徐世大：拂拭經線。住久好。

李鏡池：開墾對定居有利。拂經于丘的省辭。

金景芳：六五求養于上九叫拂經。違背常理，守正得吉。

汪忠長：五不當位故拂頤。

徐志鋭：尊无實，不能養人，靠上九養，違常道。成王不疑周公，孝昭委任霍光。

傳隸樸：柔居剛，不足養天下，反賴上九以養，反常居守貞固不移可得吉。

群經作者，傳者，疏箋正義皆男性，大男人主義高漲，經邦治國架構，皆爲男性而設，女子退居幕後，成功男人背後必有偉大之女人，何爲不可易爲成功偉大之女人背後必有一個男人？維多利亞，今日伊莉沙白英國女王者是。老子之不爭，天下莫能與爭；天下之至柔，馳騁天下之至堅，無有入無間；上善若水；天下莫柔於水而攻堅莫之能勝，弱勝强，柔勝剛；人之生也弱，死也强，故堅强者死之徒，柔弱者生之徒。兵强不勝，木强則折；牝常以靜勝牡，以靜爲下；强梁者不得其死；知雄守雌，爲天下谿。甘居卑下正乃老子守柔曰强之用。作賤男剛，作賤女柔皆非中道，易本身即以守中爲上，老子亦以「不如守中。」制教。陰陽調和，摩擦萬物孳生。陰陽不遇，各擺高恣態，金剛經言：「佛告須菩提，一切眾生之類，我皆令人無餘涅槃而滅度之。」天下眾生，不留一絲生滅，皆到無憂世界，皆具足波羅蜜。世界本無生有，从有又入無，設使陰陽兩性各擺高姿態，此自然進入无生滅期，何勞佛陀大力再囑咐諸菩薩摩訶薩滅度眾生！

易傳家之言六五拂經者計有：

失位故拂經。

陰居陽，行失類。

陰居頤尊爲拂經。

五養人者，反賴上九陽養，違拂經常。

舍二養六違常。

違悖養于同體之常道。

與二正應爲拂經。（同爲陰性）

待養于臣亦拂經。

六五不與二應，拂上養下之常經。

仰吭、仰搔。求口實仰承上九。

三五以陰居陽故拂頤。

六五眞聖人養萬民事，從德師上九。

悖道自養，沉湎酒池之類。

失正，失應悖常。

違背游牧生活。

以杖擊其脛。

拂拭經線。

開墾利定居。

尊无實，靠上九。

柔居剛不足養天下，賴上九以養，反常。

毛大可，胡樸安，高亨，徐世大，李鏡池等各爲易作別注外，餘皆从時位言六五或受上養；或拂上養下之義；或眞聖主從賢從師養天下，而其違拂常經爲大旨所在，前言六五與六二，六三，六四原本沆瀣一氣者，今衝出一片天，宜以正治國此其時矣！六五之違反常經（所謂舊社會包袱），既得風雲際會居五，宜居處正，從茲撥亂反正則吉也。元氣未復，不可再涉大川犯難也。

上九，由頤，厲，吉。利涉大川。

象：由頤，厲，吉，大有慶也。

馬融：厲，危。

鄭玄：大有慶，君以得人爲慶。

虞翻：由，自從也。體剝居上，眾陰順承，故由頤，失位故厲。以坤艮自輔故吉也。

王弼：以陽處上而履四陰，陰不能獨爲主，必宗於陽也。故莫不由之以得其養，故曰由頤。眾陰主，不可瀆，故厲乃吉。貴无位是以厲，高有民是以吉。養主，物莫之違，故利涉大川。

正義：眾陰莫不宗陽由之得其養，故曰由頤。不可褻瀆，嚴厲乃吉。養主无所不爲，故利涉大川而有慶也。

張載：由頤，危然後乃吉，下有衆陰順從之慶，驕則有它吝，得養正方利涉大川，蓋養然後可動。

蘇軾：由頤，莫不由之以得養也。有其德無其位，故厲而後吉。無位而得衆者，必以身犯難，然後衆與之也。

程頤：以剛陽之德，居師傅之任，天下由之以養，常懷危厲則吉。得君如此之專，受任如此之重，宜竭其才力濟天下之艱危，成天下之治安，故曰利涉大川。

吳園易解：成卦之主，功成不居。

朱震：陽上，六五才不足養天下，天下由之以養者也。故曰由頤。非養道之正。人臣可不兢畏懷危懼乎？故厲。以剛居柔，位厲。下從王事，无成有終，上下受福。上九佐五養天下得民，利涉難也。

項安世：非能自吉也，得六五之委任而吉。陰陽相得爲慶。上九苟不得君而自用則厲且凶矣。上九養人故能濟大難。涉大川。

朱熹：六五賴上九之養以養人，是物由上九以養也。位高任重，故厲而吉。陽剛在上，故利涉川。

趙彥肅：上施則光。上以靜存。上九艮止，近養五。

梁寅：頤主，衆陰皆由之以養。養天下權由上九，正則伊尹，周公，不正則徐偃，田常。厲吉者，戒以惕厲則吉也。利涉，利於有爲也，恐其安於養不復進，其勉如此。

來知德：由從，上九陽剛居上位，君賴我養，民由我養，常握髮吐哺，无時或寧，所謂厲也，恐專權僭逼，无一事或忽，戒之後許以吉。乾健知險，利涉大川。

王船山：頤功由乎上，上九居高艮止之主，自養正，施養於人罔非其正，吉道也。涉險正已无私，端嚴自處，諸葛孔明所謂寧靜可以致遠也。

周易折中引李氏舜臣曰：由頤在上過中而嫌於不安，故厲。又引邱氏富國：實者養人，虛求人養，故四陰求養於陽，然養權在上，初陽亦求養者，故直上九一爻曰由頤焉。

李光地：初无養人之義，上頤之所由也。非尊位而頤由己，危道也。然時當養物，雖危而吉。濟艱履險亦无不利。宜坦然於危疑之間，自任天下之重也。

毛奇齡：由者來也。由是得頤，則以頤而砥厲，有勿吉乎？且臨上爲坤，以純陰而坎位，見此大川也，今以剛塡之而涉之矣！

李塨：同由豫，諸爻由我而養也。一卦主。兼收並蓄，能无危惕？乾健知險，即大川无不利涉。大有慶矣。

焦循：由，自也，由頤猶云自養也。

吳汝綸：由讀爲妯，動也，與朵頤同。

馬其昶：上九失位故厲。慶群陰資陽以濟。君者无爲，任人而治。五不可涉，上利焉，陰靜陽動之別也。五經異義引京氏曰臣動養君，其義理也，必望利下。當是此爻之義。

丁壽昌：厲，釋文嚴厲，馬王肅危。案易中厲皆訓危，王注嚴厲，非也。由頤四陰天下由之以養。王注四陰由之以養爲長。蘇蒿坪曰艮爲徑路，有由象。

星野恒：以陽居上，六五柔不能養人，乃諸爻之所由以養，故曰由頤，雖惕厲戒懼，可以保其吉。蓋陽養陰，初微，諸爻仰養于我，居危疑之地，若持祿養望，豈所望於上哉！

曹爲霖：陳氏曰，上九頤主，養賢及民者。得其道，萬姓更生，如漢王謀取敖倉，太宗賑恤流民，宋仁宗殫心荒政，蓋此類也。

宋書升：此爻主自震來，四稱由，陽自四升故言由頤。陽疑亢故厲，爲下陰所養故吉。

劉次源：初謟上受。非上之止，動无可施，是謂由頤。天下待養，位高多危，惕厲自儆，吉即在斯，濟難應爲，各遂其生。

李郁：一陽在上，上止下動，成頤故曰由頤。上失位故厲，行得正故吉。利涉大川者謂降五而外卦成坎也。

胡樸安：由耕種之道，努力終吉也。收穫後涉大川田獵，有耕種之穫，又有田獵之獲也。

高亨：由疑借爲舀，以手抒頤謂之舀頤。食畢以手剔牙之象，人既飽食，可以捍難，雖危亦吉。利涉大川。

徐世大：動作無復障礙，織布機發出ㄑㄧㄝ　ㄎㄨㄚ　ㄊㄚ，ㄑㄧㄝ　ㄎㄨㄚ　ㄊㄚ聲。卜人又叫使勁，好，利涉大川。

李鏡池：由頤，遵循頤養正道。會有一段時間艱苦，但收獲足糧，那時就好了。由厲而吉。利涉大川另占附載。

屈萬里：謂從口腹之欲。

金景芳：丘富國說「陽實陰虛，實者養人，虛者求人之養，故四陰皆求養于陽者。然養之權在上，二陽爻以上爲主。

汪忠長：由，自得也。下乘重陰故由頤。然高居萬民之上，恐逸豫隨之，故須振厲方吉也。坤爲大川，陽遇陰則通，故利涉大川。

徐志銳：由頤，由于此爻使其他各爻得其養，上九主爻，剛實自養，又供養四個陰虛，養人又養德，爲養生之正道，六五君將養萬民重任委託給上九賢人，上九涉難不敢怠慢。

傅隸樸：上九剛明又得六三應，上得君專，下得民信，天下之民皆由之以得養。然官高身危，厲即危險，有臨淵履薄惕懼方得吉利。上九剛明得君專，利涉是對上九期許鼓勵。

林漢仕案：由頤，厲。爲何厲？各家釋說不完全一致，茲抄錄如后：

厲，危。（馬融）

由，自從也。失位故厲。（虞翻）

莫不由之以得其養，故曰由頤。（王弼）

衆陰莫不宗陽由之得其養，故曰由頤。（正義）

自危然後乃吉者，下衆陰順，驕則吝。（張載）

剛德居師傅之任，天下由之養，常懷危厲則吉。（程頤）
六五才不足養天下，天下由上養，非養之正。可不懷危？（朱震）
上九苟不得君而自用則厲且凶矣。（項安世）
上九養人，位高任重，故厲而吉。（朱熹）
頤主，養天下權由上九，正則伊尹周公，戒以惕厲。（梁寅）
由從。君賴我養，握髮吐哺，无時或寧，所謂厲也。（來知德）
上九自養正，養人罔非正，吉道也。（王船山）
上過中嫌不安，故厲。四陰初養求養，上九曰由頤。（折中引）
非尊位而頤由己，危道。（李光地）
由，來也。由是得頤，以頤而砥厲，而有勿吉乎。（毛奇齡）
諸爻由我而養。卦主，兼收並蓄，能無危惕？（李塨）
由，自也。由頤猶云自養。（焦循）
由讀爲妯，動也。與朵頤同。（吳汝綸）
上九失位故厲。君无爲任人而治。（馬其昶）
厲，嚴厲。非也。訓危。艮爲徑路，有由象。（丁壽昌引）
陽居上，諸爻之所由以養，故曰由頤。惕厲戒懼。（星野恒）

上九頤主，養賢及民者，如漢王謀取敖倉類。（曹爲霖）

四稱由，陽自四升故言由頤。陽疑亢故厲。（宋書升）

初謟上受，非上之止，動无可施，是謂由頤。（劉次源）

上止下動，成頤故曰由頤。上失位故厲。（李郁）

由耕種之道，努力終吉。（胡樸安）

由借爲舀，以手抒頤謂之舀頤。食畢以手剔牙象。（高亨）

織布機發出ㄑ一ㄝ　ㄎㄨㄚ　ㄊㄚ聲，卜人叫使勁。（徐世大）

由頤，遵循頤養正道。收穫足糧，由厲而吉。（李鏡池）

從口腹之欲。（屈萬里）

由，自得也。下乘重陰故曰由頤。須振厲方吉。（汪忠長）

由頤，由此爻各爻得其養。養人養德，爲養生正道。（徐志銳）

上九，六三應，上得君專，下得民信。官高身危。（傅隸樸）

從上文可見，頤養皆由上九，儘管由之義有自從：由之得……由從：由來：由己：由自：由讀爲妯，動也：艮路有由象：上止下動成頤故曰由頤：由借爲舀，剔牙：織布機聲：由，自得也：由此爻各爻得養。各爻皆由上九一爻養，怠無疑義？惟上九乃六五之未來，六五乃上九之過去，至六五已衝出一片天，宜以正治國，從前之違反常經，至六五宜撥亂反正，惟元氣未復，故不可涉大川。上九由頤，天下由我而得養，養才，養德，養生，養一切萬物，不能再起從前改革時之拂，顛，製造不安之社會現象，不可違反常經，許汝於吉，亦許汝之涉險犯難也。厲訓起。亦可訓危，亦即常懷危厲心，載舟覆舟之念不可一日或忘也。

參考書目

無求備齋易經集成	嚴靈峰輯	成文出版社
皇極經世秘本	邵　雍	武陵出版社
易參義	梁　寅	廣文書局
刪補易大全	納蘭德成	廣文書局
周易傳注	李　塨	廣文書局
周易大義	吳汝綸	台灣中華書局
周易史鏡	曹爲霖	新文豐出版社
周易精華	薛嘉穎	新文豐出版社
周易譯註	黃壽祺等	漢京文化事業公司
周易要義	宋書升	山東齊魯書社
周易正言	李　郁	廣文書局
周易經翼通解	星野恒	五洲出版社

周易補注	陳樹楷	天津古籍書店
周易哲學史	朱伯崑	北京大學出版社
讀易會通	丁壽昌	河洛圖書出版社
易費氏學	馬其昶	新文豐出版社
易鑰	陳炳元	弘道文化事業公司
周易解頤內篇	徐世大	精華印書館
周易闡微	徐世大	台灣開明書店
周易探源	鄭衍通	中教出版社
周易話解	劉思白	弘道文化事業公司
周易理解	傅隸樸	中華書局
周易集釋初稿	屈萬里	聯經出版事業
先秦漢魏易例述評	屈萬里	學生書局
談易	戴君仁	台灣開明書店
周易講義	程兆熊	九龍鄧鏡波學校
先秦諸子易學通考	胡自逢	文史哲出版社
周易鄭氏學	胡自逢	文史哲出版社

易學新探	程石泉	黎明文化事業
周易要義	周大利	文史哲出版社
讀易小識	朱曉海	文史哲出版社
易經研究論集	林　尹等	黎明文化事業
周易讀本	黃慶萱	三民書局
易經研究	徐芹庭	世界圖書公司
易通	劉次源	廣文書局
易學大辭典	張其成	華夏出版社
易學源流	徐芹庭	國立編譯館
費氏古易訂文	王樹枏	文史哲出版社
漫談周易	王居恭	文史哲出版社
周易旁通	王居恭	文史哲出版社
易卦淺釋	沙少海	文史哲出版社
神秘的八卦	王玉德等	廣西人民出版社
周易百題問答	王永生	山西人民出版社
易經門窺	周止禮	新華書店

易經十六講	鍾啓祿	中國華僑出版公司
今人讀易	闞角如	湖南教育出版社
周易秘文	黎子耀	浙江古籍出版社
周易大傳新註	徐志銳	齊魯書社
周易講座	金景芳	吉林大學出版社
讀易劄記	汪忠長	老古文化事業
易經圖解	劉　平	文化藝術出版社
易理新研	沈持衡	文津出版社
易經	蘇勇（點校）	北京大學出版社
十三經注疏	阮　元	藝文書局
中國文學史綱要	北大文學系編	北京大學出版社
甲骨文字考釋	李孝定	中央研究院專刊
廿五史	楊家駱編	鼎文書局
崔東壁遺書	崔　述	河洛出版社
宋稗類鈔	潘永因	廣文書局
觀堂集林	王國維	文華出版公司

原抄本日知錄　顧炎武　明倫出版社
古時漢語　王了一　自印
易數淺說　黎凱旋　藝文書局
說文通訓定聲　朱駿聲　世界書局
經籍纂詁　廣文書局
說文解字　許　慎　廣文書局
宣化上人開示錄　宣化上人　法界佛教印經會
通俗篇　翟　灝　廣文書局
茶香室經說　俞　樾　廣文書局
茶香室叢鈔續鈔　俞　樾　廣文書局
古事比　方中德輯　廣文書局
爾雅台答問　馬　浮　廣文書局
論衡　王　充　世界書局
十駕齋養新錄　錢大昕　中華書局
經義述文　王引之　廣文書局
經學通論　皮錫瑞　商務印書館

十力語要及讀經示要	熊十力	廣文書局
白虎通等		廣文書局
老子翼	焦竑	廣文書局
莊子解	王夫之	廣文書局
殷墟卜辭綜類	島邦男	
兩周金文辭大系考釋	郭沫若	大通書局
三代吉金文存	羅振玉	中文出版社
窓齋集古錄	吳大澂	台聯國風出版社
綴遺齋彝器考釋	方濬益	台聯國風出版社
周金疏證	魯實先師	
殷契粹編	江蘆劉氏藏本	大通書局
商周彝器通考	容希白	大通書局
攈古錄金文	吳式芬	樂天書局
積古齋鐘鼎彝器款識	阮元	藝文書局
禪定天眼通	馮馮	天華書局
命理新論	吳俊民	

諸子合訂本		廣文書局
十八家詩鈔	曾國藩	廣文書局
禪與詩	杜松柏	弘道書局
周易義疏	韋達哲士譯述	

林漢仕其他述作

孟子探微（原名孟子的故事） 六十七年七月再版 文史哲出版社印行

附益孟子諏微 七十八年二月再版 文史哲出版社印行

重文彙集 七十二年十一月初版 文史哲出版社印行

易傳評詁 七十七年十二月初版 文史哲出版社印行

乾坤傳識 八十年十一月初版 文史哲出版社印行

否泰輯真 八十一年五月初版 文史哲出版社印行

易傳綜理 八十三年十月初版 文史哲出版社印行

易經傳傳

將賡續鋟版者：

易傳滙真

易傳廣玩